Tu rostro mañana

2 Baile y sueño

Javier Marías

Tu rostro mañana

2 Baile y sueño

ALFAGUARA

© 2004, Javier Marías
© De esta edición:
2004, Santillana Ediciones Generales, S. L.
Torrelaguna, 60. 28043 Madrid
Teléfono 91 744 90 60
Telefax 91 744 92 24
www.alfaguara.com

ISBN: 84-204-3079-X
Depósito legal: M. 39.073-2004
Impreso en España - Printed in Spain

Diseño:
Proyecto de Enric Satué

© Cubierta:
Proforma / Hans Geel
Ilustración:
Train Series (B). De un original de la
© The Robert Opie Collection,
Museum of Advertising & Packaging, Gloucester

Impreso en el mes de noviembre de 2004
en los Talleres Gráficos de Unigraf, S. L.,
Móstoles, Madrid (España)

Índice

Para Carmen López M,
que ojalá aún me quiera
seguir oyendo

And for Sir Peter Russell,
to whom this book is still indebted
for his very long shadow,
and the author,
for his far-reaching friendship

III Baile

Ojalá nunca nadie nos pidiera nada, ni casi nos preguntara, ningún consejo ni favor ni préstamo, ni el de la atención siquiera, ojalá no nos pidieran los otros que los escucháramos, sus problemas míseros y sus penosos conflictos tan idénticos a los nuestros, sus incomprensibles dudas y sus meras historias tantas veces intercambiables y ya siempre escritas (no es muy amplia la gama de lo que puede intentar contarse), o lo que antiguamente se llamaban cuitas, quién no las tiene o si no se las busca, 'la infelicidad se inventa', cito a menudo para mis adentros, y es una cita cierta cuando son desdichas que no vienen de fuera y que no son desdichas inevitables objetivamente, no una catástrofe, no un accidente, una muerte, una ruina, un despido, una plaga, una hambruna, o la persecución sañuda de quien no ha hecho nada, de ellas está llena la Historia y también la nuestra, quiero decir estos tiempos inacabados nuestros (y hasta hay despidos y ruinas y muertes que sí son buscados o merecidos o que sí se inventan). Ojalá nadie se nos acercara a decirnos 'Por favor', u 'Oye', son las palabras primeras que preceden a las peticiones, a casi todas ellas: 'Oye, ¿tú sabes?', 'Oye, ¿tú podrías decirme?', 'Oye, ¿tú tienes?', 'Oye, es que quiero pedirte: una recomendación, un dato, un parecer, una mano, dinero, una intercesión, o consuelo, una gracia, que me guardes este secreto o que cambies por mí y seas otro, o que por mí traiciones y mientas o calles y así me salves'. La gente pide y pide lo que se le ocurre, todo, lo razonable y lo disparatado, lo justo y lo más abusivo y lo imaginario —la luna, se dijo siempre, y tantos la prometieron en todas partes, porque sigue siendo imaginaria—; piden los próximos y los desconocidos, los que están en apuros y quienes más bien los causan, los menesterosos y los sobrados, que en eso no se distinguen: nadie parece nunca acumular bastante, nadie se contenta nunca ni se para nadie, como si a todos se les dijera: 'Tú pide, pide por esa boca, tú pide siempre'. Cuando lo cierto es que a nadie se le dice eso.

Y uno entonces va y oye, oye las más de las veces, tantas temeroso y tantas también halagado, nada es tan lisonjero en principio como estar en situación de conceder o negar algo, nada —eso también llega muy pronto— tan pegajoso y desagradable: saber, pensar que uno puede decir 'Sí' o 'No' o 'Ya veremos'; y 'Tal vez', 'Voy a mirarlo', 'Te daré mañana una respuesta' o 'Esto otro querré a cambio', según tenga el día y a su absoluto arbitrio, según esté inactivo, dadivoso, aburrido, o lleve por el contrario una prisa enorme y le falten paciencia y tiempo, según su humor o que quiera poner a otro en deuda o mantenerlo a la espera en vilo o desee uno comprometerse, porque al conceder o negar —en ambos casos, o es ya sólo por prestar oído—, queda envuelto con el suplicante, y se enreda o anuda acaso.

Si uno da una limosna un día a un mendigo del vecindario, a la mañana siguiente será más difícil negársela, porque él la esperará (nada ha cambiado, sigue siendo igual de pobre, yo no soy aún menos rico, y por qué hoy no si ayer sí) y en cierto sentido uno habrá contraído una obligación con él: si lo ha ayudado a llegar a esa nueva jornada, tiene la responsabilidad de que ésta no se le vuelva en contra, de que no sea la de su sufrimiento último o su condena o su muerte, y ha de tenderle un puente para que la atraviese, y así un día tras otro quizá indefinidamente, no es tan rara ni gratuita esa ley de algunos pueblos elementales —o son más bien lógicos— según la cual quien le salvaba la vida a alguien se convertía en el guardián o responsable perpetuo de esa vida y de ese alguien (a menos que se diera un día la estricta correspondencia y así quedaran en paz y pudieran separarse entonces), como si se facultara al salvado para decirle a su salvador: 'Si estoy aquí todavía es porque tú así lo has querido; es como si me hubieras hecho nacer de nuevo, luego tienes que protegerme y cuidarme y salvaguardarme, porque de no ser por ti me encontraría ya fuera de todo mal y de todo alcance, o ya medio a salvo en el tuerto e inseguro olvido'.

Y si por el contrario niega uno el primer día la limosna a su pordiosero vecino, tendrá la impresión al segundo de estar en deuda, y quizá esa sensación va a ir en aumento al tercero y al cuarto y quinto, pues si el mendigo ha franqueado y vencido esas fechas sin ayuda mía, ¿cómo no reconocerle el mérito y agradecerle lo que ya me he ahorrado? Y cada mañana que pasa —cada noche a la que él sobrevive—, más arraigará en nosotros la idea de que nos toca contribuir y es nuestro turno. (Pero esto sólo atañe a quienes se fijan en los harapientos, y la mayoría los pasa por alto, pone la mirada opaca y sólo los ve como hatillos.)

Así que oye uno al mendigo que lo aborda en la calle y ya está envuelto; y oye al forastero o al extraviado que le pregunta por una dirección y a veces acaba uno por acompañarlo, si lleva su misma senda y entonces los dos unen sus pasos y se convierten el uno del otro en el insistente ser paralelo que sin embargo ninguno ve como de mal agüero ni como molestia u obstáculo, porque caminan juntos voluntariamente aunque no se conozcan ni tal vez se hablen durante ese trecho, mientras avanzan (y es el forastero o extraviado el que puede ser conducido siempre a otro lugar, a una encerrona, a una celada, al descampado, a una trampa); y oye al desconocido que se presenta a la puerta persuadiendo o vendiendo o evangelizando, tratando de convencernos siempre y siempre contando rápido, y por abrirle ya está enredado; y oye al amigo al teléfono con voz apremiante, o fuera de sí, o melifluo —no, es más bien fuera de quicio—, implorante o exigente o amenazador de pronto, y ya con eso está anudado; y oye a su mujer y a sus hijos que casi sólo le hablan así o sólo así saben ya hablarle desde la difuminación y la mayor distancia, quiero decir pidiendo, y entonces ha de tirar de navaja o filo para cortar ese vínculo que acabará apretándole: también a ellos los ha hecho nacer, a los hijos que no están fuera de todo mal ni de todo alcance y que jamás van a estarlo, y también se los hizo nacer uno a su madre, que es aún como ellos mismos porque ya es inimaginable sin niños —forman un núcleo, y jamás se excluyen— y éstos son inconcebibles sin esa figura que les es aún necesaria, tanto que él debe protegérsela sin remedio, cuidársela y salvaguardarla —sigue viéndolo como tarea suya—, aunque Luisa no se dé cuenta del todo o no con plena conciencia, y esté muy lejos en el espacio, y en el tiempo se me vaya alejando fecha a fecha y cada día que pasa. O se me nuble cada noche que franqueo y atravieso y salvo, y sigo sin verla, no la veo.

Luisa no se enredó ni anudó, pero sí quedó envuelta una vez por una petición y una limosna y también me envolvió a mí un poco en ellas, fue antes de que nos separáramos y yo me fuera a Inglaterra, cuando aún no preveíamos todo el alejamiento ni nuestras espaldas tan vueltas o no yo al menos, uno sólo sabe más tarde cuándo ha perdido la confianza o cuándo perdieron otros la que tenían en uno —si es que eso llega a saberse, y yo no lo creo, en el fondo—; quiero decir que sólo luego, cuando el presente es ya pasado y muy variable y dudoso y por eso puede contarse (y mil veces puede contarse, sin que ni dos coincidan), nos damos cuenta de que también nos la dábamos cuando el presente era aún presente y no estaba expuesto a su negación ni a su turbiedad o penumbra, o si no no podríamos ponerle a éste fechas y la verdad es que se las ponemos, oh sí, solemos fecharlo luego todo con tanta precisión que da espanto: 'Hubo un día en que...', decimos o recordamos como en las novelas (que van a lo señalado siempre: se lo indica su desenlace, lo dicta; pero no todas lo conocen), en ocasiones a solas y a veces en compañía, dos recapitulando en voz alta: 'Fueron aquellas palabras que dejaste caer como si nada en tu cumpleaños las que me pusieron en guardia, o las que empezaron a retraerme'. 'Tu reacción fue decepcionante, y hube de preguntarme si no me había equivocado contigo; pero eso era haberme equivocado durante demasiados años, luego quizá habías cambiado.' 'No aguanté aquellos reproches, tan insistentes e injustos que pensé si no eran sólo un pretexto tuyo, el modo mejor de enfriarme; y en verdad me quedé helado.' Sí, solemos saber cuándo algo se tuerce o se rompe o cansa. Pero esperamos siempre que se enderece o se suelde o nos recupere —por sí solo a veces, como por arte de magia— y que ese saber no se confirme; o si notamos que la cosa es aún más simple, que algo de nosotros fastidia o desagrada o repugna, nos hacemos voluntariosos propósitos para enmendarnos. Son teóricos e incrédulos, sin embargo, esos propósitos. En realidad sabemos que no seremos capaces, o que ya nada depende de lo que hagamos, ni de que nos abstengamos. Es la misma sensación que los antiguos tenían cuando a sus labios o a su pensamiento acudía esa expresión que nuestro tiempo ha olvidado, o más bien ha rechazado, y se lo reconocían: 'La suerte está echada'. Y aunque la frase esté casi abolida, esa sensación persiste, y nosotros todavía la conocemos. 'Ya no hay vuelta de hoja', eso sí me lo digo yo a veces.

A la puerta de un hipermercado o supermercado o pseudomercado en el que Luisa compraba, había apostada algunos días una joven muy joven que además era extranjera y madre y ambas cosas por partida doble: pues tenía dos niños, uno de meses en un mal cochecito y otro mayor pero muy pequeño, de entre dos y tres años (eso le calculaba Luisa, lo había visto vestir aún pañales bajo sus pantalones cortos), que guardaba el cochecito como un soldado, minúsculo pretoriano sin armas;

y no sólo era rumana o bosnia la joven, o tal vez húngara —aunque eso más improbable, muchos menos en España—, sino que sobre todo parecía gitana. No contaría más de veinte años, y los días que allí mendigaba (no eran todos, o no siempre coincidía Luisa con ella), estaba siempre con sus dos críos, no tanto para inspirar más lástima cuanto —interpretaba Luisa— porque no debía de tener dónde ni con quién dejarlos. Eran parte de ella, tanto como sus brazos. Eran su prolongación, la joven *era con ellos* como el perro *era sin pata*, según la visión de Alan Marriott cuando decidió asociar en su imaginación el suyo a aquella otra chica gitana, y juntos se le representaron como pareja espantosa.

La rumana pasaba horas de pie a la puerta del hipermercado, algún rato se sentaba en los escalones de entrada y mecía desde allí el cochecito sobre la acera, el niño mayor de vigía. Si Luisa se fijó no fue meramente por el *tableau vivant*, por el cuadro, bastante eficaz en cualquier caso, pero también muy reiterado pese a que hoy esté prohibida la presencia de niños en los limosneos. No es Luisa de las que se apiadan de todo el mundo, como yo tampoco. O tal vez sí, pero no hasta el punto de echar mano al bolso, o yo al bolsillo, cada vez que nos cruzamos con un indigente, no daríamos abasto en Madrid, no se gana lo bastante para tamaño dispendio, nuestras desaprensivas autoridades zafias trasladan sin cesar a la ciudad más grande, y sueltan sin más por sus calles, a oleadas de indocumentados que desconocen lengua, territorio y costumbres —gente recién colada por Andalucía o por las Canarias, o por Cataluña y las Baleares si proceden del Este, a la que ni siquiera sabrían a qué países mandar de vuelta—, y que allá se las compongan sin papeles y sin dinero, la cantidad de pobres siempre en aumento, y además pobres desconcertados, desorientados, extraviados, errantes, ininteligibles, sin nombre. Así que Luisa no reparó en el grupo en tanto que grupo lastimoso en sí mismo, como hay tantos, sino que los individualizó, le llamaron la atención la joven bosnia y su centinela niño, quiero decir que los vio a ellos, no le parecieron indistinguibles ni intercambiables como objetos de compasión, vio a las personas más allá de su condición y su función y sus necesidades, éstas sí tan extendidas y compartidas. No vio a una madre pobre con unos niños, sino a aquella madre concreta con aquellos niños concretos, con el mayor sobre todo.

'Tiene una carita tan despierta y tan viva', me dijo de él. 'Y lo que me da más pena es su disposición a ayudar, a cuidar de su hermano, a ser de alguna utilidad. Ese niño no quiere ser una carga, aunque no tenga más remedio que serlo, apenas puede valerse aún solo para ninguna cosa. Tan pequeño como es, quiere participar, quiere colaborar, se lo ve tan cariñoso con el bebé y tan atento a lo que pueda ocurrir y a lo que va ocurriendo. Pasa allí muchas horas, sin nada con lo que entretenerse, sube y baja los escalones, se columpia un poco de la barandilla, intenta mecer él el cochecito pero para eso no tiene fuerzas. Esas son sus mayores diversiones. Pero no se aleja mucho de la madre nunca, no por falta de espíritu aventurero (se lo ve tan despierto), sino como si tuviera conciencia de que eso supondría añadirle una preocupación a ella, y se ve que procura facilitarle las cosas lo más que puede, o lo más que sabe, y no sabe mucho. Y a veces les hace caricias en las mejillas, a la joven o al hermanito. Mira en todas direcciones, hacia todos lados, está muy alerta, estoy segura de que a sus ojos tan vivos no se les escapa la aparición de un transeúnte, y a algunos debe de recordarlos de una vez para otra, a mí ya probablemente. Me da pena esa actitud tan responsable, tan afanosa y participativa, esa enorme voluntad de ser útil. Aún no le toca.' Hizo una pausa y luego añadió: 'Fíjate qué absurdo. Hace nada no existía y ahora está lleno de preocupaciones que ni siquiera comprende. Quizá por eso tampoco le pesen, se lo ve alegre, y lo quiere mucho su madre. Pero debe de ser injusto, además de absurdo'. Se quedó pensativa unos segundos, acariciándose las rodillas con ambas manos, se había sentado en el borde del sofá a mi derecha, acababa de volver de la calle y aún no se había quitado la gabardina, en el suelo las bolsas con lo que había comprado, no había ido derecha a la cocina. Sus rodillas me gustaron siempre, con o sin medias, y por suerte me eran visibles en casi todo momento, solía vestir con falda. Después dijo: 'Me recuerda un poco a Guillermo, cuando era así de pequeño. También en él me daba lástima eso, no es sólo porque estos sean pobres. Verlo tan impaciente por incorporarse al mundo, o a las responsabilidades y a las tareas, tan deseoso de enterarse de todo y de echar una mano, tan consciente de mis esfuerzos y de mis dificultades. Y también de los tuyos aunque te viera menos, aún más intuitivamente, te acuerdas. O más deductivamente'.

No me lo preguntaba, me lo recordaba tan sólo, o afirmaba mi recuerdo. Yo seguía acordándome incluso en Londres, cuando no veía al niño, y empezaba a temer por él, era muy paciente y protector con su hermana y a menudo compartía de más y cedía, como quien sabe que lo noble y recto es que cedan siempre los fuertes ante los débiles no tiránicos o no abusivos, un principio hoy anticuado, porque hoy suelen ser desalmados los fuertes y despóticos los débiles; era también protector con su madre y no sabía si hasta conmigo mismo, ahora que me sentía desterrado y solitario y lejano, huérfano según su criterio o su entendimiento, sufren mucho en la vida quienes hacen de escudo, y los vigilantes, con su ojo y su oído siempre despiertos. Y los que quieren jugar limpio a ultranza, incluso cuando combaten y está en peligro su supervivencia o la de sus seres queridos imprescindibles, sin los cuales tampoco se vive, o ya no enteramente.

'Y todavía no ha cambiado', le dije a Luisa. 'Desearía que no lo hiciera, pero también a veces que sí. Lleva las de perder, tal como va el mundo. Creí que aprendería a guardarse más en cuanto fuera al colegio y probase allí la amenaza, pero ya van años y no parece. A veces me pregunto si no estaré siendo mal padre por no adiestrarlo, por no enseñarle lo que le conviene: tretas, argucias, intimidaciones, cautelas, quejas; y más egoísmo. Uno debería preparar a sus hijos, pienso. Pero no es fácil inculcarles lo conveniente, si eso a uno no le gusta. Y él es mejor que yo, por ahora.'

'Quizá fuera labor baldía en su caso, eso además', contestó Luisa. Y se levantó como con prisa. 'Voy a bajar a la calle antes de que se vayan', dijo. Por algo no se había quitado la gabardina ni había vaciado las bolsas, sabía que aún no estaba de vuelta. 'A esa chica suelo echarle unas monedas al entrar, tiene una caja, hoy también se las he echado. Pero al salir me ha pedido una cosa, es la primera vez que me ha pedido algo, quiero decir con palabras, en un español escaso y raro, no es un acento reconocible y mezcló alguna expresión italiana. Me pidió que le comprara toallitas para niños, de esas empapadas, muy cómodas para limpiarlos, que salen en tiras de un bote, bueno. Le dije que no, que se las comprara ella, que ya le había dado dinero antes. Y me contestó: "No, dinero no, el dinero no". Me he quedado dándole vueltas y creo que acabo de entenderlo. Ella recaudará para su marido, o para unos hermanos, o un padre, no sé, para sus hombres. Todo lo que sea dinero no se atreverá a tocarlo sin permiso de ellos, no podrá decidir por su cuenta un solo gasto, deberá entregárselo y luego ellos cubrirán necesidades como les parezca, quizá atendiendo primero a lo suyo. Esas toallitas las juzgarán superfluas, un lujo, no le darán para eso y que se aguante. Pero yo sé bien que no lo son, esos niños se pasan horas allí, y estarán muy escocidos si ella no puede limpiarlos a tiempo. Así que casi voy a comprárselas. No había caído antes, ella no dispone de lo que gana, ni un céntimo, por eso me ha pedido la cosa misma y el dinero no le valía. En seguida vuelvo.'

Cuando regresó al cabo de un rato se quitó la gabardina. Yo había vaciado las bolsas, en el entretanto, cada cosa ya en su sitio.

'¿Has llegado a tiempo?', le pregunté. Me había creado curiosidad suficiente.

'Sí, deben de estarse hasta la hora del cierre. He entrado, le he comprado un bote y se lo he dado.

No sabes qué cara de alegría y de agradecimiento. Es muy agradecida siempre esa chica, muy sonriente, cuando le doy monedas. Pero esta vez era distinto, era algo para ella, para su uso y para los niños, no era parte de la recaudación común, el dinero es todo igual y mezclado no se distingue. Y el niñito mayor se ha puesto también muy contento, al verla a ella contenta. Con una cara... celebratoria, aunque la razón no pudiera entenderla. Qué gracioso es, qué vivo, está al tanto de todo. Si no le va demasiado mal, será un gran optimista. Ojalá tenga algo de suerte.'

Yo sabía que Luisa ya estaba envuelta por aquella petición, atendida tardíamente y con deliberación por tanto. No enredada ni anudada, pero sí envuelta. Cada vez que volviera al supermercado y viera a la joven húngara y a su pequeño optimista, pensaría que se le habrían ya acabado las toallitas del bote, mientras que aún no se acababa la suciedad de sus niños —larga larga—. Y si no la encontraba, entonces se preguntaría por ella, por ellos, sin tanto como preocuparse ni indagar, eso aún menos (no es Luisa una exhibicionista, ni siquiera ante sí misma, ni se mete en las vidas ajenas). Pero yo lo sabía porque a partir de entonces yo mismo me pregunté a veces por ellos, sin haberlos visto nunca, y esperaba a que mi mujer me contara, si había algo que contarse al respecto, algún otro día.

Unas semanas más tarde, con la gente comprando ávidamente por la Navidad muy próxima, me contó que la madre rumana había vuelto a pedirle algo con palabras. 'Hola, *carina*', así la había saludado la joven, lo cual nos hizo suponer que antes de llegar a España habría errado por Italia, de donde quizá la habrían expulsado sin contemplacio-

nes sus brutales autoridades xenófobas pseudo-
lombardas, aún más lerdas y soeces que las pseu-
domadrileñas despreciativas nuestras. 'Si no quieres me dices no, pero yo te pido una cosa', había
sido el educado preámbulo, la cortesía consiste en
parte en la formulación de obviedades, que nunca
están de sobra a su servicio. 'El niño quiere una torta. Yo no puedo comprarla. ¿Tú puedes comprár-
lela? ¿Si quieres? Está ahí, detralángolo', y señaló
hacia la vuelta de una esquina, donde Luisa situó al
instante una pastelería fina y cara en la que también
compraba. 'Si no quieres no', había insistido, como
si fuera bien consciente de que tan sólo era un capricho. Que valía la pena pedir, sin embargo, pues
era del hijo.
      'Esta vez el niño sí que lo entendía todo',
contó Luisa. 'Era la transmisión de un deseo suyo,
y lo reconocía. Bueno: su cara de estar en vilo no
me dejó ni dudarlo, el pobre contenía el aliento a la
espera de mi Sí o mi No, con los ojos muy abiertos.'
('Igual que un reo su veredicto', pensé sin interrumpirla; 'eso sí, un reo optimista.') 'Como no sabía
qué era exactamente para ella "una torta", y además
parecían tenerla muy localizada y querer esa y no
cualquiera, nos tuvimos que encaminar los cuatro
hacia la pastelería, para que me la señalaran. Entré
yo delante para que los de la tienda vieran que el
grupo iba conmigo, y aun así los muchos clientes
se apartaron instintivamente con asco, nos abrieron
un pasillo como para evitarse un contagio, creo que
ella no se dio cuenta, o estará acostumbrada y eso ya
no le hace mella, pero a mí sí me la hizo. Fue el niño
quien me señaló la tarta tras una vitrina, muy exci-
tado, una bavaroise de cumpleaños, no muy gran-

de, y asintió la chica. Le dije entonces que se volvieran ya los tres a sus escalones, aquello estaba atestado y nosotros en medio con el cochecito y todo, mientras yo aguardaba turno y me la envolvían y la pagaba. Que yo se la llevaría luego. Entre unas cosas y otras tardé un cuarto de hora o por ahí, y me eché a reír cuando al doblar la calle paquete en mano, vi al niñito con una cara de expectación tremenda y la mirada fija en la esquina, estoy segura de que no le habría quitado ojo un segundo desde que hubieran regresado a su puesto, pendiente de mi aparición con el tesoro: como si llevara corriendo mentalmente todo aquel rato, de pura impaciencia, pura ansia. Se apartó por una vez de la madre y corrió a mi encuentro, aunque ella le gritó: "¡No, Emil, no! ¡Emil, ven!". Correteaba en torno a mí, como un perrillo.' Luisa se quedó recordando, con una sonrisa, divertida por el reciente recuerdo. Luego añadió: 'Y eso es todo'.

'Y al haberla complacido, ¿no te pedirá ya cosas siempre?', le pregunté.

'No, no la veo aprovechada. He coincidido varias veces con ella desde las toallitas, y hasta hoy no había vuelto a pedirme nada, así expresamente. Un día vi a sus hombres, rondaban por allí, supongo que el marido sería uno de ellos, aunque ninguno se distinguió en su actitud hacia ella ni hacia los niños. Lo mismo eran todos hermanos, o primos, o tíos suyos, parentela, cuatro o cinco en conciliábulo rápido, allí en la vecindad de la chica pero excluyéndola, y en seguida se fueron.'

'Harán mafia, harán inspecciones, velarán por que otros mendigos no le quiten el puesto. Muchos pagan por ocupar un buen sitio, como un alquiler, hasta en el pedir hay gran competencia. Y no es nada malo, el lugar de esa joven, sin protección no lo conservaría. ¿Cómo eran los hombres?'

'Mala pinta. De ellos también yo me habría apartado, me temo, como para evitarme un contagio. Malcarados. Irritables. Mandones. Fulleros. Sucios. Eso sí, todos con móviles y con sortijas. Y algún chaleco.'

'Sí', pensé, 'la reacción de esos clientes de la pastelería: es verdad que le ha hecho mella, no va a olvidarla, la tendrá muy presente la próxima vez que entre allí sola o con nuestros niños acomodados y no mendicantes: la ha sentido en su carne. Está envuelta. Pero no es grave ni llegará a serlo. También yo lo estoy, seguramente.'

En lo que a mí respectaba, lo comprobé en mi tiempo de Londres. Porque incluso allí, alejado de Luisa y de los niños nuestros, me acordaba de tarde en tarde de la joven bosnia y de los dos suyos, el pequeño responsable optimista apátrida y su hermano del cochecito viejo, a los que nunca había visto ni oído más que en relatos. Y cuando venían a mi memoria, lo que más me preguntaba no era cómo les iría ni si habrían tenido algo de suerte, sino —quizá extrañamente, o quizá no tanto— si seguirían todavía en el mundo, como si sólo en caso afirmativo valiera la pena dedicarles un efímero pensamiento flotante, sin contenidos concretos. Y no era así, sin embargo: aunque hubieran salido del mundo por un mal azar o un muy mal paso, por injusticia o por accidente o por asesinato, estaban ya entre mis cuentos oídos e incorporados, eran una imagen más acumulada mía y es infinita nuestra capacidad de asumirlas (todas se suman y casi ninguna se resta), las reales y las fantaseadas como lo acaecido y lo falso, avanzamos expuestos siempre a nuevas historias y a un millón más de episodios, y al recuerdo de seres que jamás han existido ni pisado la tierra ni cruzado el mundo, o que sí pasaron pero estaban ya medio a salvo en su dichosa insignificancia, o en su bienaventurada condición no memorable. El niño Emil le había hecho pensar a Luisa en nuestro niño Guillermo pretérito, el de sus dos o tres años, y ahora ese hijo nuestro ya crecido me hacía o nos hacía a su vez acordarnos —los hijos en la cabeza siempre— del pequeño húngaro insignificante, cuando tal vez éste habría proseguido camino y marchado a otro país en su nomadismo impuesto o ni siquiera permanecería ya más en el tiempo, expulsado de él tempranamente por un mal azar o un mal encuentro, no es raro que les ocurra eso a los que tienen prisa por incorporarse al mundo y a sus tareas y a sus beneficios y a sus pesares.

Así que a veces me despertaba en mitad de la noche o eso creía, bañado en sudor a veces y agitado siempre, y me preguntaba todavía en el sueño o todavía saliendo de él con torpeza y tardanza: '¿Están aún en el mundo? ¿Siguen en el mundo mis hijos? ¿Qué es de ellos esta noche lejana, en este instante de mi remoto espacio, qué les sucede ahora mismo? Yo no puedo saberlo, no puedo ir a sus cuartos para ver que aún respiran o gimen, ¿ha sonado el teléfono para avisarme del mal o fue tan sólo el timbrazo de mi sueño turbio? Para avisarme de que ya no están, expulsados del tiempo, qué ha pasado, ¿y cómo sé que no está marcando mi número Luisa en este momento para contarme esta tragedia que he presentido? O no le saldría la voz entre sus sollozos y yo le diría "Cálmate cálmate, y cuéntame qué ha pasado, que tendrá todo arreglo". Pero nunca se calmaría ni podría explicármelo porque hay cosas que no tienen explicación ni arreglo, y penas que jamás se calman'. Y cuando me sosegaba yo poco a poco —la nuca húmeda persistente— y comprendía que era todo distancia y aprensión y sueño y la maldición de no ver —no ve nunca la nuca, ni ven los desterrados ojos—, entonces me formulaba por asociación la otra pregunta, la ociosa, la soportable: '¿Siguen en el mundo esos niños rumanos de los escalones, sigue esa madre gitana joven del supermercado? Yo no voy a saberlo y en realidad no me atañe. No lo sabré desde luego esta noche y mañana se me olvidará preguntárselo a Luisa si es que ella me llama o yo la llamo (no nos toca), porque ya no me preocupará tanto de día si se sabe o no qué se hizo de ellos, no aquí tan lejos en Londres, es donde estoy, ya me acuerdo, ya caigo, esta ventana y su cielo, este silbido curvo del viento, este activo rumor de los árboles que nunca es desganado ni lánguido como el del río, soy yo quien marchó a otro país, no ese niñito (él quizá siga en mis calles), dentro de pocas horas iré al trabajo de esta ciudad en el que Tupra me aguarda, siempre quiere más Bertram Tupra, es el que espera insaciable, él no ve límite en nadie y cada vez más nos pide, a mí, a Mulryan, y a Pérez Nuix, y a Rendel, y a cualesquiera otros rostros que mañana vengan para estar a su lado, incluidos los nuestros cuando sean irreconocibles, de tan traidores o tan gastados'.

Pedir, pedir, casi nadie se priva y casi todos lo intentan y quién no prueba: Puede que me sea negado —es el razonamiento de toda cabeza, aun de la que no razona—, pero si no lo pido no lo obtendré, eso es seguro; y por pedir qué pierdo, si logro hacerlo sin esperanza. 'También yo estoy aquí por una petición, en origen, en parte', pensaba en mi duermevela de Londres, 'fue Luisa quien me pidió que me fuese, que despejara el campo y abandonara la casa y se lo facilitase, y dejara paso a quien se lo abriese, y así veríamos más claro ambos, sin condicionarnos. La complací, obedecí, le hice caso: salí y anduve, me alejé y seguí andando, hasta aquí llegué y aún no regreso. Ni siquiera sé si ya he parado en mi marcha. Quizá no vuelva, quizá nunca vuelva sin otra petición por medio, que podría ser esta: "Ven, ven, estaba tan equivocada antes. Ocupa de nuevo este lugar a mi lado, no había sabido verte. Ven. Ven conmigo. Regresa. Y quédate aquí para siempre". Pero ha pasado otra noche, y todavía no la oigo.'

También la joven Pérez Nuix iba a pedir, tras tanto dudar si hacerlo. Algo quería, algo quizá inmerecido puesto que me había seguido sin decidirse a abordarme durante demasiado trecho, bajo aquella lluvia nocturna tan afianzada y además tirando de un perro empapado y desprotegido, o siendo por él arrastrada. No me lo pregunté: lo supe al reconocer su voz por el telefonillo y al abrirle el portal desde arriba para que subiera a hablarme, eso había anunciado, 'Sé que es algo tarde, pero tendría que hablar contigo, será breve, un momentito' (lo había dicho en mi lengua y me había llamado 'Jaime': lo mismo que Luisa, de haber ella venido). Y lo supe mientras la oía ascender de uno en uno y sin prisa los escalones con su pointer mojado y oía a éste sacudirse el agua, por fin a cubierto y por fin con sentido (sin que se la renovara ya más el incomprensible cielo insistente): se detenía en los falsos rellanos o recodos mínimos de mi escalera sin ángulos o curvada siempre, vestida con su moqueta como casi todas las escaleras inglesas que así absorben el agua que allí nos sacudimos todos, tantos días de lluvia y son aún más las noches; y también oí a Pérez Nuix golpear el aire con su paraguas cerrado, no le ocultaría ya más la cara, y quizá aprovechó cada breve pausa y estremecimiento del animal para mirársela en un espejito un segundo —ojos, men-

tón, cutis o labios— y recomponerse un poco el pelo, que se humedece siempre pese a cualquier co-
bijo (todavía no había visto si se lo cubría además
con sombrero o pañuelo o gorro o con ladeada y em-
palagosa boina, quizá no le había visto la cabeza
nunca fuera de la oficina y de nuestro edificio sin
nombre). Y lo había sabido asimismo cuando ignoraba que ella era ella o quién era, cuando era sólo
una mujer forastera o mercenaria o extraviada o ex-
céntrica, o desvalida o ciega, en las calles vacías, con
gabardina y botas y un agradable muslo que entre-
ví un instante (o era esto último sólo imaginación
mía, el incorregible *desideratum* de toda una vida,
arraigado desde la adolescencia y que no se cansa ni
se retira más tarde, según voy viendo), al agacharse
para acariciar al perro y cuchichearle. 'Que sea ella
quien se me acerque', había pensado al pararme en
seco y girar el cuello y mirarla, 'si quería algo de
mí o si venía siguiéndome. Allá ella. No será para
nada, para no hablarme, si lo hacía o si lo está aún
haciendo.' Y para algo había sido, en efecto, quería hablar conmigo y pedirme.

　　Miré el reloj, miré a mi alrededor por si tenía el piso en excesivo desorden pese a que nunca
lo ha habido en mis sitios (pero por eso mismo com-
probamos los ordenados el orden, cada vez que viene alguien a vernos). Era algo tarde para Inglaterra,
sí, no para España, allí mucha gente se encaminaría
a sus cenas o estaría dudando entre restaurantes,
en Madrid se iniciaban veladas y Nuix era medio
española o no tanto, tal vez Luisa salía ahora mismo
para noche larga con su posible cortejador juerguista
que no querría saber de mis niños ni pasar nunca
de la entrada (ni tampoco —bendito fuese—, tam-

poco ocupar mi puesto). Allá ella, me había dicho bajo las interminables lanzas de agua, y allá ella, volví a decirme mientras mantenía mi puerta abierta a la espera de su llegada, jadeaba un poco según subía y paraba, había caminado bastante, era ella y no sólo el perro, los distinguía, me había pasado a mí un rato antes, al ascender a mi vez y aun arriba —dos minutos hasta recuperar el fuelle—, yo había andado muchísimo por las plazas y las calles vacías, y ante los monumentos. Allá ella, piensa uno equivocada o incompletamente, o allá él, cuando alguien se dispone a pedirnos algo. Allá yo también, deberíamos acordarnos de añadir este pensamiento, o será incluirlo. Allá yo sin duda, una vez que haya salido la petición de sus labios, o de su garganta, y una vez que yo la haya oído. Que la hayamos oído ambos, y así sepa el que pide que su mensaje ya cruzó el aire y no puede ignorarse, porque en el aire llegó a destino.

Habló sin parar y llenó el aire la joven Pérez Nuix al principio —una forma de aplazar lo que uno ha venido a decir, lo significativo—, mientras se quitaba la gabardina y me tendía el paraguas como si en un acto de rendición fuera su sable, y me consultaba qué hacer con el perro, que aún despedía gotas en sus sacudidas.

—¿Lo llevo a la cocina? —me preguntó—. Va a mojártelo todo, si no.

Miré al pobre pointer de semblante conforme, no tenía pinta de poner nunca objeciones.

—No, déjalo. Merece consideración. Estará mejor con nosotros. La moqueta lo ayudará a secarse, está ya muy batallada. —Me di cuenta en seguida de que esa era una expresión extraña, ni propiamente española ni adaptación de una inglesa, quizá ambas lenguas empezaban no a confundírseme sino a bailarme, por hablar la segunda casi todo el rato y pensar en la primera cuando estaba a solas. Quizá iba perdiendo mi instalación en una y en otra, al no ser bilingüe como Pérez Nuix, desde la infancia. Añadí—: Quiero decir muy sufrida. —Sin estar tampoco seguro de que eso fuera lo justo, mi madre empleaba este último término en un sentido distinto, y hacía con él referencia más bien al color de las telas y no a su desgaste. Hablaba buena lengua mi madre, mucho mejor que la contaminada mía.

Y apenas si dije más mientras mi visitante se disculpaba, perdona que aparezca a estas horas, perdona sin avisarte, perdona que esté empapada y que además traiga un perro todavía más mojado, tocaba ya sacarlo sin falta, no te importa prestarme una toalla un momento, es para mí, no para el perro, descuida, no te importa si me quito un segundo las botas, son impermeables pero con esta lluvia nada se salva, tengo los pies helados. Dijo eso entre mucho más en cascada, pero no se las quitó, sin embargo —un resto de discreción, acaso—, sólo se bajó las cremalleras de ambas y al rato volvió a subírselas, en realidad jugó un poco con ellas abajo y arriba, nada más dos veces en mi presencia, sentada siempre, le insistí en que tomara asiento mientras yo dejaba en la cocina sus prendas ya prescindibles junto a las mías ya secas, yo había permanecido tiempo mirando por la ventana, ella aún tardó en decidirse después de ver dónde vivía, me refiero a llamar al timbre y darse a conocer sin su nombre. Aunque me costaba imaginar que no hubiera sabido las señas antes, trabajando en lo que trabajábamos y con ficheros a mano, podría haberme esperado ante mi portal sin necesidad de seguirme durante largo trecho bajo la noche antipática, o aún más cómodo para ella, en el vestíbulo del hotel de enfrente, desde allí me habría visto llegar o habría reparado en mis luces (pero de día o de noche hay alguna encendida siempre, por horas que yo esté ausente), y habría atravesado la plaza entonces sin ni siquiera mojarse apenas. Le ofrecí algo, caliente, alcohólico, agua, de momento no quiso nada, encendió un cigarrillo, en esa oficina fumábamos todos salvo Mulryan que se quitaba, sin hacer caso de las ordenanzas, ella seguía hablando rápido y mucho para no ir a lo sustancial o a lo único que me debía, qué noche, es como si la lluvia se hubiera apoderado del mundo, no, no dijo eso pero sí algo semejante con el mismo trivial sentido, si uno finge que nada hay de extraordinario en su extraordinario comportamiento, éste puede acabar no pareciéndolo, funciona eso tan tonto con la mayoría adormilada o pasiva y nada más útil que las confianzas tomadas y no atajadas, pero ni ella ni yo ni Tupra ni Wheeler pertenecíamos a la mayoría, sino que éramos de los que no sueltan la presa ni se deslumbran ni pierden nunca del todo el hilo ni sus propósitos, tan sólo en parte, o en apariencia. No cruzó las piernas hasta un poco más tarde, como si la indecisión de sus cremalleras sólo fuera posible con las extremidades en paralelo y formando ángulo recto, a ellas no les aplicó la toalla que le presté al instante (llevaba medias sombreadas, no oscuras ni transparentes, le vi un punto suelto, acabaría en carrera pronto aunque fueran de invierno), se la llevó a la cara, a las manos, al cuello, a la nuca, no esta vez a los costados ni a las axilas ni al pecho, nada de eso era visible. El muslo era aquel mismo que yo había entrevisto antes al abrírsele los faldones de la gabardina, en la calle, a distancia, sólo que ahora eran los dos que yo capté como un todo según costumbre, buen pretexto el de mirar al perro tendido a sus pies, aún mejor el de inclinarme para palmearlo, me acordé de De la Garza durante la cena fría de Wheeler, enanizándose en un *pouf* muy bajo para inspeccionarle los desinhibidos suyos a Beryl Tupra bajo su falda corta (o nunca peor dicho, bajo: más bien fuera de ella, o no eran muslos lo que él acechaba). La de Pérez Nuix no lo era tanto ni mucho menos, aunque algo o bastante le remitiera al sentarse; y yo no llegaría desde luego a esos trucos pueriles, en principio espiar no es mi estilo, al menos no con intenciones y ahí las habría habido —un resto de discreción mía, acaso.

—Qué noche, es como si la lluvia se hubiera apoderado del mundo —volvió a decir, o su más prosaico equivalente, y eso significaba que se le habían terminado todo preámbulo y las maniobras de diversión y el dilatorio manejo de las cremalleras (quedaron subidas, aunque no hasta su tope) y de la toalla, la tenía aún cogida, la estrujaba sobre el sofá como quien conserva un pañuelo usado del que puede necesitar de nuevo en cualquier instante, nunca se sabe si resta alguno, con los estornudos. Mostraba bastante las piernas y debía de ser consciente de cuánto, pero en su actitud nada indicaba —no era patente— que lo supiera, y a uno ha de caberle un resquicio de duda siempre en lo que no es del todo manifiesto, por claro que crea verlo. 'Es muy lista en eso', pensé. 'Lo es tanto que no puede no darse cuenta de lo que enseña, pero a la vez su naturalidad absoluta —no es impúdica, ni exhibicionista— niega toda conciencia, más aún toda importancia, como aquella mañana en su despacho en que no se cubrió el torso durante tantos segundos —o no fueron muchos, sólo duraron— y yo saqué en limpio que a mí no me descartaba: no más que eso, no me hice planes, no creo ser engreído en ese campo, y todavía media un abismo entre el deseo y el no rechazo, entre la afirmación y la incógnita, entre la voluntariedad y la pura ausencia de planteamiento, entre un "Sí" y un "Puede", entre un "Ya" y un "Veremos" o es menos que esto, es un "En fin" o un "Ah bueno" o es ni siquiera pensarlo, un limbo, un hueco, un vacío, no me lo planteo ni se me ocurre ni tan siquiera ha cruzado mi mente. Pero en este trabajo voy aprendiendo a temer cuanto pasa por el pensamiento e incluso lo que el pensamiento aún ignora, porque veo casi siempre que todo estaba ya ahí, en algún sitio, antes de llegar a él, o de atravesarlo. Aprendo a temer, por tanto, no sólo lo que se concibe, la idea, sino lo que la antecede o le es previo y no es visión y no es conciencia. Y así todos sois vuestro propio dolor y la fiebre o podéis serlo, y entonces... Entonces quién sabe si será un "Sí" algún día, cualquier cosa y con cualquier persona que no haya sido excluida: según la amenaza o el desamparo o la inseguridad o el favor o el daño, o los intereses o las revelaciones, uno hace a veces descubrimientos tardíos, a veces después de un sorprendente y dilatado sueño semilascivo o de unas cuantas palabras lisonjeras despiertas, o ni siquiera hace falta ser uno mismo el objeto del apasionamiento, todo es aún más traicionero: alguien por fin se explica y capta nuestra atención y al verlo así hablar con vehemencia y sentido empezamos a preguntarnos por esa boca de la que surgen las reflexiones o los argumentos o el cuento, y a considerar besarla, quién no ha experimentado la sensualidad de la inteligencia, hasta los tontos están expuestos, y no pocos se rinden a ella sin saber nombrarla ni reconocerla, inesperadamente. Y otras veces nos damos cuenta de que ya no podemos privarnos de quien nos pareció más prescindible, o de que estamos dispuestos a dar todos los pasos por llegar a alguien en cuya dirección no dimos uno solo durante media vida, porque él o ella se habían encargado siempre de recorrer la distancia y por eso estaban tan a mano a diario. Hasta que de pronto un día se cansan de ese trayecto o el despecho los vence o les fallan las fuerzas o se están muriendo, y entonces nos entra el pánico y salimos corriendo en su busca con el alma en vilo y sin disimulo ni comedimiento, repentinos esclavos de quienes lo fueron nuestros sin que nos preguntáramos nunca por sus demás deseos o creyendo que serlo era el único que conocían o del que estaban al tanto. "Nunca me tuvisteis en lo que yo os he tenido, ni aspiraba a ello; me manteníais lejos, sin que os preocupara nada si jamás habíamos de volver a vernos, y no os lo reprocho en modo alguno; pero lamentaréis mi marcha y lamentaréis mi muerte, porque gusta y contenta saberse amado". Cito eso a veces o lo reelaboro para mis adentros, preguntándome de quién lamentaré la marcha, imprevistamente, o quién lamentará mi muerte, para su sorpresa; lo cito mal o muy libremente, la carta de adiós de una anciana ciega a un hombre extranjero, superficial, todavía joven y apuesto, hace más de doscientos años.'

'Ella no me descarta, no es más que eso', pensé. 'Sus piernas se muestran sin preocuparse y al hacerlo no me excluyen, nada más, eso es todo, soy yo quien se fija y lo tiene en cuenta. En realidad no es nada.'

Y entonces aproveché su repetición de la frase y el inmediato silencio, porque ella tuvo conciencia de repetirse, y se desconcertó por eso. Le tocaba decirlo a ella, a qué había venido, pero al callarse en seco me obligó a mí a recordárselo:

—De qué tenías que hablarme. De qué quieres hablarme.

Ella lo había demorado tan sólo, quizá es lo necesario para que se produzca una transacción de cualquier clase, rara vez se puede ir al grano desde el primerísimo instante sin resultar ofensivo ni parecer un mafioso o un multimillonario intemperante y despreciativo, y aun aquéllos tienen sus ceremoniales como los antiguos reyes según destacó y subrayó uno famoso y cavilante de Shakespeare, los tenían al menos los de la vieja escuela, fueran o no italianos, los de ahora mucho más prescinden, por lo que yo sé e incluso he visto, allí en Londres. Lo había demorado pero en ningún caso iba a rehuirlo, no iba a echarse atrás tras tantísimos pasos, se había presentado en mi casa sin anunciarse y de noche, pese a haberme tenido a tiro unas horas antes y a que me veía en el trabajo de nuevo unas cuantas más tarde, luego sus seguras dudas se habrían quedado en la calle, bajo la lluvia, para siempre desterradas desde que llamó por fin a mi timbre y pronunció uno de mis nombres, Jaime. Tampoco parecía poder admitir algo así su carácter: sí la vacilación, y larga —o era ponderación, o el lento acostumbramiento a lo que se ve inminente o a la decisión tomada, o es la condensación de un hecho para que en verdad llegue a serlo, cuando está ya a punto pero aún no es pasado ni hecho porque ni siquiera es presente hasta su estallido—; no el retroceso. Tenía que habérselo pensado mucho, caminando junto a su perro y divisando mi espalda a distancia, y también antes, aquella misma mañana en nuestro edificio sin nombre o quién sabía desde hacía cuántas, más las tardes acaso, y las noches correspondientes.

Sonrió acogedoramente como solía, también como si mi pregunta en dos tiempos verbales la liberase un poco de la carga. Noté cómo hacía el breve acopio de energía anterior a la primera frase, siempre que se me dirigía: parecía que la construyera mentalmente y la estructurara y memorizara completa antes de darle vía, y que tomara impulso o carrerilla para ya no poder pararse una vez iniciada ni tampoco enmendarla, y así nunca ser víctima de prematuros arrepentimientos sobre la marcha. No vi sin embargo que esta vez la acechara rubor alguno, quizá ya lo había sufrido asimismo en la calle, a solas, y allí lo había abandonado. Su sonrisa era de una diversión más bien tímida, como si se burlara de sí misma un poco al verse en la circunstancia de tener que explicarse o justificarse ante un compañero con el que coincidía a diario y ya había coincidido aquel día con toda naturalidad en el sitio neutral de siempre, donde nunca debían buscarse para encontrarse, a diferencia de ahora, la joven Pérez Nuix me buscaba, me requería, me había seguido por la ciudad en diluvio con sus habitantes ocultos. Lo único claro era, así, que ese lugar común no valía para hablar de lo que fuera a hablarme, tal vez sería el peor de todos, el menos indicado, el desaconsejable, demasiados oídos y algún ojo sensible. Su sonrisa contenía, sí, un elemento de guasa, probablemente hacia sí misma; no había coqueteo en ella, si acaso voluntad de agradar y de apaciguamiento; decía: 'Vale, ya voy a soltarlo, ya te lo suelto, no te impacientes, descuida, no te haré perder más el tiempo. Soy pesada, lo sé, o me lo estoy haciendo, pero es sólo parte de la escenificación, tú lo adviertes, tú lo ves, ya te das cuenta, tú no eres tonto, sólo nuevo'.

—Te quiero pedir un favor —dijo—. Grande para mí, para ti no tanto.

'Ah, es pedir', pensé. 'No proponer ni ofrecer, en ella habría sido posible pero no ha ocurrido. No es desahogarse, ni confesarse, ni tan siquiera contarme, aunque toda petición encierra algún cuento. Si la dejo continuar ya estaré envuelto; quizá enredado y tal vez me anude, luego. Siempre es así, aunque le niegue el favor y a nada me preste, siempre algún lazo. ¿Cómo sabe que para mí no tanto? Eso nunca se sabe, ni ella ni yo, hasta después de hecho el favor y pasado el tiempo y echadas las cuentas o acabado el tiempo. Pero sólo con esa frase ya me ha envuelto, me ha inyectado al vuelo un sentimiento de obligación o deuda, cuando obligaciones no tengo ni me recuerdo con ella deudas. Quizá debiera contestarle sin más: "Qué te hace creerte en condiciones de pedirme un favor, cualquiera, ninguno. Porque no lo estás, como en realidad no lo está nadie ante nadie, si bien se piensa, hasta la devolución de un millar de favores recibidos es voluntaria, no hay ley que la exija, o no es una escrita". Pero nunca nos atrevemos a contestar eso, ni siquiera al desconocido que se nos acerca y además no nos gusta o nos da mala espina. Parece ridículo, pero las más de las veces no hay escapatoria en primera instancia, y con la joven Pérez Nuix yo no la tengo: es una compañera; ha venido hasta casa en una noche de perros; es medio compatriota; la he dejado entrar; me habla en mi lengua; me enseña sin deliberación los muslos y son agradables; me está sonriendo; y yo soy aquí más extranjero que ella. Sí, soy nuevo.'

—Eso es mucho saber, lo que al otro va a costarle —dije, traté de rebelarme al menos contra aquella asunción, contra aquella parte. Traté de disuadirla sutil y educadamente, con esa respuesta. Demasiada educación, demasiada sutileza para quien quiere algo con fuerza y ya ha empezado a pedirlo. También me rondaban la curiosidad (aún no mucha, la mínima, la que no puede evitarse; pero con esa basta) y quizá el halago, descubrirse uno capaz de ayudar a alguien o de concederle algo, no digamos de salvarlo, eso suele preludiar complicaciones si no disgustos, vestidos todos de satisfacciones simples. Por ese halago sentido estuve a punto de añadir 'Tú dirás'. Pero me contuve: habría supuesto la anulación inmediata de mi tentativa de disuasión tan leve, o de rebelión tan apocada. Ya que me iba a rendir, que fuera no sin acoso, aunque se gastaran en él sólo salvas. Munición no iba a hacer falta.

—Es verdad, disculpa. —Era cauta, ya lo sabía, no iba a discutirme nada antes de solicitar lo que fuese, ni a llevarme la contraria ni a indisponerse conmigo, no antes; quizá después, si yo me mostraba reacio o me cerraba en banda, para convencerme, o para asustarme—. Tienes razón, es una suposición sin base. Para mí es un favor grande, y eso me hace pensar que al otro no ha de costarle mucho, por contraste. Aparte de que también lo crea, que no va a costarte. Pero quizá no debería pedírtelo, bien mirado. Es verdad que no se sabe. —Y al decir esto se irguió en el sofá e irguió el cuello al modo del animal alerta, no más que eso, como quien amaga con empezar a considerar la muy vaga posibilidad de pensar tal vez en acaso ir a marcharse. Oh no, no iba a irse, ni por asomo, no así, en modo alguno, había hecho ya suficiente esfuerzo, había rumiado, me había dedicado indecisión y tiempo. Sólo se iría con un 'Sí' o con un 'No'. O también se contentaría, seguramente, con un 'Veré qué puedo hacer, veré de hacerlo', o 'Esto otro querré a cambio', se puede siempre prometer y faltar luego a la palabra, es tan frecuente. Pero no le valdría un 'Depende'.

—No, no; no es eso. Tú dirás. Adelante, dime. —No tardé más en anular mi intento, no tardé más en rendirme. La educación es un veneno, nos pierde. Tampoco quería acostarme a las tantas y sin nada en limpio. Acaricié al perro, se lo veía cansado, el peso del agua contra su andar casi aéreo, tis tis tis, iba estando más seco. No debía de ser muy joven. Se estaba adormilando. Le di unas palmadas en el lomo, irguió el cuello como su dueña, un segundo, al notar mi mano amistosa; se dejó hacer con algo de señoritismo, bajó en seguida la cabeza sin prestar más atención, yo era de paso. Él no estaba para mojarse tanto.

—Pasado mañana o al otro, creo, o como tarde la semana que viene —se arrancó Pérez Nuix entonces, tenía por fin luz verde y no iba a desaprovecharla—, te tocará interpretar a alguien que yo conozco, en persona seguramente y quizá también en vídeos. Quiero pedirte que no lo perjudiques, que no hagas que Bertie lo descarte, así, que Tupra lo aparte o que dé un mal informe final de conjunto por desconfianza o por exceso de confianza. No tendría por qué, ese conocido mío no es tipo que engañe, yo lo sé, yo lo conozco. Pero Bertie es arbitrario a veces, o cuando ve algo muy claro puede obrar en el sentido contrario al de esa claridad, precisamente porque lo ve tan claro. Quiero decir, no sé, en fin. —Se percató de que le faltaba claridad a su frase. Lo que Pérez Nuix no sabía aún, me di cuenta, era en qué orden exponer, contar, persuadir, pedirme, pese a tanto preparativo. Casi todo el mundo lo ignora, ese orden; y falla. Hasta los que escriben. Pero ella siguió, no era cuestión de empezar de nuevo—. Yo he visto cómo alguien le causaba una impresión tan rematadamente mala que decidía favorecerlo en primera instancia y darle una oportunidad increíble; y a la inversa, cómo alguien le parecía tan recomendable que desechaba su trato y su concurso para cualquier asunto, también en primera instancia. No le gusta lo nítido, ni lo demasiado liso, lo que aparentemente es sin mezcla, porque está seguro de que siempre la hay y de que si no es perceptible se debe a un ocultamiento muy hábil o a una momentánea pereza de nuestra perspicacia. Así que cuando no se le ofrecen dudas, él se las crea. Cuando somos nosotros quienes carecemos de ellas, Rendel, Mulryan, tú, yo, los externos, Jane Treves, Branshaw, cualquiera, él las aporta. Nos las expone, nos las inventa. Recela tanto de lo indudable que modifica su veredicto por eso, en contra de su propia certeza, no digamos de las nuestras. Es infrecuente, porque casi nunca se da un convencimiento pleno ni él pondría la mano en el fuego por un ser humano, Tupra sabe bien que no hay nadie de una pieza, o que nadie persevera indefinidamente en quien es, ni en quien fue, ni siquiera en quien aspira a ser y aún no ha sido un solo día. '*That's the way of the world*', ya sabes; dice eso y continúa, nada espera y nada le extraña. —'Es el estilo del mundo', sí, se lo había oído ya un par de veces—. Pero cuando cree poder afirmar convencido, entonces niega o suspende la afirmación, eso que a nosotros no nos permite. Para eso está sólo él, para introducir la objeción, la sospecha, para contradecirnos y contradecirse, y corregir cuanto haga falta. Raro es el caso de una certidumbre suya, pero se ha dado de tarde en tarde: y si alguien le parece muy de fiar o muy íntegro, tanto que no cabe dudarlo, lo más probable es que en la práctica lo trate como a un rufián al acecho, y que desaconseje confiar en él a quien le haya solicitado el informe. Y al revés, lo mismo: si a un sujeto lo encuentra desleal sin remedio, casi por vocación, dijéramos, es posible que entonces sugiera contar con él una vez al menos, probarlo. Eso sí, advirtiéndoselo al cliente: una vez y no más hasta ver, en negocio de poca monta y sin mucho riesgo.

La joven Pérez Nuix había iniciado su petición pero al instante la había dejado flotando inconcreta, sin concluirla ni centrarse en ella, luego seguía aplazándola o dosificándola o preparándome para ella, no sería 'un momentito' el hablar conmigo, según su anuncio desde la calle. O era sólo eso otro, que desconocía el orden del planteamiento y las frases se le agolpaban, y se desviaba y se bifurcaba por tanto, y a mí me surgían entonces preguntas preliminares aisladas relativas a lo que ella iba diciendo, me llamaron la atención varias cosas soltadas sin la voluntad de soltarlas o sin conciencia de mis ignorancias. La conversación sería aún menos breve, si me paraba en ellas.

—¿Jane... Treves, Branshaw? —Fue mi interrogación primera. Me paré en esos nombres, no supe pasar de largo.

—Sí, *t, r, e, v, e, s* —contestó la joven, quizá creyendo por mi pequeña pausa que yo no los había pillado bien, de hecho deletreó en inglés de manera automática, en español no se acostumbra tanto: '*ti, ar, i, vi, i, es*', así a nuestro oído (y en efecto yo lo había entendido como Trevis o Travis escrito). Biográficamente ella era bastante más que medio inglesa. Hablaba mi lengua con tanta facilidad como yo o sólo un poco más lento, y contaba con buen vocabulario incluso libresco, pero de vez en cuando se le colaba algo raro (aquel 'así', aquel 'dijéramos') o incurría en un anglicismo o la arrastraba la entonación de la isla; su *c* o *z* era más suave de lo habitual, como la de los catalanes en su castellano, también su *g* o *j;* su sonido *t* no llegaba a salirle alveolar del todo ni su *k* plosivo como a los ingleses, por suerte, eso habría hecho su dicción en español muy afectada, casi irritante en quien tan bien lo dominaba. Sin embargo era el otro apellido, Branshaw, el que me hacía gracia, aunque no iba a ponerme a indagar sobre él ni a explicarle por qué, no era el momento, con el hablar hay que andar siempre en guardia, se torna infinito al menor descuido, como una flecha imparable pero que jamás alcanzara un blanco, y siguiera volando hasta el fin de los tiempos sin aminorar su marcha. Así que no insistí, no me paré más ahí, todo eso hay que evitarlo, abrir y abrir más asuntos o paréntesis que nunca se cierran, cada uno con sus mil incisos enlazados dentro—. Gente a la que recurre Bertie, informantes ocasionales, de fuera, más o menos especializados en territorios, en ambientes. Ya, aún no has coincidido con ellos —añadió como si cayera en la cuenta y dando así la cuestión por zanjada, no quería detenerse en eso, yo tampoco. Se le escapaba llamar Bertie a Tupra; se enmendaba pero recaía, así lo tenía registrado en su mente sin duda, así le venía a su pensamiento, pese a que en el trabajo se dirigía a él como Bertram, en mi presencia al menos, con confianza pero más formalmente, habría equivalido en mi lengua a un tuteo respetuoso. A mí todavía no me había dado él permiso ni para llegar a eso, vendría más tarde, a instancias suyas, no mías.

—¿Qué quieres decir, a quien le haya solicitado el informe? —Esa fue mi segunda y preliminar pregunta—. ¿Qué quieres decir, al cliente? Creía que no había más que uno, siempre el mismo; aunque con diferentes rostros, no sé, la Armada, el Ejército, tal o cual Ministerio o tal Embajada, o Scotland Yard, o la judicatura, o el Parlamento, no sé, el Banco de Inglaterra o incluso Buckingham. Quiero decir el Gobierno. —Iba a haber dicho 'los Servicios Secretos, el MI6, el MI5', pero todo eso en mis labios se me anticipó ridículo, así que lo sorteé y lo sustituí sobre la marcha—. O la Corona, en fin. El Estado.

Me pareció que la joven Pérez Nuix tampoco deseaba entretenerse en eso, había soltado su parrafada primera sin contar con el efecto lateral de mis curiosidades. Quizá formulaba su petición por etapas calculadamente —tal vez me acostumbraba de antemano a ella: que me hiciera a la idea en varias fases, lo fundamental de esa petición ya estaba claro; o era la índole—, pero no querría que se le extraviara entre inesperadas cuestiones de procedimiento y prolegómenos y explicaciones largas.

—Bueno, es así por lo general, tengo entendido, pero hay excepciones. Sólo de vez en cuando sabemos para quién informamos exactamente, a quién sirve lo que interpretamos. Lo que dictaminamos. Quiero decir nosotros, Tupra imagino que lo sabrá o lo deducirá casi siempre. O puede que ni siquiera tanto, algunos encargos le llegan por intermediarios de intermediarios, seguro, y él no hace preguntas si no está en condiciones de hacerlas sin crear suspicacias ni ocasionarse perjuicio. Y eso lo distingue bien, cuándo; lleva la vida entera midiéndolo. Pero se lo olerá, supongo, de quiénes vienen cada vez los encargos. Él ve a través de las paredes. Rastrea los orígenes. Es muy listo.

—¿Significa eso que a veces trabajamos para... particulares? Por así decirlo.

La joven Pérez Nuix hizo con los labios un gesto que era mitad de fastidio leve y mitad de paciencia que se imponía a sí misma, como si encajara sin resistencia el contratiempo de tener que detenerse en aquello a la postre, *velis nolis* o sin duda *nolis*, muy en contra de su preferencia. Yo tenía la ventaja de dirigir la charla, de abreviarla o demorarla o desviarla o interrumpirla mientras su solicitud no estuviera completa, o aún más lejos, mientras no hubiera sido aceptada ni rechazada. Sí, durante el eterno o eternizado 'Veremos'; sí, hasta el 'Sí' o el 'No' ya pronunciados, a ella le estaría casi vedado contrariarme en nada. Ese es uno de los poderes efímeros del que concede o niega, la compensación más inmediata por verse envuelto, la cual sin embargo suele pasar factura a su vez más tarde. Y por eso a menudo, para que el dominio dure, la respuesta o decisión son retrasadas, e incluso a veces no llegan. Descruzó las piernas y volvió a cruzarlas en sentido contrario, vi iniciársele la carrera en las medias a la altura de un muslo, ella tardaría bastante más rato en descubrírsela, pensé (no miraban sus ojos donde los míos), y para entonces su magnitud quizá la hiciera sonrojarse. Pero yo no iba a advertirla ahora, habría sido una impertinencia o eso me pareció en primera instancia. Tenía grato color en principio, el muy poco de muslo que le quedó ya al descubierto.

—¿Importa eso mucho? —preguntó; no a la defensiva, sino como si nunca antes se lo hubiera planteado y se lo preguntara por tanto también a sí misma—. Trabajamos para Tupra siempre, ¿no? En todo caso. Él nos contrata, él nos paga. Es a él a quien rendimos cuentas y a quien prestamos servicio directamente, confiando en que hará de él el uso que más convenga, o bueno, eso lo doy por descontado, supongo. O quizá es que considero que no me incumbe, no sé. Al empleado de una fábrica de vehículos no le incumbe lo que acabe resultando de los tornillos que pone o del motor que construye junto con sus compañeros, por decir algo: si será una ambulancia o un tanque, ni a qué manos vaya a parar luego el tanque, si es un tanque.

—No me parece que sean cosas equiparables —dije y no dije más. Prefería que ella siguiera argumentando, era yo quien conducía como solía conducir Peter Wheeler cuando él y yo conversábamos, o Tupra cuando me azuzaba, o me interrogaba, o me forzaba a ver más y entonces me sonsacaba.

—Bueno, cómo me quieres que diga. —Sí, a veces había algo extraño o medio inglés en sus giros, casi nunca mera incorrección, sin embargo—. Ir más allá sería como si un novelista se preocupara no por el editor a quien entrega su novela para que la divulgue lo más que pueda, sino por los compradores posibles de lo que éste publica bajo su sello. No habría forma de seleccionarlos, ni de controlarlos, ni de conocerlos, y sobre todo no serían de su incumbencia, del novelista. Él mete en su libro historias, tramas, ideas. Malas ideas, tentaciones si quieres. Pero lo que de ellas surja, lo que desencadenen, eso ya no es asunto ni responsabilidad suya, ¿no? —Se detuvo un instante—. ¿O según tú sí lo sería?

Parecía sincera —o es auténtica—, quiero decir que parecía estar pensando lo que decía al tiempo que lo formulaba, con algo de inseguridad, de vacilación, con algo del acontecer en ello, también de esfuerzo (el esfuerzo de pensar de veras, no más que ese, pero ese es cada vez más infrecuente en el mundo, como si el mundo entero recurriera ya casi siempre a unos cuantos recitados al alcance de cualquiera, hasta de los más iletrados, una especie de infición del aire).

—Tampoco estoy seguro de que esa comparación sea acertada —le contesté, y ahora sí la acompañé un poco en su esfuerzo—, porque nuestros informes no son públicos sino más o menos secretos, entiendo; no están en todo caso a la vista de cualquiera ni se venden en los comercios; y además hablan de gente, de personas reales que nadie ha inventado ni puede por tanto hacer desaparecer ni cortar en seco al capítulo siguiente, y para las que no sé si lo que decimos tiene mucha o poca trascendencia, si les causa gran daño o les trae gran beneficio, si les impide o les permite algo crucial, si posibilita o echa a perder sus planes, que para ellas serán importantes, quizá vitales. Si les soluciona o les arruina el futuro, el inmediato al menos (pero del inmediato depende el lejano, así que acaba dependiendo también todo el resto). Y bueno, no es lo mismo informar a la Corona, al Estado, que a un particular cualquiera, yo creo.

—Ah lo crees —dijo ella. No con ironía (aún no podría habérsela permitido), quizá sí con sorpresa—. ¿Y en qué ves la diferencia?

Ah sí, en qué la veía. Su pregunta me hizo sentirme de pronto ingenuo, absurdamente más joven que ella o más inexperto (era más nuevo, me había dicho), y se me convirtió en algo difícil de contestar sin parecer demasiado idiota, un pardillo. Pero no me quedaba sino intentarlo; yo la había propiciado, no podía retirar mi observación vencida a las primeras de cambio, no podía conceder sin más: 'Tienes razón', decirle. 'No hay diferencia ni yo puedo verla.'

—Al menos en la teoría —dije protegiéndome al máximo—, el Estado vela por el interés común, por el del conjunto de los ciudadanos, no ha de tener otro que ese. Al menos en la teoría —insistí: creía poco en lo que decía, según lo iba diciendo, y por eso me salía lento; no se le pasaría a ella por alto—, es sólo un intermediario, un intérprete. Y sus componentes, circunstanciales siempre, no están sujetos a pasiones propias, individuales, privadas, ni por lo tanto a bajas ni a elevadas. Cómo decir: son representantes, una parte del todo, nada más que eso, y sustituibles, intercambiables. Han sido elegidos allí donde suelen serlo, y lo son en nuestros países, dentro de lo que cabe. Se supone que obran por el bien general. Tal como lo entiendan ellos, claro. Y pueden equivocarse, cierto, y aun fingir equivocarse para disfrazar de error su provecho particular y egoísta. Eso ocurre desde luego en la práctica y quién sabe cuánto. Quizá sin pausa y en todos los sitios, desde las cloacas hasta Palacio. Pero hay que presuponerles la buena fe, la teórica, o si no no podríamos vivir en paz nunca. No la hay sin el sobreentendido de que nuestros Gobiernos son legítimos, incluso rectos, porque lo son nuestros Estados. (O sin esa ilusión, si prefieres.) Así que uno les presta servicio desde esa buena fe teórica, que también lo alcanza o lo envuelve o lo ampara a uno en su misión, en sus funciones, o en su mera aquiescencia. Y en cambio no serviría a un particular cualquiera sin antes saber bien quién es, qué pretende, qué se propone, si es un criminal o un hombre justo. Y a qué fines contribuirá nuestro esfuerzo.

—Tú lo has dicho. En la teoría —me concedió la joven Pérez Nuix, y descruzó las piernas y encendió un cigarrillo, uno de los míos, lo cogió sin pedírmelo como si en eso fuera española sin mezcla. No eran Rameses II, sólo Karelias del Peloponeso, nada baratos pero tampoco preciosos y el tabaco no lo regateo nunca. La carrera le avanzó un poco más con ese movimiento, pero ella siguió sin vérsela ni notarla. (O quizá no hacía caso.) (O quizá me la estaba ofreciendo: una desnudez mínima, insignificante, pero en progreso; no, no lo creía, esto último.)—. Mira, en todos los años que llevo aquí no he visto a nadie que no sea un particular cualquiera. —Aquel 'aquí' lo hube de entender como 'en esto'; por lo que yo sabía, ella llevaba la vida más o menos entera en el país de su madre—. Ni siquiera en el Ejército, donde más hay que acatar las órdenes y menos hay que tomar decisiones, una maquinaria, dicen. No lo es, nada lo es. Da lo mismo el cargo que las personas ocupen, o a quién representen, que tengan altas responsabilidades o sean unos mandados totales, que hayan sido elegidas o nombradas a dedo, de dónde les venga su autoridad poca o mucha, que su sentido del Estado sea grande o sea nulo, su lealtad da lo mismo, o su venalidad, su afición al chaqueteo. Da lo mismo que todo el dinero que pase por sus manos pertenezca al erario y que no haya suyo un maldito penique. Da lo mismo, manejarán como propias las cantidades más fabulosas, no digamos las despreciables. No quiero decir que se las queden, no todos, o no necesariamente; sino que las distribuirán a su antojo y a su conveniencia y luego buscarán las razones para ese reparto, nunca antes. ¿Sabes? Siempre hay razones *a posteriori*, claro que lo sabes, para cualquier acción, hasta la más gratuita o la más infame, siempre se encuentran, a veces ridículas e inverosímiles, mal fundamentadas y que no engañan a nadie o sólo al que se las inventa. Pero en todo caso se da con ellas. Y otras veces son buenas y convincentes, impecables, en realidad es más fácil encontrarlas para los hechos que para los planes y las intenciones, los propósitos, las decisiones. Lo ya sucedido es un punto de partida muy fuerte, muy consistente: es irreversible, y eso ya es una gran pauta, una guía. Es algo a lo que atenerse. O más: a lo que ceñirse, porque ata y obliga, y así resulta que tiene uno en el bote la mitad del trabajo. Cuesta mucho menos explicar con razones lo ya pasado (o lo que es igual, averiguárselas; o tanto da, prestárselas) que justificar de antemano lo que quiere uno que pase, lo que va a procurarse. Todo el que está en política lo sabe de sobra, y en la diplomacia. Lo mismo que los *wet gamblers*, o los criminales cuando deciden eliminar a alguien y lo eliminan, y ya se ocuparán más tarde de las consideraciones previas y de examinar pros y contras al afrontarlos como consecuencias; pero el eliminado está eliminado, ves, y eso no hay quien lo mueva, y casi siempre hay provecho, o más que perjuicio. Y lo saben también cuantos ocupan un cargo, aunque sea el último policía del último pueblo del *shire* más remoto. —'La palabra "condado" no le ha salido en nuestra lengua', pensé, 'en la que hoy poco se usa.' Porque sin duda era también suya, la lengua. Y asimismo había dicho en inglés '*wet gamblers*', nunca había oído yo esa expresión ni la comprendía, quizá sin equivalente real en español puesto que ella ni siquiera había intentado hallárselo: 'jugadores húmedos', literalmente; o 'tahúres mojados', me acudió al instante una anacrónica imagen de chalecos en el Mississippi—. Y todos son particulares, te lo aseguro, debajo de los uniformes y fuera de sus despachos, esto es que también dentro, cuando están a solas. —Me acordé de Rosa Klebb, la despiadada asesina de SMERSH en *Desde Rusia con amor*, que según esta novela podría haber matado a Andrés Nin; de su descripción leída en casa de Wheeler, aquella noche de improvisado y febril estudio junto al río de la continuidad en calma: 'Por las mañanas le costaría arrancarse de su tibia y emporcada cama. Sus hábitos privados serían desaseados, incluso sucios. No resultaría agradable asomarse al lado íntimo de su vida, cuando se relajara, ya sin el uniforme...'. Y aún hubo tiempo para que me cruzara esto por el pensamiento: 'Casi nadie es grato así, cuando se arranca o se hunde en su tibia cama, cuando se relaja o se abandona o baja la guardia; pero yo sé bien que sí lo es Luisa, y esta joven lo parece; o tal vez sea que ellas dos nunca la bajen, carrera y todo que va agrandándose'—. En mayor o menor grado todos se dejan llevar por sus impulsos, se orientan, se guían: por sus simpatías y sus antipatías, por sus miedos, sus ambiciones, sus cálculos y sus manías; por sus favoritismos y sus rencores, biográficos o sociales. Así que yo no veo esa diferencia, Jaime. Pero mira, tanto mejor para mí que tú la veas, te importará menos hacerme el favor que te he pedido. Porque este encargo procede de particulares, no del Estado, eso lo sé. Quiero decir que viene de particulares particulares.

Me quedé callado un momento, los dos nos quedamos. Tenía presente que la joven Nuix seguía sin pedirme aún el favor, no estrictamente, no del todo, no completo. Y por tanto no me había discutido ni llevado la contraria en ningún momento, se había limitado a exponer el punto de vista de su experiencia, que parecía mucho más larga que su juventud, a qué edad habría empezado, a cuál habría dejado atrás esa juventud que conservaba tan sólo cuando permanecía en silencio o cuando reía, no desde luego cuando argumentaba o discurseaba, tampoco cuando en el edificio sin nombre interpretaba a las personas con tanto discernimiento, a mí ya me tendría desentrañado, me habría dado la vuelta. A menos que también a veces me viera como un enigma, lo mismo que quien hubiera escrito mi informe, el que me concernía. O que, al igual que yo a mí mismo, según aquel texto, me considerara 'un caso perdido' con el que no se habían de malgastar reflexiones ('Sabe que no se comprende y que no va a hacerlo', su redactor había dictaminado respecto a mí. 'Y así, no se dedica a intentarlo').

Me pregunté hasta qué punto no hablaría ahora Tupra por ella, algunos de sus razonamientos me sonaban a él, o más bien (no era que se los hubiera oído) a su manera de estar en el mundo, como si él pudiera habérselos insuflado calladamente con su cercanía de años, o su intimidad acaso. 'Así que yo no veo esa diferencia, Jaime', había dicho, por ejemplo, sin duda para no indisponerme, en lugar de 'No estoy de acuerdo contigo, Jaime', o 'Te equivocas, Jaime', o 'No lo has pensado bien, vuelve a intentarlo', o 'No tienes la menor idea'. Yo tenía varias preguntas rondándome, pero si cedía a todas no acabaríamos nunca, 'Qué sabes tú de los criminales', y 'Quiénes son los *wet gamblers*', y 'Sobre quién he de mentir o callar, para complacerte', y 'Aún no me has pedido el favor, todavía ignoro en qué consiste, exactamente' y 'Cuántos años llevas aquí, a qué edad empezaste, quién fuiste o cómo eras, antes de esto', y 'Qué particulares particulares son esos, y cómo es que esta vez sabes tanto sobre este encargo, su origen, su procedencia'. En realidad podía preguntarlo todo, una cosa tras otra, dirigía la conversación, ese era mí privilegio. Ya no podría ser 'un momentito', el que ella había anunciado, en seguida todo se alarga o se enreda o todo tiende a adherirse, es como si cada acción llevara su prolongación consigo y cada frase dejara en el aire un hilo de pegamento colgando, que nunca puede cortarse sin que se pringue algo más al hacerlo. A menudo me extraño de que para todo haya respuesta o pueda siempre intentarse, no sólo para las preguntas y las incógnitas, también para las afirmaciones y los saberes, lo irrefutable y la ciencia cierta, y para los titubeos y las miradas y hasta para los gestos. Todo insiste y continúa solo, aunque opte uno por retirarse. Aquello no iba a ser un momentito en modo alguno, nada es breve sin cercenarlo. Pero de mí dependía ahora, seguramente, que se convirtiese en una noche entera con su amanecer incluido, o en la embriagada locuacidad de un doble insomnio.

—Aún no me has pedido el favor del todo, todavía ignoro en qué consiste, exactamente. Y qué particulares son esos, qué particulares particulares. —Y al repetir en voz alta esa expresión de la joven, no pude evitar acordarme de Wheeler y su recitado sobre los monarcas y los individuos privados: '¡Qué infinito sosiego de corazón deben los reyes perderse, que los hombres particulares disfrutan! ¿Y qué tienen los reyes que no tengan también los particulares, salvo el ceremonial, salvo la general ceremonia?'. Le habían brotado aquellas citas sin esfuerzo de memoria, y en cambio yo aún desconocía su procedencia.

Fueron así dos preguntas las que hice entonces, aplazando el resto. Pero al aplazar nunca se sabe si ya está uno renunciando, porque en cualquier instante —es decir, siempre— puede no haber más mañana ni más después ni más más tarde, sí, eso es posible en cualquier instante. Pero oh no, no es cierto: siempre hay más por venir, siempre queda, un poco más, un minuto, la lanza, un segundo, la fiebre, y otro segundo, el sueño —la lanza, la fiebre, mi dolor y la palabra, el veneno, el sueño—, y también el interminable tiempo que ni siquiera vacila ni aminora el paso tras nuestro acabamiento, y sigue añadiendo y hablando, murmurando e indagando y difamando y contando aunque ya no oigamos ni respondamos, y hayamos callado. Callar, callar. Es la gran aspiración que nadie cumple. Nadie, ni aun después de muerto. Es como si nada hubiera dejado de resonar jamás desde los comienzos, ni siquiera cuanto ya no podemos reconocer ni rastrear los vivos, que quizá viven, vivimos, alertados e inquietos por innumerables voces cuya procedencia ignoramos, de tan remotas y sofocadas, o será ya cavadas tan hondo. Quizá sean los débiles ecos de las existencias no anotadas, cuyo grito hierve en su pensamiento impaciente, desde ayer o desde hace siglos: 'Nacimos en tal lugar', exclaman en su infinita espera; 'y en tal otro morimos.' *We died at such a place.'* Y también cosas peores.

Íbamos a veces los cuatro o los cinco juntos, y hasta podíamos ser seis o siete en alguna ocasión, cuando Tupra convocaba también a Jane Treves o a Branshaw o a ambos, con los que sí coincidí ya más tarde, o incluso a algún otro informante o guía esporádico externo, según el ambiente o el territorio. Eran rachas, yo creo, durante las cuales Tupra se sentía festivo y multitudinario y deseoso de acompañamiento, no tanto de compañía cuanto de acompañamiento, de escolta o séquito o quizá de manada, como si quisiera probar un sentimiento de pertenencia, experimentar de manera tangible y ruidosa la sensación de formar con nosotros un equipo o un grupo o un cuerpo, y poder decir eso a menudo, 'nosotros'. Varias noches y días mi sensación al respecto fue la de constituir más bien una banda, o una cuadrilla algo taurina. Yo intuía que esa inclinación gregaria se correspondía con temporadas en las que él huía de Beryl o Beryl de él, si es que era ella. Pero tanto daba quién fuese: en las que ninguna mujer concreta se dejaba acaparar bastante ni por consiguiente lo distraía en sus ratos más libres o más sociales o diplomáticos o preparatorios de sus terrenos y evoluciones, o bien en las que él andaba esquivando la amenazadora excesiva concreción de alguna.

Eran sólo intuiciones. Tupra no solía hablar mucho de sus aspectos personales, o no a las claras ni narrativamente (era muy raro que él impusiera un relato, casi ni una anécdota completa; y en cambio estaba más que dispuesto a escucharlos), lo hacía sólo con vaguedades y sobreentendidos y a base de frases sueltas que, sin su deliberación aparente, aludían a experiencias pasadas suyas de las que gustaba extraer leyes y deducciones, o más bien inducciones y reglas de comportamiento y carácter probables, si es que no seguros y ciertos a sus ojos absorbentes y apreciativos que de un solo vistazo abarcaban la totalidad de un recinto o de un local lleno de gente, un restaurante, una discoteca, un casino, unos billares, un elegante salón de fiesta, un vestíbulo de gran hotel, una recepción real, una ópera, un *pub*, una cancha de boxeo, un hipódromo, y si no fuera una exageración flagrante, diría que hasta un estadio de fútbol, Stamford Bridge, el del Chelsea. Algo tan reducido como el escenario de una cena fría no es que lo abarcaran sus ojos pálidos, es que lo penetraban y desmenuzaban y vaciaban en un instante (conmigo incluido), eso resultaba para él un juego de niños.

Eran intuiciones, suposiciones, imaginaciones mías; por su parte él desprendía fragmentos y soltaba fogonazos aislados de su vida anterior en forma de sentencias y adagios, o de aforismos involuntarios a veces, o casi le salían originales proverbios. Así que uno iba atando cabos, que sin embargo siempre se le aparecían a la postre sueltos, por bien que los hubiera asido y perfecto que fuera el nudo que con ellos hubiera hecho, como si en su caso las zonas de sombra crecieran cada vez que uno lograba discernir el ascua de cualquier deslavazado periodo o insignificante episodio de su existencia, o como si cada mínimo alumbramiento sirviera para mejor apreciar la vastedad de lo que permanecía a oscuras, o en turbiedad, o en difuminación, o aun deforme, de la misma manera que sus pestañas tan largas y envidiadas por las mujeres enturbiaban o difuminaban siempre la intención última de sus contemplaciones, casi flotantes de tan sostenidas, y el verdadero sentido de sus miradas, que eran nítidas y halagadoras y cálidas, sí, pero difícilmente descifrables. No era extraño que receláramos un poco los hombres de aquellos ojos tan acogedores, pero también tan decorados.

Podíamos estar asistiendo a una actuación, por ejemplo, de una cantante melódica en uno de los relucientes pero anticuados clubs nocturnos a los que a veces le gustaba arrastrarnos para apaciguar los aturdimientos previos y darnos una transición de sosiego antes de mandarnos ya a casa, todos sentados —o los que aguantáramos, los más noctámbulos, o los que él retuviera más a su lado— a una mesa cercana a la pista o al escenario. Y con las tupidas pestañas apuntando hacia la artista, Tupra murmuraba de pronto: 'Las mujeres que cantan en público están muy expuestas y siempre son víctimas de quienes las guían; esta se derrumbaría ahí mismo, como un saco, si el hombre que cada noche le conduce los pasos y la sube a esa tarima le diera la espalda y se le alejara, no digamos si se le pusiera en contra. Bastaría un soplo suyo maligno para que ella se cayera al suelo y no quisiera ya levantarse'. Durante unos segundos yo dudaba si hablaba con saber concreto, si acaso estaba enterado de la dependencia suicida de aquella mujer respecto a alguien de rostro o nombre por él conocidos (saco de harina, saco de carne, en ellos se clavan la bayoneta y la lanza, en uno hay dolor y sueño y en el otro nada). Y si me atrevía a un tanteo ('¿Los conoce, Mr Tupra, a esa mujer, a ese hombre?' O quizá ya habíamos pasado a Bertram), entonces dejaba claro que no era ese el caso o no por fuerza, y que se limitaba a aplicar al día las enseñanzas de su pasado: 'No hace falta que los conozca en persona', respondía sin apartar las pestañas de la cantante, esto es, manteniéndome el perfil sin volverse, y con tono de ligera lástima o sólo teórica; 'yo sé bien cómo son, él y ella, los he visto por docenas, desde Bethnal Green hasta El Cairo, en todas partes'.

Eso me daba una idea, o varias; las más incontestables, que había pisado Bethnal Green y no poco, ese barrio deprimido del Este, y que había estado en Egipto, no probablemente de turista. También era inevitable pensar si habría sido alguna vez representante de una mujer artística y se estaría refiriendo a sí mismo y a una antigua pupila sumisa. Pero eso lo descartaba en seguida, no me parecía el tipo de hombre protector ni vigilante ni exactamente dominante, quiero decir con responsabilidades estables, y todas esas actitudes implican tenerlas. 'Habrá asistido a ese drama, a ese esquema', pensaba, 'aunque sea nada más dos veces: en Bethnal Green y en El Cairo.' Yo intuía o sabía (intuía al principio y después sabía) que si le preguntaba directamente o intentaba que se centrara en un suceso determinado, él no haría caso y lo rehuiría, no tanto por resultar misterioso cuanto porque rememorar lo aburría, sin duda no comprendía a esas personas que disfrutan contando lo que han vivido y ya conocen de sobra, desenlace incluido, y menos aún a esos escritores narcisistas de diarios que no acaban de zafarse nunca de sus jornadas vencidas, y las reiteran con florituras.

Así que no trataba de sonsacarlo ni de arrancarle ulteriores explicaciones a sus dictámenes, era inútil, si venían venían solas y acaso varias noches más tarde, y a lo sumo me permitía gastarle una broma leve: '¿Y las que bailan en público, Bertram? ¿Están igualmente expuestas?'. Tupra tenía humor, o al menos aceptaba el mío. Me miraba de reojo rápido, se mordía el interior de un carrillo para no dejar escapar media sonrisa, y tendía a seguirme la chanza, o eso me parecía, porque nada era en él transparente, ni seguro, ni descontado: 'No, Jack, las bailarinas lo están mucho menos, ten en cuenta que moverse protege, lo arriesgado es estarse quieto, te hace más vulnerable. Eso a menudo lo ignoran quienes huyen o se esconden, dejan que el miedo se aproveche de ellos, en vez de aprovecharse ellos del miedo'. Tenía la habilidad de empalmar sentencias de forma que la segunda se desviaba de la primera, la tercera de la segunda y así hasta que se cansaba de todas o prefería el silencio un rato. Con él era difícil, por tanto, ahondar en ningún asunto, a menos que hiciera él las preguntas y fuese quien buscara un fondo. '¿Cómo se aprovecha uno del miedo?', caía yo en la tentación de su desvío. 'Entiendo que se refiere al miedo propio.' A lo que él contestaba: 'El miedo es la mayor fuerza que existe, si uno logra acomodarse a él, instalarse, convivir con él con buen temple, y no pierde las energías luchando por ahuyentarlo. En esa lucha nunca se gana del todo; en los momentos de aparente victoria se está ya anticipando su vuelta, se vive bajo amenaza, y entonces se sufre parálisis y es el miedo el que se aprovecha. Si uno lo consiente, en cambio (es decir, si uno se adapta, si se acostumbra a que esté ahí presente), posee una fuerza incomparable con ninguna otra y puede aprovecharse de él, puede usarlo. Sus posibilidades son infinitas, mayores que las del odio, la ambición, la incondicionalidad, el amor, el afán de venganza; son desconocidas. Una persona con el miedo asentado, activo pero incorporado a su vida normal, un miedo diario, es capaz de proezas en verdad sobrehumanas. Eso lo saben las madres con hijos pequeños, la mayoría. Y lo sabe cualquiera que haya estado en una guerra. Pero tú no has estado en ninguna, ¿verdad, Jack?, has tenido esa suerte. Eso significa que tu formación será siempre incompleta. Habría que mandar a las madres a las batallas con sus niños cerca, a la vista, a mano; llevan el miedo puesto, es permanente; no habría combatientes mejores que ellas'. Si yo le preguntaba en qué guerras había él estado o participado, era seguro que nada me diría, no las mencionaría; y si le pedía que me ampliase sus consideraciones sobre la perfecta formación de un hombre o sobre la fiereza de las madres con críos, lo más probable era que diera por concluida la charla. Llegaba siempre un momento en que sus desvíos no alcanzaban senda, sino tan sólo maleza o arena o ciénaga. Incluso podía llevarse entonces el índice a los labios, y a continuación dirigirlo hacia la cantante con gesto de implícito reproche a mi cháchara, como pidiendo para su arte el respeto que él le había negado minutos antes, al hablar primero, aunque hubiera sido en un murmullo, y ojo no le hubiera quitado.

Al principio de cada racha sociable (le duraban dos o tres semanas), nos convocaba a cenas o a veladas de itinerante farra con pretextos laborales. 'Quiero que me acompañéis todos a una reunión importante', decía, o a su modo semiautoritario nos ordenaba. 'Me interesa que demos una impresión de núcleo compacto, casi intimidatoria, sabéis, ante una gente con la que debo entenderme.' 'Os ruego que estéis atentos a estos comensales de hoy, haced que se sientan cómodos y se distraigan, pero no dejéis de observarlos, porque os preguntaré acerca de ellos más tarde, será mejor para nosotros cuantas más opiniones tenga.' No solía explicar más apenas, ni en qué consistía el interés o el asunto ni quiénes eran exactamente los individuos con que nos mezclaba, la mayoría británicos con algunos extranjeros sueltos de tarde en tarde, o no tan espaciados si cuento a los americanos y si vuelvo a pensarlo. A veces, sin embargo, resultaba patente qué o quiénes eran, bien por el desarrollo de las conversaciones, bien por tratarse de personajes famosos, tanto como Dick Dearlove o casi. Tupra tenía relaciones increíblemente variadas para ser un solo hombre, si es que lo era en efecto, porque yo lo oí llamar por diferentes nombres o más bien apellidos según el sitio y la compañía y las circunstancias. Al ver que mi sorpresa podía resultar delatora la primera vez que el *maître* de un buen restaurante se dirigió a él ante mí como 'Mr Dundas', optó por avisarnos o avisarme antes, cada vez que no fuera a ser él mismo íntegramente. 'Aquí soy Mr Dundas', nos advertía. 'Hoy soy Mr Reresby, tenedlo en cuenta.' 'Se me recuerda más como Mr Ure, en esta zona.' Este último hube de pedirle que me lo deletreara, con su pronunciación no fui capaz de pillarlo, es decir, de imaginarlo escrito, en sus labios sonó como 'Iuah', imposible para mí adivinar su ortografía. Todos eran apellidos llamativos, tirando a anticuados, raros (quizá vagamente aristocráticos o aproximadamente escoceses a mis oídos), como si Tupra, ya que renunciaba al suyo, no estuviera dispuesto a prescindir además de la originalidad nominal que lo acompañaba desde su nacimiento, si es que aquel Tupra finlandés, ruso, checo, turco o armenio era tan antiguo en su vida como creía Wheeler. Debía de desagradarle sobremanera la idea de llamarse, aunque fuera un rato, algo confundible o indiferente, que es lo que buscaría la mayoría, en principio, al usar un nombre falso: no sé, Gray, Green, Grant o Graham, por excluir los Brown, Smith y Jones tan gastados.

Por lo general permitía que nos comportáramos con naturalidad social, y sólo en ocasiones especiales nos indicaba algo más preciso que mostrarnos estudiosos y mantenernos bien despiertos, por ejemplo nos encomendaba realizar un determinado sondeo o sonsacamiento; pero entonces no solía llevarnos a los cuatro o más juntos, sino sólo a los más apropiados para cada trabajo, o incluso nada más que a uno, a mí, a Pérez Nuix, a Mulryan o a Rendel, yo fui a solas con él unas cuantas veces y hasta en un par de viajes al extranjero, pero supongo que eso nos caía a todos de vez en cuando. Sí podía pedirnos que estuviéramos solícitos, o que halagáramos o casi cortejáramos a una persona concreta, nos designaba a Rendel o a mí para esas tareas de coba cuando eran mujeres las que planteaban problemas de aburrimiento y queja (esposas de lastre o amantes de aire, con ellas Mulryan no daba buen

rendimiento), a Pérez Nuix o a Jane Treves si había
que alegrarle el humor y la vista a uno de esos varones que se deprimen y aun se enfurruñan cuando no
hay presencias femeninas en torno a una mesa o en
una pista de baile (quiero decir presencias ante las
que ellos puedan contonearse con conocimiento previo y tuteo, o el equivalente inglés de esto último).

Una vez me tocó atender y lisonjear a una
señora italiana que se despedía de la juventud con
excesiva parsimonia y bastante aspaviento y multitud de caprichos menores, o si los tenía también mayores no me cumplió a mí, por suerte, asistir a ellos
ni negárselos o satisfacérselos. Era la mujer de un
compatriota (suyo) llamado Manoia, con el que Tupra se dedicó a hablar de política y de finanzas en la
medida en que pude enterarme de lo que se decían.
La verdad es que mi curiosidad era tan escasa que casi
nunca lograba interesarme por los asuntos que mi
transitorio jefe se trajera entre manos; así, rara vez
prestaba atención *motu proprio*, y aun descubría a
menudo, cuando él me la reclamaba, que sus posibles intrigas, encargos, exploraciones o trueques me
traían sin cuidado. Quizá porque tampoco estaba
jamás muy al tanto, y es difícil involucrarse en lo
demasiado troceado y borroso y fuera de nuestra influencia. (Notaba que la joven Pérez Nuix sí seguía
mucho más los procedimientos y sus meandros, y
que lo procuraba; a Mulryan no le quedaba más remedio que hacerlo, era quien llevaba —según mi
impresión, cómo decirlo— la agenda y las cuentas
y el inventario de lo irresuelto, de lo aún no domado
o no ultimado; en cuanto a Rendel, pronunciarse era
aventurado, tendía a permanecer mucho rato en silencio o bien, en cuanto bebía o quizá fumaba —el

olor de mi tabaco no era el único de nuestro despacho—, le daba por soltar parrafadas y encadenar no pocas bromas con grandes risas para celebrarlas, hasta que volvía a su mutismo de nuevo, ambas fases nimbadas por una especie de humareda o cúmulo desazonantes.) Si algo capté aquella noche fue porque el inglés hablado por el marido italiano era bastante más pastoso de lo que él se pensaba, y Tupra me requería (una veloz agitación de dos dedos, o sus cejas como tiznones solicitando auxilio) para que le lanzara un cable y les tradujera unas frases o alguna palabra clave cuando ambos se hacían un sostenido enredo y corrían ya grave riesgo de entender lo contrario de lo que recíprocamente se proponían o se concedían, o con que transigían.

El apellido Manoia me parecía meridional, más por intuición que por conocimiento, lo mismo que la pronunciación italiana del individuo (convertía consonantes sordas en sonoras, de modo que lo que uno le oía era, de hecho, 'ho gabido' en lugar de 'ho capito'), pero su pinta era más de mafioso romano —quiero decir vaticano— que siciliano o calabrés o napolitano. Las grandes gafas de violador o de funcionario aplicado, o de ambos tipos que no se excluyen, se las subía constantemente con el pulgar aunque no se le resbalasen, y la mirada le resultaba casi invisible por culpa de los extensos reflejos y de la incesante movilidad de sus ojos mates (café con leche, su color aproximado), como si tuviera dificultades para fijarlos más allá de unos segundos, o aversión a que se los escrutaran. Hablaba en voz baja pero sin duda potente, sería hiriente cuando la alzara y quizá por eso la atenuaba, con una mano sobre la otra pero sin apoyar los codos sobre la mesa ni siquiera uno, es decir que las aguantaba en el aire con obligada incomodidad al cabo de unos minutos, o puede que se tratara de una pequeña mortificación voluntaria, recordatoria, de católico integérrimo o tal vez negrérrimo, del ala más tenebrosa y del Cristo legionaria. Parecía manso y anodino en primera instancia, excepto por una barbilla demasiado larga (a prognato no llegaba) que a buen seguro lo habría llevado a incubar rencores de los más tenaces —esto es, sin destinatario— durante la adolescencia o incluso la infancia, a poco ensimismada o tediosa que hubiera tenido ésta; y en su forma de encoger ese mentón invasivo, mordiéndose la mucosa bucal más a diente, uno podía notar una mezcla de inveterada vergüenza jamás ahuyentada y de disposición general para la represalia, que debía de ejercer, no sé, a la menor provocación o pretexto y aun sin necesidad de ellos, como acostumbran los justicieros o los que lo son muy subjetivos. Un hombre irascible, aunque seguramente no tendría esa fama sino la de ponderado, porque la cólera no la dejaría salir casi nunca y sería él el único que se la conociera y se la ventilara, si es que vale este verbo para algo que se produciría tan sólo en su interior muy caldeado. Las pocas veces en que le aflorara la ira debían de ser temibles, no para presenciarlas.

A su mujer le habría tocado en alguna oportunidad posiblemente, pero sin ser ella el objeto, eso seguro, o de otro modo no se habría mostrado tan caprichosa ni tan desenvuelta, se debía de saber con plenaria indulgencia por adelantado, o total bula. Se la veía tan llena de inseguridades nuevas pese a todo ello —cada edad pilla por sorpresa siempre, por dentro todas tardan en cumplirse muchísimo; o será en alcanzarnos— que casi costaba no ser afectuoso con ella por encima de la considerable paliza que daba, a mí en especial, su entretenedor o juguete asignado para la velada. Sin duda la quería el marido, y eso le serviría de ayuda, pero para ciertos imparables avances o retrocesos no hay ayuda en el mundo que baste. Yo le había dado charla insustancial durante toda nuestra cena en Vong, muy cerca del Hotel Berkeley, o ella a mí es más exacto: era mujer nada tímida y habladora, en eso no había yo de esforzarme; pero de vez en cuando se detenía, cruzaba los brazos bajo su escote navigatorio para realzarlo —quiero decir que lucía blusa con cuello barco; o más bien era nave vikinga o canoa, en su concreto caso—, se me quedaba mirando con sonrisa amigable y a continuación daba paso, con aspaviento no exento de gracia —digamos la imitación de un reproche con causa—, a uno de sus antojos preferidos o más persistentes: '*Mi dica qualcosa di tenero, va, su, signor Deza*', me pedía sin transición ni preámbulo, y eso que en el restaurante exótico aún no habíamos bailado ni me tuteaba. (O me llamaba más bien 'Detsa', sonaba así como lo pronunciaba.) '*Su, signor Deza, non sia così serioso, così antipatico, così scontroso, così noioso, mi dica qualcosa di carino*', el ataque de mimosidad le duraba un rato. Y así me ponía en el brete de idear algo tierno o bonito para soltárselo, sin tampoco incurrir en atrevimiento ni ofensa, como Tupra me había encarecido evitar al describírmela y perorar sobre ella el día antes en su despacho, con su ojo retrospectivo para las señoras, también certero temiblemente. De Manoia no me había contado apenas, o sólo de refilón, un rasgo clave; pero sí de su querida mujer Flavia, porque él, Reresby —Tupra llevó aquella noche ese nombre, quizá era el habitual para Italia, o para el Vaticano—, no iba a estar muy disponible para procurarle la distracción y el contento.

'Complácela al máximo, Jack, en lo que se le ocurra', me había indicado. 'Pero cuidado con confundirte. Por lo que yo sé y he visto, ella no querría nada más que halagos. Los necesita a mansalva, en esta época de su vida, pero con una dosis de ellos generosa y hábil le basta para irse a dormir más satisfecha y tranquila de lo que se habrá despertado, me refiero a cada noche y a cada mañana; porque tras cada triunfo nocturno amanecerá con la misma angustia diurna, pensando: "Anoche todavía sí, pero, ¿y hoy? Soy una jornada más vieja". Y si hubieras de acompañarla dos veladas seguidas (no está previsto, descuida), te tocaría empezar de nuevo, los méritos y la labor desde cero, está inmersa en un periodo insaciable, no acumulativo, ya sabes, sin memoria de lo cosechado. Pero insaciable sólo de eso, entiéndelo bien, de galanterías y cumplidos sin fin, de afianzamiento, no de ir más lejos. Ni aunque te lo parezca, y cristalino' (bueno, *crystal-clear* fue lo que dijo). 'Ni aunque te lo esté pidiendo con miradas y gestos, con roces y exhibiciones y hasta con palabras. Ahí no debes ceder ni equivocarte. Es un matrimonio... sí, digamos católico, seguramente muy observante en ese aspecto y luego basta, no en ningún otro, juraría que pueden saltarse todos los demás preceptos, algunos sé que se los saltan. Manoia la quiere contenta y lo que él quiera es importante, al menos mañana me importa mucho. Pero sería capaz, yo creo, de meterle una cuchillada a cualquiera que se sobrepasase, incluso verbalmente. Con toda su apariencia tibia. Así que lleva ojo y mide bien, te lo ruego, sus fronteras con el mal gusto, no vayamos a crearnos complicaciones de la manera más tonta. Las suyas, no las tuyas. Podrías engañarte con ella, entiendes. Pues bien, no te engañes. Cólmala de atenciones, pero en la duda más vale que te quedes corto, eso tiene siempre arreglo y en cambio no lo contrario. Por eso prefiero llevarte a ti y no a Rendel, aunque él sea más adecuado para una señora tan festiva y bromista como Mrs Manoia. Él a veces no sabe frenarse.'

Para mí tenía siempre algo de sorprendente la manera en que Tupra se refería a las personas que trataba, estudiaba, interpretaba o investigaba, quizá nunca se limitaba a lo primero con nadie. Pese a ser tantísimas y a sucederse rápido, para él eran todas *alguien*, no debían de parecerle nunca intercambiables ni simples, nunca tipos. Aunque no fuera a volver a verlas (o jamás las hubiera visto en carne y hueso, si sólo manejábamos vídeos), aunque se hiciera y nos transmitiera una opinión pobre de ellas, no las reducía a esquemas ni las daba por consabidas, como si tuviera muy presente que ni siquiera entre las vulgaridades hay dos iguales. De Flavia Manoia otro hombre habría tal vez resumido: 'La típica menopáusica reacia, aguántale las pesadeces y hazle creer que aún tumba a hombres y a ti el primero, con eso nos la habremos ganado. Tampoco su credulidad te va a costar malabarismos, porque seguro que los tumbaba a docenas, hace unos años. Mírale bien las piernas, que las conserva y las enseña con todo merecimiento, y te harás bastante idea. También el culo tiene un meneo', habría quizá apostillado ese hombre con muy difusas fronteras para el mal gusto.

Tupra, en cambio —o ya era Reresby cuando íbamos en el Aston Martin que sacaba en las noches de jactancia o coba, camino del restaurante—, llegó a adentrarse en disquisiciones complejas sobre la señora, o que iban más allá de ella y su insignificante caso (en labios del reflexivo Reresby dejaba de parecerlo tanto). Era al oírle esta clase de sutilezas cuando percibía en él la antigua huella de Toby Rylands, de quien había sido discípulo según Peter Wheeler, y entonces volvía a aparecérseme el vínculo de carácter entre los tres, o era de capacidad, o era el don compartido que también a mí me atribuían (en lo demás Tupra era tan distinto): 'Ten en cuenta que lo que en el fondo le da más pavor a Mrs Manoia', comentó ante un semáforo en rojo, 'no es su deterioro personal cercano, físico, contra el que mal que bien va luchando, sino la intuición angustiosa de que su mundo va a desaparecer, y ya languidece. Alguna de su gente de siempre ha muerto en los últimos años, de manera extemporánea unos cuantos, una mala racha; otra se ha retirado; a otra quieren retirarla sin más espera, a la fuerza. Ya no le es fácil encontrar compañía para salir todas las noches de farra, y fiestas con anfitriones, en regla, en ningún sitio las hay a diario y menos que en ninguno en Roma, hoy convertida en bostezo eterno por ese Berlusconi con su mala sombra, vaya cenizo' (bueno, dijo *maladroitness*, palabra literaria y que no significa lo mismo, pero valga esa sombra; y *what a killjoy*, añadió, es bastante aproximado eso; nunca lo había oído pero deduje el sentido, también cabría 'aguafiestas'). 'Quiero decir compañía de la tradicional, de la antigua. Hay meritorios más jóvenes que les siguen la pauta, quieren caerle a Manoia en gracia, él no piensa hacerse por ahora a un lado, en su terreno.' Reconocí aquí más bien la escuela de Sir Peter Wheeler: del mismo modo que éste había tardado siglos en aclararme qué era de Tupra 'lo suyo', este otro me mencionaba con naturalidad un 'terreno', para acerca de él no soltar prenda. La verdad es que tampoco me importaba nada. 'Pero entre esos aprendices la señora está un poco perdida, y se siente veterana. Es lo peor que puede pasarle a nadie que haya sido joven durante demasiado tiempo, bien porque se asomara muy pronto a la vida adulta, bien por exagerados pactos con el diablo (es sólo por usar la expresión clásica, esos pactos son azarosos). Luego, al no tener hijos, ella continúa siendo la niña de la casa, y eso malacostumbra mucho, se paga caro el contraste en cuanto se sale a la calle y se dan tres pasos, y en cualquier discoteca se encuentra uno compitiendo con estupor, de repente, por el título de más viejo; muy dañino para el alma, ese trasiego. Mejor frecuentar casinos.'

Me extrañó no percibir ironía en su empleo de la palabra 'alma', eso no significaba que no la hubiera. Arrancó el coche de nuevo, pero siguió hablando. Con él era casi imposible discernir cuándo sabía de cierto, con datos, y cuándo estaba ofreciendo una interpretación depurada de lo que veía; si aquí estaba al tanto de las circunstancias exactas de los Manoia o sólo las conjeturaba —en su caso era decidirlas— a partir de las otras veces en que hubiera coincidido con ellos (quizá una sola, quién sabía): '¿Te imaginas un mundo en el que ya no conoces a casi nadie, y lo que es más denigrante, en el que nadie te conoce a ti, o sólo de referencias? Eso es lo que ella empieza a vislumbrar, claro que sin decírselo aún, sin formulárselo, puede que sin la menor conciencia de que sobre todo es eso lo que la va amargando y atemorizando un poco más cada día. Pero yo ya he visto en ella, en algunos instantes, la misma mirada de precariedad y desconcierto que se instala en los ojos de los ancianos cuando se rezagan, duran más de la cuenta, sobreviven a casi todos sus coetáneos y aun a algún descendiente, le ocurre hasta a Peter Wheeler, y eso que él es afortunado, ha ido haciendo sus recambios, privilegio de los que son admirados por quienes van a sustituirlos y los sustituyen, o de los grandes maestros. Pero, ¿qué puede esperar una señora simpática, y sí, que fue muy guapa y aún lo es si quieres, dada a los festejos y a las celebraciones, su mayor mérito haber alegrado la vida a su alrededor, superficialmente?' Nunca me acostumbré a ocupar en los automóviles el sitio del conductor y no tener ante mí un volante, allí en Inglaterra. Nunca logré estar seguro de lo intencionado o casual —lo significativo u ocioso— de cada frase que pronunciaba Tupra: siempre le flotaba a uno la duda de si las debía escuchar con normalidad o anotándolas, con la retentiva al máximo, reparando en ellas sin desdeñar una palabra ni tomar una sola sílaba a beneficio de inventario. Me inclinaba por esto último a veces y la fatiga era tremenda, una tensión constante. 'Claro que eso no es poco si se ha estado cerca de vidas desagradables', añadió Tupra o Reresby, y empezó a buscar con la mirada dónde estacionar, instintivamente, hasta que en seguida cayó o fingió caer en la cuenta: 'Nos aparcarán el coche los del restaurante'.

'Qué puede esperar casi nadie, a la hora de hacer relevos o de tener recambios', pensé mientras salíamos los dos del Aston Martin y Tupra le daba al portero las llaves junto con instrucciones largas y minuciosas o más bien maniáticas. 'Los admirados como los no admirados o los despreciados, los maestros como los secuaces, Tupra o yo o esa alegre señora, qué aspiraciones nos caben', me dije sin prestarle atención a él ahora, no hablaba para mis oídos. 'Uno se conforma con lo que le va llegando y hasta bendice que le llegue aún algo o sobre todo alguien, por rebajadas versiones que sean de lo suprimido o interrumpido o de los añorados; es difícil, cuesta mucho suplir a las figuras perdidas de nuestra vida, y se va eligiendo poco o nada, se precisa un esfuerzo de convencimiento para cubrir las vacantes, y qué mal nos resignamos a que se reduzca el elenco sin el cual no nos soportamos ni apenas nos sostenemos, y aun así se reduce siempre si no morimos o si no muy rápido, no hace falta llegar a viejo ni tan siquiera a maduro, basta con tener a la espalda algún muerto querido o algún querido que dejó de serlo para convertirse en odiado u omitido nuestro, en nuestro aborrecido o borrado máximo, o con serlo nosotros de alguien que nos puso la proa o nos expulsó de su tiempo, nos apartó de su lado y de pronto negó conocernos, un encogimiento de hombros al vernos mañana el rostro o al oír nuestro nombre que susurraban anteayer muy suavemente sus labios. Sin decírnoslo, sin formulárnoslo, percibimos esa dificultad enorme del reemplazamiento, así que a la vez nos prestamos todos a ocupar vicariamente los lugares vacíos que otros van asignándonos, porque comprendemos y participamos de ese mecanismo o movimiento sustitutorio universal continuo de la resignación y la mengua, o del capricho a veces, y que al ser de todos es el nuestro; y así aceptamos ser remedos, y vivir cada vez más rodeados de ellos. Quién sabe quién nos sustituye y a quién sustituimos nosotros, sólo sabemos que sustituimos y se nos sustituye siempre, en todas las ocasiones y en todas las circunstancias y en cualquier desempeño y en todas partes, en el amor, la amistad, en el empleo y en la influencia, en la dominación, y en el odio que también mañana se cansará de nosotros, o pasado mañana o al otro o al otro. Sólo sois y sólo somos como nieve sobre los hombros, resbaladiza y mansa, y la nieve siempre para. No sois ni somos como la gota o mancha de sangre, con su cerco que se resiste a desaparecer y se aferra a la loza o al suelo tan furiosamente para hacer más difícil su negación o su difuminación o su olvido; es su manera insuficiente, ingenua, de decir "Yo he sido", o "Soy aún, luego es seguro que he sido". No, no sois ni somos como la sangre ninguno, y además ella también acaba por perder su batalla o su pulso o su desafío, y al final no deja rastro. Es sólo que costó más tiempo eliminarlo, y que la voluntad de aniquilación hubo de empeñarse en ello.'

Así que en la discoteca, cuando la señora Manoia había bebido moderadamente durante la cena y moderadamente mientras contemplaba con tentación y un pie rítmico los alocados y masivos bailes —pero dos moderaciones pueden sumar un exceso—, y ya me llamaba Jacopo o Giacomo esdrújulamente en su lengua y por supuesto me daba del tú y exigía que se lo diera yo a ella, según dice el italiano para tutearse, aprovechó una tregua o cambio de registro en la música de una de las dos pistas para empeñarse en bailar unos lentos, o tal vez sólo semilentos, primero con su marido, que se quitó las gafas para echarles vaho y pasarles gamuza y le devolvió una mirada miope declinatoria, luego con Tupra, que se disculpó con una mano abierta mediante la cual le indicaba sus inconclusos deberes de hospitalidad y negocio hacia el cónyuge remiso a la danza (demasiado ruido para que nadie se hablara más que al oído y a voces, o si no sólo por señas), y por último conmigo, a quien no cupo sino satisfacerla. Me llamó la atención que, pese al previsible resultado de sus tanteos y a haberla atendido yo sobre todo a lo largo de la velada, y profesarme para entonces ella tanta simpatía como le iba tomando yo afecto —ambas cosas tan transitorias que a la mañana siguiente podríamos ni recordarlas, uno y otro sin mala conciencia—, observara las jerarquías al solicitar pareja, eso denotaba un sentido del respeto arraigado y fuerte.

Y tal vez fue eso, habernos dado la oportunidad a los tres varones en el adecuado orden, lo que la hizo considerarse con venia para enlazarse con su *partenaire* obligado de cualquier manera tempestuosa y aun puede que poco púdica, quiero decir que se apretó contra mí con furia, casi con daño. No es que estuviera en su ánimo hacérmelo, sino que no controlaba su verdadero volumen enteramente, pienso (del mismo modo que los mochileros no son conscientes de lo que abultan, pues por mucho que lo procuren no logran sentir como parte del cuerpo su idolatrado fardo o lapa a la espalda), ni podía hacerse idea del impacto que sufrió mi pecho por culpa de los dos suyos, durísimos como leños y puntiagudos como estacas —su busto era madera por fuerza, o acaso granito compacto—. Aquella mujer había exagerado, había olvidado todo límite en su fervor por fortificarlos y apuntalarlos, seguramente en tantas etapas que su memoria se engañaba respecto a cuándo la última y en total cuántas. A la vista eran gustosos, sin duda los beneficiaba el escote en canoa o en góndola, pero bien mirado era imposible que la zona sobresaliente transmitiese sensación navigatoria alguna. Qué se habría metido, incrustado, puesto, propulsado a chorro, inyectado o edificado mi jovial señora Manoia, mármol, una ciudadela, hierro, panteones, antracita, acero, era como si me hubiera clavado dos estalactitas gruesas, o dos planchas picudas aunque sin parte plana, proas de quilla punzante como la de ese utensilio doméstico pero todas redondeadas. Me pareció la degeneración de un desvarío contemporáneo, y también un cierto abuso; comprendí que su marido evitara la acometida contra tales baluartes, y Tupra, supuse, con su ojo más raudo y mejor que el mío, habría calibrado de un vistazo los riesgos de esa colisión de frentes (me refiero al del varón con aquellas pirámides horizontales o quizá carbunclos gigantes, pues la blusa o camiseta de barco era de color vino tinto un poco aguado, y las neuróticas luces de la discoteca la hacían desprender fulgores, y aun irisaciones).

Era sin embargo difícil indignarse con Flavia Manoia, o desairarla con conciencia de poder incurrir en ello: demasiado cariñosa, festiva y desamparada, a la vez las tres cosas y una sola habría bastado para impedirme un rechazo brusco, o incluso un alejamiento disimulado. Así que aguanté la presión de aquellos conos como astas, confiando en que fuera ella quien pusiera pronto distancia, aire, aunque el verbo confiar es inadecuado, pues lo cierto es que desesperaba. Reresby habría tenido razón, como casi siempre, al encomendar sus piernas, si hubiera llegado a hacerlo; y a la señora había que reconocerle que sabía elegir el corto o largo de falda perfecto para su complexión y estatura, tres dedos sobre la rodilla; si uno la veía de lejos, con su ágil sensualidad danzante, su robusto busto rígido, sus pantorrillas y demimuslos bien formados y algo rocosos, así como su culo que valdría un meneo según un hombre al que impacientara el buen gusto, podía dar la impresión que cada noche ella buscaba, y obligar a su marido —vi con leve inquietud en seguida— a volverse a colocar las gafas, ya limpias, para vigilar de reojo sus pasos y sus abrazos. El diablo no siempre exige exageraciones o no a todos se las admite, y pacta sin duda con gradación infinita en lo relativo a las apariencias, quizá afine mucho con las distancias: a veces salva un cuerpo o una cara de lejos y en la penumbra, para condenarlos y hundirlos alumbrados y de cerca (no suele consentir en lo inverso). No era este el caso exactamente —los rasgos de la señora Manoia me habían parecido en el Vong muy gratos, aunque no tentadores, tampoco eso—, pero su imagen en movimiento exaltado y con individuo en los brazos resultaba más atrayente que en reposo y engullendo, o bien chupando cangrejos: lo bastante, en todo caso, para que alguien acodado a una barra, a unos cuantos metros o yardas, se irguiera para otear y olfatear la pista, y más aún, empezara a agitar ambas manos en señal de saludo histriónico al reconocer al individuo que ella estrujaba con fanatismo práctico, conocido comúnmente como pareja de baile.

No lo reconocí yo a él al principio. La señora Manoia me hacía dar tantas vueltas —más que un semilento ejecutó un semirrápido, y yo a su son y a sus órdenes— que no lograba fijar la vista en ningún sitio más que décimas de segundo, peor que en el tiovivo. Hasta el punto de que lo tomé por un negro, por culpa de la mala visibilidad y de mi trote precipitado y porque vestía una chaqueta muy clara, de poderosas hombreras y varias tallas más grande de la que le correspondía, y sólo he visto atreverse con semejante clase de prenda, holgada pero con apresto, muy recta, a algunos miembros de esa raza, sobre todo a nuevos ricos fornidos más o menos del espectáculo: atletas, boxeadores, celebridades de televisión, raperos de la rama dandy. Durante unos instantes creí que sería uno de éstos, porque en su oreja izquierda brillaba un pendien-

te, me pareció de aro, un poco largo y en exceso os-
cilante para la moda preferida entonces entre la mo-
dernidad ultranocturna y no sé si ahora (salgo menos), como si se lo hubiera prestado una zíngara o
se lo hubiera arrebatado a un pirata de los que ya
no existen desde hace doscientos años, al menos en
Occidente. Por fortuna no se tocaba con sombrero
de ala estrecha ni ancha, tampoco con pañuelo anudado haciéndole cola en la nuca al estilo bucanero,
bandanas los llaman ahora (podía haberle dado por
conjuntarse), llevaba el pelo hacia atrás, untado,
planchado o más bien tirante, tanto que en segunda y confusa instancia temí que se lo sometiera con
algo peor todavía, a saber, una redecilla negra como
las de nuestros majos goyescos, o es acaso a los to-
reros de época a quienes he visto lucirlas sin aver-
gonzamiento en los grabados y cuadros, de Goya
también más que de nadie. Si digo por fortuna no
es sólo porque me parezcan patéticos o sin más
grandes farsantes cuantos hoy se cubren la cabeza,
no digamos ya si es bajo techo (van con ínfulas de
originalidad biográfico-artística más aún que indu-
mentaria, los varones como las mujeres, pero más
afectados aquéllos y sin perdón posible, aunque son
de bofetada las que llevan *beret* o fina boina, sea recta o ladeada), sino porque al darme al fin cuenta de
quién era el pollo negro o no negro, o el cuervo o bui-
tre de barra (fue un momento que me concedió de
fijeza mi peonza vaticana: se abstuvo de girar unos
diez segundos y pude mirar sin mareo a la figura
que manoteaba en el aire), pensé que con sombrero de músico o pañuelo filibustero no lo habría soportado; no la visión desde luego, y menos su compañía ante testigos que me conocían, intolerable

que nadie me hubiera asociado al sujeto, ni siquiera como compatriota: me habría negado a mí mismo con tal de mantenerlo a distancia, me habría improvisado otro nombre (Ure o Dundas sin ir más lejos, esa noche estaban libres), me habría fingido desconocido y por supuesto británico o canadiense a ultranza, le habría dicho con fuerte acento de imitación: 'Mí no comprender. *No Spanish*'. Y ante su probable y barbarista insistencia habría eliminado resquicios: '*No Spanglish either*, hombre'.

Así que al reconocerlo, y no ver sobre su cabeza tocado temible alguno (algo era algo), me limité a sentir incredulidad en mi pecho mártir, es decir que alcancé a pensar esto, en medio de mi agudizado baile: 'Santo cielo, no puede ser. El agregado De la Garza pulula por las discotecas de Londres vestido de rapero negro dandy, o quizá es de apoderado negro de boxeador también negro. Tal vez, incluso, a estas horas, él mismo se crea un negro'. Y acerté a añadirme: 'Gran capullo; y además blanco'. Allí estaba un hombre al que impacientaba el buen gusto, o en quien el malo era tan invasivo que arrasaba toda frontera, las nítidas como las difusas; y aún más, un tipo dispuesto a hallarle interés lascivo a casi cualquier ser femenino —o era interés más bien puerco, cercano al meramente evacuatorio—, si en casa de Sir Peter Wheeler había sido capaz de encontrárselo, y nada escaso, a la prevenerable viuda reverenda o Deana Wadman, con su escote esforzado y mullido y su collar pétreo precioso de gajos. (Quiero decir a cualquier ser femenino humano, no me gustaría insinuar cosas que ignoro, y sin indicios.) Flavia Manoia, de edad tal vez parecida pero con notables más garbo y rastro (rastro de su belleza, se entiende), podía en verdad trastornarlo a dos copitas que llevara él encima o que planeara agregarse en los minutos próximos. La memoria asociativa instantánea me hizo buscar con la mirada, ilógicamente, al prevetusto Lord Rymer, la maléfica y famosa Frasca de Oxford con la que De la Garza había compartido tantos brindis en la cena fría y que incitaba infaliblemente a beber a espuertas a quien se le pusiera a tiro de recipiente (o bien de *flask*, que es lo mismo). Pero su celebridad y sus movimientos dificultosos habían quedado confinados a territorio estrictamente oxoniense desde su jubilación en la Cámara y el consiguiente abandono de sus legendarias intrigas en las ciudades de Estrasburgo, Bruselas, Ginebra y por supuesto Londres (quizá él no era par vitalicio, pero se rumoreó que la creciente sabiduría etílica de sus intervenciones ante los Lores —una sabiduría insatisfecha siempre— acabó por aconsejarle una prematura renuncia a su escaño); y con su silueta abombada y sus pies tan deficientes no se habría aventurado nunca en el mundo de las discotecas brutales, ni aun llevado por De la Garza y otro en la sillita de la reina.

Confié en que Rafita estuviera acompañado de ese otro o de varios, de alguien en todo caso, y así lo creí con mediano alivio (pero de nuevo algo era algo) cuando vi que también lanzaba saludos, o más bien hacía desdeñosos gestos de imponer espera y paciencia a un grupo de cuatro o cinco personas sentadas a una mesa no alejada de la de Tupra y Manoia, personas españolas todas a buen seguro, o en su mayoría, por lo gritón de sus voces y lo exhibicionista de sus carcajadas (y además una fingía —un maromo— seguir la música idiótica con muy grande sentimiento, tanto que se le ponía incongruente cara de oír flamenco purísimo y padeciente, el cual no sonaría allí por los siglos ni en versión adulterada y rumbosa: era local exclusivo de estrépito y aturdimiento, lo más idióticamente chic de la temporada entre las juventudes no extremas y sí bastante adineradas, quizá elegido por Tupra para agradar así a Flavia Manoia, o para que a él no pudiera escucharlo más oído que el arrimado a sus labios).

—Joder, joder, Deza, ¿dónde te has agenciado a esta titi, tío? —Esas fueron las primeras y repugnantes y aun deprimentes palabras del gran capullo Rafita cuando ya no pudo aguantarse e invadió la pista balanceándose en un terrible remedo —en efecto— de los andares de un negro achulado, la pieza semilenta aún inconclusa y por lo tanto también nuestro semirrápido baile—. Anda, preséntame, anda cabrón, no me seas egoísta. ¿Está contigo o la acabas de levantar aquí mismo? —Debía de tomar por inglesa a la señora Manoia y se sentía otra vez impune en su lengua, seguro que se pasaba su majadera vida en Londres con tal perpetuo sentimiento, un día le haría meter bien la pata hasta el fondo y lo convertirían en puré o picadillo. Yo continuaba girando y él giraba tras de mí (quiero decir a mi espalda), hablándole a mi cogote con enorme desparpajo, sin que eso le supusiera extrañeza ni incomodidad siquiera: recordé su especialidad en entrometerse en las conversaciones ajenas hasta dinamitarlas, nada tenía de particular que se inmiscuyera igualmente en las danzas y las pulverizara—. Me juego una primera de Lorca a que se la has levantado aquí a algún imbécil. Es que donde nosotros pongamos pica, ya se sabe.

Me irritó ya tantísimo con aquellas pequeñas frases —el término más pueril que canalla aunque él lo creyera esto ultimo; la apuesta pedante de bibliófilo sobrevenido; el engreimiento infundado de su vulgaridad patriótica (aquel 'nosotros' significaba por fuerza 'los españoles')— que pese a haber decidido a la postre responderle en inglés turbio por lo que diré en seguida, y no moverme de Ure o Dundas con la entereza de un prisionero de guerra, no pude contenerme y me apañé para soltarle con grito rápido, ladeando un poco la cabeza, que no el torso cautivo:

—Tú no tienes una primera edición de Lorca ni robada, Garza Ladra. —Sin duda no pilló la alusión operística insultante, pero me daba lo mismo, ya sólo hacérsela me compensaba. No la recogió en todo caso hasta luego, y bien estólidamente; primero le brotó una vena redicha y pleiteadora.

—Te equivocas, tío listo —dijo, y alzó un dedo absurdo enjoyado: debía de ponerse el atuendo discotequero con todos los complementos cuando salía de farra en serio, o acaso era de aspirante a negro; pero lo que no se explicaba en tal contexto (y es lo que he dicho que en seguida diría, lo que me resolvió a hacerme el loco aunque al instante incumpliera el propósito) era la redecilla de luto goyesca que efectiva e imposiblemente De la Garza llevaba puesta para aplastarse mejor el pelo o por alguna razón cretinoide, mi visión confusa de segunda instancia resultó ser la acertada. Ahora en cambio no daba crédito, pese a ser mi visión hiriente de tan meridiana. Ni siquiera se correspondía aquel cestillo con una melenita o coleta que lo rellenara, su contenido era el vacío; ya que osaba coronarse con prenda tan extemporánea, elegida por un entendimiento malsano, podía haberse alquilado un postizo al menos, con el que conferirle sentido y peso y justificarla un poco, dentro de lo retorcido abominable. (Es un decir, sentido; también otro, justificarla; y otro más, entendimiento.) Pensé que lo mismo le había regalado o vendido algún Lorca primigenio el antiguo Director de la Biblioteca Nacional de España, amigo suyo según sabía y que al parecer había utilizado largamente su cargo —ahora aprovechaba otro más alto— para arrancarles irrisorios precios a los libreros anticuarios finos, aduciendo que adquiría el volumen costoso y raro de turno con destino a esa institución pública, por lo demás frecuentemente vedada a los ciudadanos (apelando en cada marchante, en suma, a su lado más patriótico que viene a ser el más primo), cuando lo cierto es que iban todos derechos, sin escala oficial alguna, a la colección particular de su casa, siempre en desproporcionado aumento.

No quise averiguar en el acto por qué era yo tío listo y me equivocaba. Noté que la señora Manoia empezaba a mosquearse. Era del todo anómalo que en mitad de un baile, su baile, un tipo ridículo y quizá ya algo beodo se uniera malamente a nuestros movimientos por detrás de su pareja y se dedicara a hostigar a ésta en la nuca, a voz en cuello; más descortés todavía, me di cuenta, que yo le contestara al irregular sujeto, aunque fuera una sola y desabrida frase, en vez de pararle los pies literalmente y ponerlo en fuga hasta su barra, o aun más allá si me empleaba. Con todo, dudé si el mosqueo era debido a mi desatención momentánea, a la intrusión pura y simple e insólita de De la Garza, o a no haber yo sugerido un alto inmediato que posibilitara el conocimiento formal de ambos. Me pareció que alguna curiosidad le inspiraba aquel Rafita noctámbulo con su ininteligible atavío, pero era difícil decirlo, podía ser perplejidad a secas: ella debía de estar viendo ante sí, mientras bailaba, dos semblantes yuxtapuestos, lo cual no la ayudaría a hincarse más acoplada en mi pecho ni a concentrarse y disfrutar de sus pasos; vi que además los ojos se le iban sin querer hacia arriba a mi espalda, se le distraían comprensiblemente por culpa del accesorio taurino o majo dieciochesco, sin duda no discernía con claridad qué era aquello ni su improbable significado, o hermético simbolismo. O tal vez había captado desde el primer instante que, por mucha red de la compra con que se adornara el cabello, y pendiente de adivinadora con que se lastrara la oreja, aquel segundo español era para ella segura fuente de halagos, a lo mejor inagotable. Me vino a mí la idea en todo caso, y en un rapto mental de irresponsabilidad y egoísmo, pensé que no nos vendría mal incorporar al agregado un breve rato, surtiría a la señora de admiraciones y cumplidos varios (aunque indescifrables) y hasta podría apechar (nunca mejor dicho) con las estacas o leños si insistía ella en más bailes. (Yo estaba siendo en mis alabanzas más parco de lo encomendado, me temía; no por excesiva prudencia ni porque me costara lisonjear a una mujer tan espiritosa y receptiva, en el fondo tan contentadiza aunque ningún contento llegara a durarle y necesitara de alimentación constante, sino porque las frases *carine* o *tenere* me aburren y empalagan muy pronto por su naturaleza monocorde, las lea en novela o las oiga en película, las pronuncie yo en la vida o en ella me las dediquen.) Fuera como fuese, bastó que Flavia Manoia dijera cuatro palabras para convencerme a mí mismo de que la escena era insostenible tal como transcurría, y de que tocaba proceder a las presentaciones sin más tardanza. Y acabé de cerciorarme de ello al observar de refilón que Manoia, a quien Tupra susurraba al oído largos argumentos o proposiciones, había lanzado a la pista un par de miradas interrogativas, si es que no inquisitoriales, desde que De la Garza nos acosaba, para él un desconocido completo con pinta de molestoso, y era fácil que se la encontrara asimismo de depravado.

—*Mah* —dijo primero Flavia, y eso es siempre de ambigüedad notable en el idioma italiano, puede indicar conformidad, contrariedad, leve interés, leve fastidio, desentendimiento, duda, o anuncia sólo un punto y aparte y que se pasa a otra cosa. Y añadió luego—: *Chi sarebbe, lui?* —Esto me fue suficiente para interrumpir el baile y descolgarme de la empalizada con mucha suavidad y tiento, pero aún me hizo otra pregunta antes de que yo enunciara los nombres—: *E cosa vuol dire*, titi? —No podía haber entendido apenas nada de lo soltado por aquel baldón de la Península (aunque en realidad hoy hay tantos que casi constituyen norma, y no baldón en consecuencia), pero quizá había intuido que ese término pegadizo iba por ella; que se le había aplicado, y en tono más bien fragoroso.

—Rafael de la Garza, de la Embajada española en Londres. La señora Flavia Manoia, una maravillosa amiga italiana. —Utilicé esta lengua para presentarlos, aproveché para insertar un elogio; luego añadí en castellano, es decir, sólo para Rafita y a fin de prevenirlo en salud, o de contenerlo (un empeño quizá iluso)—: Ahí está su marido, es aquel, un hombre muy influyente en el Vaticano. —Confiaba en impresionarlo—. En aquella mesa con el señor Reresby, te acordarás del señor Reresby, ¿no? En la cena de Sir Peter, ¿sí? —De lo que estaba seguro era de que no se acordaría de que el apellido de Tupra era Tupra, allí en casa de Wheeler.

—Ah, pero cómo es joven, este vuestro Embajador —contestó ella siempre en su lengua, mientras le apresaban la mano—. Y cómo es también moderno, muy audaz su estilo, ¿cierto? Eh, cómo se ve que el vuestro es un país renovado en todo. De verdad en todo. —Y aún insistió en lo de titi, se le había antojado saberlo—. Pero dime lo que significa 'titi', anda, dime.

De la Garza me habló al mismo tiempo (cada uno me voceó a un oído y cada uno en su lengua), sosteniendo demasiado rato la mano de la señora entre las dos suyas, esto es, secuestrándosela durante toda la serie de denuestos y obscenidades que la visión y rememoración de Reresby hicieron brotar de su boca nada más él divisarlo, y que no fui capaz de seguir enteramente, pero de la que capté estos cuantos vocablos, incompletas frases y conceptos: 'cabrón', 'caracolillos', 'tía larga', 'tía puta', 'enseñándome las bragas', 'se largaron', 'una morsa', 'le restregaba los flotadores', 'sofá pringoso', 'a ver si se las arrancaste tú', 'disimulo', 'zíngaro de mierda', 'tía víbora', 'no me jodas', y una interrogación por último, '¿te la desbragaste viva?'. Después de esta rápida sarta se refirió un momentito al presente:

—¿Quién has dicho antes que ladra? ¿La maciza esta? Joder qué bastiones. —Su vocabulario era a menudo escolar y anticuado, cuando aspiraba a ser más rudo. Había percibido, con todo, cierta dificultad de asalto. No se habría planteado, en cambio, la cuestión de su artificialidad evidente (obra del hombre), él no hacía distinciones ni se perdía en detalles nimios. Luego adoptó un tono untuoso, un instante, para dirigirse y adular a Flavia—: Es un grandísimo placer, señora, y mi admiración es aún más grande. —Esto sí fue comprendido, *crystal-clear* para cualquier italiano.

En todo caso seguía igual de malhablado o incluso había ido a peor (las noches de disipación son propicias, y más las de caza ardua), aunque lo de desbragarse a una tía viva yo jamás lo había oído (raro ese reflexivo). Era llamativamente grosero como eufemismo, pero no dejaba de serlo sin duda —un eufemismo—, así que posiblemente había que agradecérselo, dentro de todo. Menos mal que nadie le entendería las expresiones brutales zafias, de los que venían conmigo.

Ya estaba medio arrepentido de mi flaqueza egoísta (tenía que habernos negado, a él o a mí o a ambos, 'tú no me has visto nunca, no sé quién eres, no me conoces, tú no has hablado conmigo ni te he dicho nada, para mí no tienes rostro ni voz ni aliento ni nombre, como yo para ti no tengo ni siquiera nuca o espalda') cuando Tupra me hizo una señal para que acudiera a su mesa, le estaba explicando tanta historia a Manoia que por fuerza iba a necesitarme de intérprete en cualquier momento, se veía venir eso, para que los sacara de algún atasco. Dudé si llevarme a la señora conmigo y por lo tanto a Rafita, quien no se nos despegaría ahora tan pronto, su propensión era adhesiva. Pero eso podría irritar mucho a Tupra, pensé, que le plantara al soez experto en bellas letras (que además él ya conocía) en medio de sus *tratative* (y encima con alhajas y una red de pesca colgándole); así que opté por dejar a Flavia al cuidado provisional de De la Garza —algo intranquilizante siempre—, lo vi muy dispuesto a ilustrarla con sus agudezas cultas, o a embrutecerla con bailes más primitivos que el mío y que no serían mal acogidos. Antes de ausentarme le susurré o grité a ella al oído, no fuera a guardarme agravio por una respuesta no dada:

—'Titi' significa 'beldad'.

—¿Ah sí? ¿Y cómo es eso? ¿De dónde viene? Tan extraño.

—Bueno, es un término popular, simpático, de Madrid, carcelario. —Esto último lo improvisé, no sé por qué; por adornarlo—. Él te considera una gran belleza, como todos cuantos, como cada uno. —Bueno, esto fue así en italiano, de lo más *verbatim*—. Eso es lo que te ha llamado.

—¿Pero el Embajador no habrá estado en la cárcel? —preguntó con sobresalto. No hubo en su voz tanto escándalo (no debía de faltarle costumbre de ver pasar por la trena a amigos y conocidos suyos) cuanto absurdas piedad y alarma por los antecedentes del mamarracho majo y su posible pasada desgracia (yo le habría aplicado mazmorra durante largas temporadas, con o sin causa). Sería por su juventud, supuse, el miramiento.

—No, no. Diría de no, no lo creo. El origen de la palabra es carcelario, pero las palabras salen, viajan, vuelan, se expanden; ellas son libres, ¿cierto?, no hay rejas ni muros que las contengan, eh. Tremenda su fuerza.

—*Temibile*—apuntó De la Garza, que había pegado el oído y habría entendido inconexos vocablos sueltos de mi italiano españolizante (el suyo fue deducido, a buen seguro no lo hablaba; quiero decir su adjetivo único aportado). Era un as en eso, en terciar sin venir a cuento ni saber qué se trataba ni ser jamás invitado, y aun siendo repelido a veces, a las claras y de plano.

—No hace falta, *quindi* —proseguí—, ir a prisión para conocerlas, las que allí nacen o se inventan. Y él no es el Embajador, ves, por cierto; está sólo en el equipo de éste. Pero estoy convencido de que llegará a serlo con el tiempo. Y pienso que ascenderá aún más alto si persevera en su ser presente, el cual parece irrenunciable: lo harán Secretario de Estado, *anzi* Ministro. —En español no hay equivalente exacto para estas dos, '*anzi*' y '*quindi*'.

—¿Ministro? ¿Y de qué cosa, Ministro?

—*Beh*. De la Cultura, lo más probable; es su materia, es un experto en todo. —Me salió eso espontáneamente: también '*beh*' es ambiguo en italiano, quizá no quise quedarme atrás en el manejo de las interjecciones vernáculas indefinibles. Y añadí separándome un poco de ella, con intención de facilitarle a De la Garza la escucha y de que esto me lo entendiera más o menos conexo—: Nadie como él conoce la literatura universal fantástica, incluida la medieval, y la paleocristiana. Sabe un huevo. —Esto último lo dije con literalidad inadmisible, citándolo a él en la cena de Wheeler. '*Un uovo*', solté sin inhibirme nada, a sabiendas de que esa expresión no se emplea ni por tanto se comprende—. Y eso, además de meritorio y útil, es tremendamente chic, ¿lo sabías?

—Temiblemente chic —acotó Rafita, sin haberse enterado de mucho pese a mi vocalización muy clara. Tenía un poco gorda la lengua, no demasiado, podría pasársele pronto si espaciaba las copas o la lascivia se la rescataba; esta vez no intentó siquiera el italiano adivinado. Miraba a la señora Manoia con fija y vidriosa lujuria, quiero decir que estaba a punto de quedarse tan sólo en estupefacción ante los menhires.

—¿De veras? *Addirittura.* —Esto tampoco tiene equivalente exacto en mi idioma.

—Ahora, si me dispensas, queridísima y admiradísima Flavia —al menos esparcía superlativos, más frecuentes en la lengua de ella—, te dejo unos minutos en la mejor y más chic compañía. Me reclaman, nuestros amigos.

Allí la dejé, pero a los pies de los caballos zainos y en la boca pseudonegra del lobo y ante el foso fosco de los cocodrilos, confiando en que su marido y Tupra no me retuvieran mucho, me sentía responsable de la noche de la señora, de su bienestar y contento, quería que sus diez pulseras continuaran tintineando. Mientras me dirigía hacia ellos, vi que De la Garza eludía de momento el baile y optaba por incorporarla a su mesa no muy lejos de la nuestra, a la de sus amistades ruidosas de mayoría española, y eso me tranquilizó en parte, quedaban a nuestra vista y él no podría requebrarla allí tanto como a solas en la danza (había en el grupo un par de mujeres, y muchas de mis compatriotas toleran mal la competencia, aunque sea imaginaria y no la haya ni en sombra porque casi ni pueda darse: serían ambas veinte años más jóvenes que mi señora Manoia, la cual se las habría zampado, empero, de habérselas tropezado sin esos dos decenios de diferencia a cuestas. 'Luisa no es así', me cruzó el pensamiento; 'no suele rivalizar con nadie, y si alguien viene a medírsele, entonces ella se aparta. Quizá por estar segura, o porque ser como es ya le basta. Quizá yo no soy distinto'). Me fijé en que el maromo fingidor melómano batía ahora palmas muy quedas junto a su propio oído, las manos ahuecadas y cautas, los ojos cerrados con fuerza, conciencia plena de su pose intensa y hasta un doliente tarareo en los labios (debía de ser el de un cante harto jodido por tremendamente jondo, se le ponía una expresión atormentada extática como de mártir voluntarioso), absorto en músicas que no se prestaban nada a tales simas de desgarro, acaso llevaba otra en su mente con increíbles concentración y constancia, o tal vez la escuchaba en efecto —sordo a las de la discoteca por tanto— mediante auriculares diminutos ocultos como los que usaría en sus correteos mi vecino bailarín de enfrente. Su cara quiso sonarme, muy campesina pese al barroco peinado de bucles que trataba de desvaírla o aun de desmentirla, el pelo furiosamente teñido de color negro demente; me dio que era un escritor fundamental muy célebre, podía haber perorado en el Instituto Cervantes aquella tarde, traído ex profeso desde la Península por De la Garza, y yo me lo habría perdido, lección magistral o recitado de embrujo, qué gran fallo el mío. Me pareció un anormal completo, y él no se enteró desde luego de la llegada de Flavia a su mesa, enfrascado como estaba en las palmas de su quejío; los demás ni se levantaron cuando Rafita hizo las presentaciones, con la sola excepción de un hombre que quizá sí era británico, por su aspecto y por conservar ciertos modales, tardan allí un poco más en verlos todos prescindibles. El agregado, con ademán despótico, mandó a la compañía correrse para hacerles sitio a ellos, vi a los dos tomar asiento con bastantes apreturas (se rozarían las piernas, a la señora Manoia se le quedó la falda algo subida —algo de más, se entiende—, tal vez eso exaltase a su chichisbeo) antes de hacer yo lo mismo sin estrecheces en una silla a la izquierda de Reresby, él prefería tener a la gente a ese lado si era posible, oía mejor con ese oído o veía mejor con el ojo diestro, me figuraba.

En seguida me preguntó cómo se decían en italiano cuatro o cinco palabras que previsoramente había anotado en el posavasos y en las que se habría encallado el inglés de Manoia, pobre de vocabulario. Una de ellas fue 'vows', extrañamente, o 'to take the vows' más en concreto; otra fue 'toadstool', igual de rara en otra gama; una tercera fue 'nipples', que no ayudaba a inferir nada. Era normal que Manoia las desconociese, no tanto que Tupra no hubiera recurrido a alternativas o aproximaciones para hacérselas entender, incluso a señas en el último caso (quizá, pese al apellido, era demasiado inglés para eso). Por suerte yo las había leído u oído antes y pude buscarles equivalentes ('pronunciare i voti', ahí me orienté por el castellano; 'funghi, piuttosto quelli velenosi', aquí la explicación me hizo falta; 'capezzoli', aventuré: la recordaba esdrújula pero no estaba seguro). También por suerte, mi curiosidad no se despertaba. Confié, sin embargo, en que los pezones, capezzoli o nipples no fueran en ningún caso los de la señora Manoia, cualquier referencia a ellos me habría resultado violenta (aunque hubiera sido sólo médica, o digamos patológica) tras haber sido ensartado como por dos saetas y aún resentir su punzadura en mi pecho. Me disponía a volver ya con ella, una vez cumplida mi tarea de diccionario andante; pero Tupra me detuvo con un gesto, me mostró el envés de la mano como advirtiéndome: 'Espera, que todavía podemos necesitarte'. Manoia aprovechó la pausa de estas consultas (no reaccionó más que a la tercera, y sobriamente:

'*Ah, gabezzoli*', repitió con su pronunciación no romana sino más sureña) para alzar su barbilla azulada y larga y mirar con las gafas bien puestas, sujetadas por el pulgar, hacia la mesa que había acogido a su mujer con tanto y tan español descuido.

—Quiénes son —me preguntó en su lengua, en tono desdeñoso y desconfiado, o era casi disgustado.

—Españoles; escritores, diplomáticos —contesté dándome cuenta de que no tenía ni idea e ignoraba todos sus nombres, en la punta de la lengua (pero sin salirme) el del célebre y fundamental autor palmero—. Ese joven es de mi Embajada, el señor Reresby también lo conoce. —Y me volví en inglés hacia Tupra, para más involucrarlo y hacerlo compartir responsabilidades, preventivamente—. Te acuerdas del joven De la Garza, ¿verdad? Estaba en aquella cena de Oxford, es hijo de Don Pablo de la Garza, que ayudó aquí bastante durante la Guerra y luego fue muchos años Embajador de España en países africanos. —Se me ocurrió absurdamente que esta información gentilicia los tranquilizaría—. Buen muchacho, muy atento. —Y esto último se lo repetí en italiano a Manoia, por ver si así me lo creía ('*Un bravo ragazzo, molto premuroso*'), mientras en español pensaba sin poder remediarlo: 'Un gran melón, un mameluco y un plasta'.

Pese a los reflejos de sus lentes, le vi un momento la huidiza mirada gracias a que la mantuvo quieta un poco más de lo habitual, sobre Rafita y su panda. Percibí en ella burla, causticidad, también algo de encono, como si hubiera reconocido en ellos a una clase de gente a la que se la tenía jurada desde muy antiguo. Sí, parecía un hombre capaz de sentir furia hasta con provocaciones menores, pero si saltaba con ella sería seguramente sin que nada lo anunciara, sin que apenas pudiera preverse, aún menos impedirse. Una cólera tibia; controlada por él, y dosificada; podría pararla, incluso una vez desencadenada; para los demás desconcertante. Eso era. Eso encerraba. Pero Tupra tenía razón sin duda, en que también podía sacarla.

—Y qué es lo que lleva en la cabeza, ¿una mantilla? —preguntó Manoia, ahora con abierto desprecio.— ¿Será que piensa ir a misa al alba?

—Bueno, ya sabe que hoy los jóvenes se adornan con cosas raras cuando salen de noche, les gusta ser originales, distinguirse. —En verdad era un sarcasmo que yo me viera obligado a justificar la majeza y defender la majadería—. Es una prenda arcaica, pero muy española; eso es, taurina; del Setecientos, creo, o quizá de antes. —Miré a Rafita con rencor. A distancia me recordó al autorretrato que hay en el Louvre de Luis Meléndez, aunque en degradado y vicioso; y lo que el pintor lleva en el pelo no es comparable: un pañuelo anudado si no me equivoco, a modo de corona de laurel o buscando ese efecto. Hablaba animadamente y a voces, pontificaba o contaba chistes (una de dos), la señora Manoia no debía de cazar ni media, pero él se dirigía también a los otros, sobre todo a una joven rubiácea con permanente cara de asco, esa expresión se da mucho entre las españolas de adinerado linaje, carentes de atractivo y desdibujadas por norma, entre nosotros suele hacer falta estómago para dar un braguetazo autóctono. Supuse que Rafita estaba destinado a eso; no tendría prisa, sin embargo: todavía era afanoso, inexperto, coleccionista, aún querría pasar por muchas camas temibles, ocupadas por femeninas e incontinentes sosias del inolvidable actor Robert Morley o por aparentes y disolutas gemelas de Peter Lorre, a las que habría deseado en la nocturna rendición borracha para asustarse de sí mismo y de ellas en la matinal saciedad resacosa—. Y en suma —añadí, ya harto de paños calientes—, es un buen chico, pero un poco mameluco. —Se me había quedado la palabra rondando; probé a ver si existía tal cual en italiano, con las lenguas hermanas todo es posible y nunca se sabe.

—*Un po'? Eh. Mammalucco totale. Eh. Questo si vede, eh* —me corrigió Manoia y yo estuve de acuerdo, lo era total y cabal e integral. Aunque en realidad lo que salió de sus labios fue '*Mammaluggo dodale*', no parecía capaz de enmendar sus abreviadas vocales confusas ni sus consonantes invariablemente sonoras, me pregunté si también hablaría así de arrastrado con los delicados miembros de la curia romana, se me había metido en la cabeza que aquel era un matrimonio de súbditos vaticanos, tendría que haber algunos que no fueran cardenales ni obispos ni capellanes, ni monaguillos ni sobrinos del Papa—. Y además, no es tan joven para estas imbecilidades —dijo, pasando ahora a su inglés mal masticado, por no dejar fuera a Reresby de nuestros comentarios—. Ese bufón ya habrá cumplido los treinta, ¿no, Reresby?

—Treinta y uno —respondió Tupra como si supiera el dato. Y añadió, para desvincularse o zafarse de lo que yo había insinuado—: Nunca he hablado con él, lo conozco sólo de vista, en aquella ocasión de Oxford. Se pone nervioso con las mujeres, de eso sí me he dado cuenta. —No estuve seguro de si me advertía a mí con esta observación, para que anduviera listo, o al señor marido para que rescatara sin más a Flavia y no la expusiera a posibles puerilidades tardías, mal se resuelven cuando la noche ya va en retirada.

Y a continuación Tupra volvió a reclamar la atención de Manoia. Acercó de nuevo sus labios carnosos al oído de éste y siguió explicándole, o convenciéndolo, o solicitándole, o instigándolo. Yo no me dediqué a escuchar, me quedé con un ojo de guardia sobre la mesa española, con el otro les echaba a ellos vistazos por si me requerían, me llegaban retazos de su conversación de tanto en tanto, cuando la música amainaba un poco o bien uno u otro elevaban la voz más de la cuenta, palabras sueltas y algún nombre propio. No me cabía duda de que Tupra le acabaría sacando a Manoia lo que fuera que de él quisiese, un compromiso, una ayuda, una alianza, un secreto, una compra, una venta, un privilegio, un plan, una delación, o cualquier trabajo limpio o sucio. Siempre lo vi como al ser más persuasivo del mundo y además lo experimenté en carne propia, y eso contribuye sobremanera al arraigo de nuestras convicciones. Pero más allá de mis impresiones parciales, era seguro que aquella vehemencia suya postergada, aquella halagadora y permanente alerta, la sensación de hombre acogedor y despierto que transmitía a sus interlocutores cuando ello le convenía, y de que ninguna palabra de éstos era jamás desoída ni desperdiciada ni por lo tanto gastada o pronunciada en vano; su extraña tensión en reserva, que nunca obstaculizaba el trato (con él se estaba muy cómodo, bien a gusto si se concedía) pero que asomaba siempre por debajo de sus vanidades leves y sus ironías taciturnas y suaves, más como promesa de intensidad y significancia que como amenaza alguna de conflictos o turbulencias; era seguro que toda esa efervescencia suya, guardada en una recámara en interminable espera, o subterránea o cautiva, conseguía contagiar hasta a los más reacios y suspicaces, y lograba que éstos, si no de su parte, sí se pusieran en su posición, o en su perspectiva, o quizá a su altura solamente, que no era otra que la del hombre. Esa es la adecuada y la que no se esquiva.

Así que allí estaba, murmurando en medio del estruendo, ganándose minuto a minuto la oreja de su invitado, él sí como un Yago o Iago argumentador y diáfano y cuya buena ley quedara a salvo hasta que el telón bajara y aun más tarde, en el eco de sus parlamentos al volver a casa (la buena ley y la mala fe pueden ir juntas y ser compatibles, la primera amparar los recursos y la segunda el propósito, o los medios y el fin, si se prefieren términos más políticos); era como si no necesitara mucho de subterfugios y ardides ni tan siquiera de engaños simples, de la instilación subrepticia de los venenos y gérmenes para desviar o conducir voluntades y arrancar juramentos, entregas, renuncias, casi incondicionalidades. Tupra no tendría que pensar, decirse, proponerse nunca las muy feas palabras del abanderado del Moro: 'Verteré esta pestilencia en su oído', porque él convencía con el convencimiento, y rara vez urdiría nada sobre bases falsas o embustes, o eso a mí me parecía: que sus razonamientos razonaban, y sus entusiasmos entusiasmaban, y sus disuasiones en verdad disuadían, y que nada más le hacía falta, o tan sólo su silencio a veces, que sin duda silenciaba a aquellos ante quienes lo guardara. Pero quizá sí tendría que pensar o decirse a menudo, en cambio, otras palabras inquietantes de Yago: 'Yo no soy lo que soy'. Para mí era difícil saber qué era, pese a mi don supuesto que con él compartía, o a mi maldición segura que acaso era sólo mía. Y tampoco resultaba fácil saber qué no era.

'*The Sismi*', ese fue uno de los nombres que en más de una ocasión salió de su boca o de la de Manoia, y cuando era éste el que lo decía, en aquel contexto de predominante lengua inglesa sonaba como '*the sea's me*', esto es, 'el mar soy yo', algo demasiado improbable hasta para nombre de barco y aun de purasangre (aunque me acordé de mí mismo en mi noche febril de lecturas en casa de Wheeler junto al río Cherwell, cuando pensé ya al acostarme: 'Yo soy el río'), por lo que supuse que se trataría más bien de unas siglas, las de alguna organización o institución u orden, o facción vaticana o fratría (como la 'ndrangheta o la Camorra, meridionales). También capté cinco apellidos o al menos esos retuve, por reiterados en aquel rato de charla y por mi excelente memoria para archivar cuantos mis ojos ven y mis oídos oyen: Pollari, Martini, Letta, Saltamerenda, Navarro, sobre todo los tres primeros. (Casi hacían juego con aquel falso italiano y semifalso británico, Incompara, del que la joven Pérez Nuix me había hablado la noche de su visita lluviosa y al que quería que protegiéramos o beneficiáramos, interesadamente y sin que se notara.) Me propuse buscarlos más tarde en un *Who's Who in Italy* reciente, por combatir un poco la habitual inconstancia o desidia de mis curiosidades y por la risa que me provocaba el cuarto, aunque en esos catálogos aparecen sólo las personas de cierto mérito público, como Sir Peter Wheeler en el del Reino Unido, y no había motivo para imaginar que esos individuos fueran otra cosa que oscuros particulares, como Tupra o como yo mismo; pero quién sabía. (Acaso era más probable que figuraran en el viejo fichero del edificio sin nombre; y a lo mejor también Manoia, con su señora y todo.)

Yo estaba cada vez más preocupado, con De la Garza suelto a la caza verbal de Flavia (confiaba en que a la táctil o digital no se atreviese), o por Flavia sin escudo alguno contra los dardos que podía escupirle aquel gran bruto ordinario, a la vez que amanerado: de momento ella reía (buena o mala señal según el ojo que viese), yo procuraba no perderlos de vista más allá de unos segundos, cuando debía atender y mirar por fuerza a mis compañeros de mesa. Tupra no se había equivocado al impedirme que los abandonara en seguida, porque en efecto se precisó mi concurso de nuevo, ahora a instancias de Manoia para que lo ayudara en inglés con algunas palabras o frases, recuerdo que me preguntó por 'invaghirsi', por 'sfregio', por 'bazza', con esas tres me vi en apuros. La primera la desconocía, así que, tras ganar tiempo fingiendo asegurarme de que no había dicho 'invanirsi', la traduje intuitivamente de dos maneras distintas, como 'to inebriate' y 'to swoon' o 'faint', esto es, como 'embriagarse' y 'desmayarse' o 'desvanecerse' (alguna culpa tendría la proximidad fonética de nuestro 'vahído'), que, si no desde luego sinónimas, sí podían ser consecutivas, o en ese orden no excluirse. No creí en todo caso que mi infidelidad fuera importante ni diera pie a equívocos graves, a aquel señor le gustaba rebuscar vocablos, me

di cuenta (hasta regionales), o quizá quería some-
terme a prueba con el fin de perjudicarme. La segunda también la ignoraba, un desastre, y además
no me fue fácil asociarla con nada; Manoia se im-
pacientó ante mis vacilaciones, me apremió con malos modos (*'Uno sfregio! Sfregio, dai! Uno sfregio!'*)
al tiempo que se pasaba por la mejilla la uña de un
pulgar de arriba abajo; pero como no me pegaba
que significara 'cicatriz' tal palabra, al existir *cica-
trice* en italiano, opté insensatamente por algo in-
termedio entre el sonido y el gesto, es decir por la
española 'estrago', que en inglés convertí en *'da-
mage, havoc'*. Más adelante, cuando consulté un diccionario, me pregunté si aquel *sfregio* concreto había
amenazado Manoia con trazárselo en el rostro a algún prójimo mañana, y entonces mi traducción no
habría sido del todo disparatada, o si formaba parte de la descripción de algún mafioso o monseñor,
por ejemplo, y en ese caso me habría lucido, dado
que el término se correspondía con 'costurón' o
'chirlo', más o menos. En cuanto al tercero, me puso
en el mayor aprieto de todos, precisamente por conocerlo con dos sentidos dispares, lo había leído u
oído durante una estancia ya lejana, en la Toscana,
y mi buena memoria lo guardaba. Me quedé una
vez más dudando, parado, porque una de sus acep-
ciones era la de 'barbilla alargada' o 'mentón sa-
liente', justo lo que Manoia no podía disimular en
su cara y lo que seguramente habría hecho de él en su
tierra un *bazzone* desde la infancia —un barbillón,
cómo decirlo, un barbilludo—: ese aumentativo de
chifla yo lo había oído a su vez en alguna película
vieja de Alberto Sordi (al que desde luego recordaba en un papel de *dentone*), o del gran Totò más

probablemente, ya que a este extraordinario cómico, bien mirado, jamás debió de ganarle a *bazzone* nadie. El otro significado, relacionado etimológicamente con nuestra 'baza' de los juegos de naipes, era el de 'golpe de suerte' y también el de 'ganga'. Como yo no estaba por la conversación y ésta era además poco audible en conjunto, cuando Manoia me interpeló (*'Come si dice, bazza?'*, o fue más bien *'Gome si disce?'*, el sonido *ch* lo convertía en *sh* aquel acento suyo irrenunciable), no tenía la menor idea del asunto de que trataban: ignoraba si él seguía describiendo a algún sicario o prelado —grato de ver quien fuese, bella figura con costurones en las mejillas y mandíbula elefantiásica—, o si invocaba a la fortuna para sus proyectos comunes, o si sólo convencía a Reresby de que el precio de su servicio o su pacto constituía una verdadera ganga. Si su *'bazza'* se refería a esto último y yo lo traducía discretamente como 'mentón agudo', aun así corría el riesgo de que Manoia creyera que aludía sin venir a cuento a su más llamativo rasgo en son de escarnio, y ya desde el primer instante había notado que el tamaño de su quijada no habría sido algo ajeno a la configuración de su carácter, suspicaz como mínimo y vengativo no como máximo, pues aún se le adivinaban peores potencialidades. Si la cosa era a la inversa, mi traducción carecería de todo sentido pero no lo ofendería, a menos que atribuyera mi evitación de la palabra correcta a la presencia sobre la mesa de aquella barbilla suya que al fin y al cabo no llegaba nunca a prognática, ni aun bajo las luces de colores cambiantes que allí se la distorsionaban y lo asemejaban un poco a Fagin, el personaje de Dickens. Quizá me excedía en mis miramien tos, dudé demasiado, y eso lo llevó a impacientarse de nuevo y en mayor medida:

—*Ma gosa suscede, eh. Non gabisci bene l'idaliano?* —Me había tuteado desde el principio sin plantearse otra posibilidad, y me había llamado Jack por las buenas, siguiendo el uso de Tupra como si tuviera conmigo la misma confianza que él, o se la hubiera heredado instantáneamente (prerrogativas de los iguales, o de los que ordenan). Ahora su tono fue de represalia implícita, quiero decir que sonó a exigencia de las que no se incumplen sin escarmiento—. *Bazza, bazza, gome si disce in inglese bazza, eh? Non lo sai?*

Así que sin más demora me decidí por '*bargain*', dentro de todo me parecía más propio que se hablara de costes en una charla de política o de finanzas, o de prebendas o aun de indulgencias.

—*A bargain* —dije. Y por si acaso añadí lo de la suerte—: *Or a stroke of luck.*

Pero no me gustó nada la segunda irritación de aquel hombre. No es que me sintiera agraviado ni maltratado. O sí, pero eso daba lo mismo, yo no era lo que era ('*I am not what I am*', citaba para mis adentros a veces; 'no del todo', me decía, 'no exactamente') cuando salía por ahí con Reresby o con Ure o Dundas, ni siquiera cuando era a Tupra a quien acompañaba, solo o con los demás; en cierto sentido interpretaba un papel de subalterno o subordinado —lo que en el fondo era, circunstancialmente, mientras no me desligara de mis actividades a sueldo y conservara mi innombrado puesto— o de escolta y acólito —lo que no era nunca en modo alguno—, y así no acusaba como desaires propios los que aquel personaje mío pudiera sufrir en ocasiones, porque los recibía —cómo expresarlo— en nombre del grupo entero y como mera parte de él, la más advenediza y tardía e insignificante; y el grupo entero me parecía a su vez ficticio, o dedicado a las ficciones, tal vez eso sea más exacto. Y que casi todo discurriera en idioma ajeno acentuaba el carácter impostado, irreal, fingido, de los dichos y de los hechos: en otra lengua es inevitable tener la vaga sensación de estar siempre actuando o aun de estar traduciendo (no importa cuán bien se conozca), como si las palabras que uno pronuncia y oye pertenecieran a algún ausente, todas a un solo autor que las inventara y dictara y las tuviera ya repartidas, y entonces nada de lo que se le dice a uno acaba de hacerle mella. Cuánto más difícil resulta, en cambio, soportar los reproches y las humillaciones y ofensas que nos llegan en la nuestra de siempre, son más reales. (Quizá son esos agravios los únicos en verdad reales, y por eso los de Pérez Nuix posibles convenía abortarlos; impedir que nacieran, y que me escocieran, y que yo pudiera guardarlos. Como los de Luisa que aún resonaban, tal vez porque ya casi nada los disipaba ni los cubría, y ella estaba cada vez más taciturna conmigo, cuando nos llamábamos.)

Aquella noche terminaría, eso además, y era lo más probable que no volviera a ver nunca a Manoia, así que no me costaba nada que mi yo de aquella velada o de cualquier otra al servicio de Tupra —digamos Jack en efecto— quedara en mal lugar momentáneo, y seguramente vicario. Mi yo de antes y de después no era Jack, sino Jacques o Jacobo o Jaime; éste era más estricto y soberbio y también más justiciero, mientras que para aquél era irremediable ver todos los acontecimientos a que asistía o en que tomaba parte un poco en vano o en falso, como si a Jacques no le atañeran o no le pasaran, y estuviera a resguardo de ellos. Si no me gustó en absoluto la reacción de Manoia fue porque me alarmó lo bastante para sentirme concernido de pronto, en tanto que Jack al menos, *chevalier servant* negligente o incluso ya fracasado. Vi claro que sus malos modos tenían que deberse a otra causa que a mi lentitud o a mis titubeos (o a mi incompetencia, si no había acertado con la fortuna y la ganga). Estaban relacionados sin duda con la señora Manoia, y en aquel mismo instante volví la vista de nuevo hacia la mesa de los españoles, tras haberla apartado no más de veinte segundos, y De la Garza y Flavia ya no estaban.

Miré alrededor con nerviosismo, se me había escapado el momento en que se habían levantado, allí seguían todos los otros, incluidos el escritor coplero (ahora más ajetreado en sus palmas, parecía directamente un lolailo) y la deslucida heredera (invariable su expresión de víctima de pestíferos efluvios letárgicos), luego no se había producido un desplazamiento del grupo, ni siquiera de unos cuantos, hacia zonas más divertidas, se habían ausentado tan sólo mi señora y el agregado. La discoteca era grande, y en mi campo visual no cabía más que una mediana parte, podían haberse acercado a alguna de las muchas barras, o haberse ido a bailar a la pista más frenética y alejada; pero también podían haberse hecho sombras en un recoveco oscuro o —me negaba a imaginarlo— haber abandonado el local juntos, con sobrenatural urgencia y sin despedirse. 'No, eso no es posible', pensé aún no asustado en serio; 'Tupra dijo que ella sólo quería cumplidos y galanterías, y que no daría un paso envenenado por dispuesta que pareciese a recorrer de ese modo una senda entera, y él no suele equivocarse. Esta noche, no obstante, es cierto, la señora ha bebido moderadamente unas cuantas veces, y lo que lleve De la Garza en líquido es mejor no calcularlo. Y no hay quien no dé pasos de esos algún día de su existencia, en compañía de un idiota o de un criminal o un adefesio, nadie fuera de peligro. Pero Rafita. Con su redecilla. Con su enorme chaqueta clara. Con su aro de cantante cubana o de bailarina puertorriqueña. Como si fuera Rita Moreno en *West Side Story*. Con su fallido aire negroide. Tanto envenenamiento equivaldría a un suicidio, y nadie desaprovecha el suyo torpedeándolo con tan mal gusto.' La aprensión, sin embargo, me creció al recordar haber visto en mi vida inefables emparejamientos, así como haber sido informado fidedignamente de aberrantes coyundas coyunturales (*'one-night stands'*, en inglés las llaman, un término teatral en origen, vendría a ser 'funciones únicas', denota un poco de narcisismo y otro poco de exhibicionismo, según mi criterio).

Notaron mi desazón en seguida, tanto Reresby como Manoia. Éste miró rápidamente hacia el vacío dejado por la pareja desaparecida, no se inmutó ni se tocó las gafas, pero yo lo sentí entenebrecerse de golpe, alzó las manos como acostumbraba, en aquella suspensión incómoda de reminiscencias piadosas escenificadas, una sobre otra en el aire sin apoyar los codos ni los antebrazos; las encontré amenazadoras, huesudas, rígidas —sus dedos eran amarillentas teclas de piano—, como si hicieran acopio de fuerza o quizá de calma; como si se prepararan, o se contuvieran, o mutuamente se sujetaran. En Tupra, en cambio, nunca se advertían religiosidad o piedad, ni siquiera como vestigio en un ademán o una postura inconscientes, ni siquiera en la forma cruel que con frecuencia adopta la primera. No había en él escenificaciones, ni disimulo apenas, jamás se trataba de eso: si resultaba a menudo opaco e indescifrable, no era por sus fingimientos inexistentes, sino porque uno no acababa nunca de conocer sus códigos. (Confiaba en que a él le ocurriera otro tanto conmigo, o no mucho menos: más me valía.) Tupra aguantaba demasiado bien el silencio, el suyo, el que dependía sólo de él, el voluntario, y quien calla queriendo hace estragos en los impacientes y en los locuaces, y en sus adversarios. Por eso lo que más me preocupó de todo fue que ahora hablara sin esperar y que disimulara un poco, al hacerlo (poco y mal, y un solo instante). Se metió un pulgar vuelto hacia atrás en el bolsillo pectoral exterior del chaleco, para aparentar desenfado: aunque no era un gesto a él ajeno y se parecía a otro de Wheeler, quizá lo había imitado de éste, en realidad lo más habitual era en ambos que se lo llevaran bajo la axila, como si el pulgar fuera una fusta, y que apoyaran sobre él todo el peso del tórax, o esa impresión diera. Y entonces, de medio lado, me dijo en un murmullo veloz (y para mí estaba claro que si me habló de este modo, con celeridad y entre dientes, fue para escamotearle las frases a su invitado):

—Mira antes de nada si están en los lavabos, Jack, el de damas o el de caballeros, mira en ambos, te lo ruego. Y también en el de los tullidos, suele ser el más vacío. Encuéntrala, haz el favor, y tráetela aquí de vuelta. —Empleó aquellas fórmulas de cortesía que en él yo ya sabía temibles, un mal presagio, solían ser el preludio de algún cabreo o disgusto si uno no rectificaba o cumplía. Constituían una de sus escasas señales interpretables, para mí lo eran al menos—. No te entretengas ni esperes. Tráetela. —Creo que fue eso lo que dijo en inglés, 'Don't linger or delay', o tal vez no y fue otra cosa, tal vez 'loiter' o 'dally', es improbable. De lo que estoy seguro es de que no salió de sus labios la expresión 'Date prisa'. Él tenía tanta conciencia de lo fácil y de lo dificultoso en las lenguas como yo pueda tenerla, y esas eran palabras demasiado reconocibles, 'Date prisa'. Él sabía que Manoia podría haberlas entendido siempre, aun masculladas y en medio del ruido, o con la boca oculta y negra.

Oh sí, uno no es nunca lo que es —no del todo, no exactamente— cuando está solo y vive en el extranjero y habla sin cesar una lengua que no es la propia o la del principio. Por mucho que se prolongue el tiempo de ausencia, y su término no se vislumbre porque no fue fijado desde el comienzo o se ha diluido y no está ya previsto, y además no haya razones para pensar que algún día pueda haber o divisarse ese término y el consiguiente regreso (el regreso al antes que no habrá esperado), y así la palabra 'ausencia' pierda sentido y arraigo y fuerza cada hora que pasa y que se pasa lejos —y entonces también los pierde esta misma otra palabra, 'lejos'—, ese tiempo de nuestra ausencia se nos va acumulando como un extraño paréntesis que en el fondo no cuenta ni nos alberga más que como conmutables fantasmas sin huella, y del que por tanto tampoco hemos de rendir cuentas a nadie, ni siquiera a nosotros mismos (o al menos no detalladas, nunca completas). Uno se siente hasta cierto punto irresponsable de lo que haga o presencie, como si todo perteneciera a una existencia provisional, paralela, ajena o prestada, ficticia o casi soñada —o quizá es teórica como mi vida entera, según el informe sin firma del viejo fichero que me concernía—; como si todo pudiera ser relegado a la esfera de lo imaginado tan sólo y jamás ocurrido, y desde luego de lo involuntario; todo echado a la bolsa de las figuraciones y de las sospechas e hipótesis, y aun a la de los meros y desatinados sueños, acerca de los cuales ha habido un insólito y casi permanente y universal consenso a lo largo de todos los siglos de que hay memoria, conjeturada o histórica, fabulada o cierta: no dependen de la intención del que sueña, y éste nunca es culpable de su contenido.

'Qué le voy a hacer, yo no los elijo y además no puedo evitarlos', se dice uno tras cada sueño turbio que el hombre despierto siente luego como indebido o ilícito y que más valdría no haber tenido, o al menos no recordarlo. 'No, yo no quería que apareciera ese deseo anómalo o ese remordimiento infundado', piensa uno, 'esa tentación o ese pánico, esa amenaza ignorada o esa maldición sorprendente, esa aversión o esa añoranza que ahora pesan todas las noches como plomo sobre mi alma, esa asquerosidad o esa violencia que yo mismo causo, esos rostros ya muertos y para siempre configurados que pactaron conmigo no tener más mañana (sí, ese es nuestro pacto con los que se callan) y que ahora vienen a susurrarme palabras temibles e inesperadas y quién sabe si aún impropias de ellos o ya no tanto, mientras yo estoy dormido y he abandonado la guardia: he dejado sobre la hierba mi escudo y mi lanza.' La idea que surgió de lo onírico queda a menudo descartada o invalidada por eso mismo, por su procedencia titubeante y oscura, por su nublado origen en la humareda, pero no siempre desaparece al retornar la conciencia, sino que ésta la recoge y aun la nutre a veces, y así convive también con lo que no engendró ella; lo admite en su seno entonces y en él lo cría y le da figura e incluso nombre, y lo incorpo-

ra a su mundo controlado y diurno aunque sea re-
bajándolo de categoría, atribuyéndole un carácter venial y mirándolo con paternalismo, como si a todo
sueño superviviente en la luz hubiera de acompañarlo por fuerza el comentario irónico de Sir Peter
Wheeler cuando se retiró por fin, escaleras arriba y
hacia la izquierda, la noche de sábado de su cena fría:
'Qué tontería', dijo; y añadió, repitiendo en tono de
burla mis anteriores palabras: 'Una gran idea'. Pero
con toda esa condescendencia hacia las tonterías, yo
he aprendido a temer no sólo cuanto pasa por el pensamiento, sino lo que el pensamiento aún ignora,
porque he visto casi siempre que todo estaba ya ahí,
en algún sitio, antes de llegar a él, o de atravesarlo. He
aprendido a temer, por tanto, no sólo lo que se concibe, la idea, sino lo que la antecede o le es previo.

De forma parecida a la de los simulacros y
ensueños se percibe y se vive ese tiempo entre paréntesis de nuestra ausencia, y cuanto en él va envuelto:
nuestras hazañas o crímenes y todos los actos propios
y ajenos; no sólo los que cometemos o padecemos,
también los que presenciamos o provocamos, sin
querer o queriendo; y en él nada es nunca demasiado serio, eso creemos. Qué gran acierto el del gran
dramaturgo que acuñó falsa moneda, el del poeta
espía y blasfemo Marlowe del que poco se sabe en
su muerte oscura, que fue violenta y es legendaria y
se ha reconstruido numerosas veces con exactitud
imposible, luego más bien se ha imaginado, con la
vista vuelta hacia la negra espalda: fue a morir apu-
ñalado en una taberna sin haber cumplido los treinta, a manos de un tal Ingram Frizer según se ha ave-
riguado tardíamente, que fue más rápido o sañudo
o hábil con el cuchillo un 30 de mayo de hace más

de cuatrocientos años, en Deptford, cerca del río Támesis, que es como se conoce al Isis en todo lugar y tiempo menos a su paso por Oxford, esa ciudad extranjera que hace siglos pareció o fue la mía y en la que así es llamado, río Isis, luego lo es también por mi memoria, río Isis. Qué gran acierto, el del gran poeta traicionero y de mano larga que no rehuyó pendencia y que había viajado fuera y sabía por experiencia de qué se hablaba, cuando hizo decir a algún personaje de sus tragedias: *'Thou hast committed fornication: but that was in another country, and besides, the wench is dead'*. O bien, lo mismo (y aquí no hay duda de que *'country'* no es 'patria'): 'Has incurrido en fornicación: pero eso fue en otro país, y además, la moza ha muerto'.

Oh sí, lo ocurrido en otro país se atenúa siempre y se difumina al instante de regresar uno al propio, si es que no al mismo instante de suceder los hechos, como si a causa de nuestra transitoriedad más aguda perdiera gravedad y trazo, o no hubiera llegado a ocurrir del todo ni a caer y pesar sobre el mundo ni a dibujarse, o sólo en las humaredas tortuosas del sueño, de las que luego es tan fácil salir y desentenderse ('Oh no, yo no quería, yo fui ajeno'). Y si además han muerto los involucrados, entonces lo acontecido resulta aún más leve y menos punzante, más fantasmal y más pretérito, casi tanto como lo leído en novelas o lo contemplado en películas, y a veces uno no logra distinguirlo de ello enteramente, o de lo vivido en las pesadillas que nos aplastan, o bajo el dolor y la fiebre que traen delirios. A no ser que uno matara a esos muertos o fuera el causante de su expulsión de la tierra y de su definitivo silencio, indirecto o directo, sin querer o queriendo, aunque esa expresión de 'causante indirecto', que se emplea tanto, no sé si tiene el menor sentido o es sólo una admitida contradicción en los términos.

Pero luego está lo que dijo Wheeler sobre los sueños, y que iría en contra de todo esto: las risas y voces que escuchamos en ellos, tan intensas y vívidas como las que oímos despiertos y a menudo más, porque se prolongan o se reiteran y pueden durar toda una noche sin disminuir su presencia ni fatigarse; sin rivales en la vigilia y ya únicas si además son de personas que han muerto y que sólo vuelven a hablarnos y a tomar rostro y cuerpo durante nuestro sueño, como aquella segunda mujer del poeta ciego y viudo John Milton; esas risas y voces y sus nuevas palabras nunca proferidas antes, nunca en vida, 'no cabe duda', dijo Wheeler, 'de que están en nosotros y no fuera en ningún sitio... Están en *nuestros* sueños, esos muertos; somos nosotros quienes los soñamos, los trae nuestra conciencia dormida y nadie más puede oírlos'. Y todavía añadió: 'El hecho más se asemeja a una encarnación, a una suplantación, a una personificación por nuestra parte, que a supuestas visitas o advertencias de la ultratumba'. ('Se asemeja a una usurpación sin trabas y en la que no hay riesgo', pensé yo más adelante, 'una vez que esos muertos han dejado su sitio libre y han abandonado el campo.') Y entonces, si él tuviera razón, pensé en la discoteca idióticamente chic mientras ocurría lo que ocurrió muy pronto. Si él tuviera razón, entonces no importan apenas la voluntad o su falta, ni si algo es causado sin querer o queriendo, ni lo sucedido y lo no sucedido, lo sólo pensado o lo sólo temido o ambicionado, las meras cavilaciones y los meros anhelos que más nos permitimos cuanto más son imposibles, con la tranquilidad que justamente nos brinda su imposibilidad segura; da lo mismo que se quede todo en aprensión o sospecha, en instigaciones o persuasiones fallidas o estériles y jamás cumplidas, en fracasadas palabras de Yago que quién no prueba o probará en su boca a lo largo de una vida entera, buscando su provecho o su supervivencia o el daño y la calamidad de otros: 'todo eso está en nosotros, y no fuera en ningún sitio'.

Y así llegamos a un dominio en el que lo de menos es que las cosas sean o no sean de hecho, porque siempre podrán contarse, al igual que se acaban por relatar todos los sueños mal que bien, o a trompicones, aun los más enrevesados y absurdos —por contarse mentalmente al menos, o no con sintaxis siempre—; y en esa medida cuanto pasa por el pensamiento ya ha sido; y cuanto lo precede o le es previo, eso también ha sido. De qué sirve entonces la atenuación y nebulosidad de lo que ocurre y hacemos fuera o muy lejos, en otra ciudad, en otro país, en la existencia imprevista que no parece pertenecernos, en la vida teórica o entre paréntesis que tenemos la sensación de llevar y que hasta cierto punto nos anima a pensar sin pensarlo, subterráneamente, que nada de lo que contiene ese tiempo es irreversible y que todo tiene cancelación, vuelta, remedio; que no ha pasado más que a medias y sin nuestro consentimiento pleno. De qué sirve, si hasta lo que para un juez no ha pasado —el asesinato, si nos limitamos a planearlo; la traición, si no hizo más que tentarnos; la calumnia o la delación o la insidia, si sólo nos las figuramos con sus aniquiladores efectos sin ponerlas en circulación ni darles

curso: 'No ha lugar, aquí no hay causa', diría el juez
que viera esto—, sí ha pasado para nosotros y nos
sentimos partícipes o responsables de ello. Más aún
si se dedica uno a apostar y prever frívolamente,
a mirar y escuchar e interpretar y fijarse, a retener
y observar y seleccionar, a sonsacar, asociar, adere-
zar, traducir, a contar y dar ideas y a convencer de
ellas, a responder y satisfacer la agobiante exigencia
que jamás se sacia, 'Qué más, qué más ves, qué más
has visto', aunque no haya ningún más a veces y
uno deba forzar sus visiones o quizá fraguárselas
con su invención y el recuerdo, es decir, con la infa-
lible mezcla que puede condenar o salvar a la gente y que nos obliga a emitir prejuicios, o acaso son
preveredictos. Más aún si uno es como yo o como
Tupra, como Pérez Nuix o Mulryan o Rendel, como Sir Peter Wheeler y como fue Toby Rylands, si
posee uno ese don que no es nada del otro mundo
y que además sólo otros verán en uno, o le enseña-
rán a uno a asumir que tiene, y así con ello también
a creérselo.

Me di prisa aunque Tupra no me mandara dármela, no con esas palabras. Me levanté y aparté mi silla un poco a un lado, por parecer muy resuelto. Juzgué que no hacía falta que me excusara, al fin y al cabo Manoia no me echaría de menos, no me hacía mucho caso ni andaba contento con mi trabajo; quizá sí me lo hiciera ahora, y con sus gafas bien caladas, sujetas, siguiera mis pasos hasta el límite de su campo visual, se olería o comprendería o sabría que iba en busca de su mujer y a traerla, hubiera o no entendido a Reresby; esta andanza mía le interesaría, y aún más su resultado, y hasta sentiría inquietud e impaciencia y se preguntaría por mí si yo tardaba en volver del paseo: *if I did linger* pese a la recomendación de Tupra —o no, fue una orden—, si en contra de sus instrucciones me entretenía o me demoraba, si hacía el tonto o si fallaba. Todo eso podía pasar si no los encontraba pronto, si se habían metido en algún reservado para mí invisible y que De la Garza conociera por haberlo ya probado otra noche con alguna desesperada hormonal de últimas sobras —tanto como habitación oscura para gatear a tientas en el anonimato no creía que allí hubiera—, o si en efecto se habían largado del local visto y no visto —pero eso era impensable—, sin parar en el guardarropa siquiera —pero eso era inimaginable, un abrigo de mourmanski, Flavia nunca lo abandonaría—, yo tendría que salir a la calle entonces y otear a ambos lados y aceras y echar a correr tras ellos, si es que los divisaba —no quería ni figurarme lo que nos supondría perderlos, o haberlos ya perdido.

Me levanté con una sensación de peso sobrevenida, la traen varias combinaciones, la de sobresalto y prisa, la de hastío ante la represalia fría que nos es forzoso llevar a cabo, la de mansedumbre invencible en una situación de amenaza. En verdad no temía que hubiera ocurrido nada de aquello, me parecía inverosímil que la señora Manoia pudiera haberse enturbiado con De la Garza, y además temerariamente, con su marido a dos pasos negociando con extranjeros. De Rafita sí cabía esperarlo, cualquier proposición grosera o avance fatuo, los cinco dedos, las dos manos, casi cualquier atropello. La única posibilidad de que se hubieran encaminado a un lavabo juntos se daba para mí en la modalidad maternal compasiva, esto es, que el agregado se hubiera sentido a morir sin aviso y hubiera necesitado ir a desagregarse de golpe cuanto había ingerido, por la misma vía oral de su agregación o entrada (la señora Manoia aguantándole con una mano la sacudida frente, vigilando que la redecilla no se le hiciera soga y lo ahorcase, entre tanta convulsión y arcada). No, no creía en ningún giro ni sucedido grave, no con el pensamiento fiable; y sin embargo sentí el peso en los muslos, el apretado nudo en la nuca, la carga sobre los hombros, como si previera (pero no hubo presciencia, no fue eso) que algo iba a acabar torciéndose a raíz de aquel episodio y que además iba a afearnos quizá para siempre o si no para largo, y me di cuenta inmediata de que el origen del presentimiento era más Tupra con su disimulo, con su hablar furtivo pero demasiado pronto para su tendencia contraria y remisa, que Manoia o De la Garza o Flavia, o que el grupo de españoles alborotadores con su saetista profundo, o que la circunstancia en sí, que aún no encerraba ninguna afrenta ni anomalía grande. O que yo mismo, desde luego, aunque la sensación fuera sólo mía, seguramente, en aquel momento de ponerme en pie para iniciar la búsqueda. El malestar, la ominosidad, la punzada del alfiler y el presagio de una malandanza, el contenido aliento —o acaso era la respiración sigilosa de quien se apresta a asestar un golpe, o era tan sólo plomo sobre mi alma despierta—, todo ello emanaba de Tupra, era como si él hubiera atravesado una frontera o trazado una raya súbita para cruzarla al instante, no tanto en su mente cuanto en su ánimo, y hubiera decidido ya un castigo, independientemente de lo que aconteciera a partir de entonces.

Quizá era de los que no avisaban, o no a veces, de los que tomaban resoluciones en la distancia y sin que sus motivos fueran apenas identificables, o sin que los actos establecieran con ellos un vínculo de causa a efecto, y todavía menos las pruebas de la comisión de tales actos. No las necesitaba, en esas arbitrarias o fundamentadas veces —quién podía decirlo— en que no mandaba la menor advertencia ni aviso antes de soltar el sablazo, ni siquiera necesitaba en ellas las acciones cumplidas, los acontecimientos, los hechos. Tal vez le bastaba con lo que sabía que se daría si en el mundo no hubiera coacciones ni impedimentos, con lo que él veía como capacidades seguras de las personas, que si no llegaban a desplegarse con toda su fuerza era sólo porque alguien —él, por ejemplo— las disuadía o se lo impedía, pero no por falta de ganas ni de cuajo en ellas, se lo daba por descontado, todo eso. Quizá le bastaba convencerse de lo que en cada caso habría si no lo frenaban él u otro centinela —la autoridad o las leyes, el instinto, la luna, el miedo, los invisibles vigías—, para adoptar medidas escarmentadoras si esas eran las recomendables, las que tocaban según su criterio. 'Es el estilo del mundo', decía ante tantas cosas y situaciones arduas descritas o relatadas o sucedidas o previsibles, durante nuestras sesiones de interpretación e informes (las decisiones eran sólo suyas y venían más tarde): lo decía ante las traiciones y las lealtades, las zozobras y la aceleración del pulso, los vuelcos y el vértigo y las dudas y los tormentos, ante el rasguño y el dolor y la fiebre y la herida incurable, ante las aflicciones y los infinitos pasos que todos damos creyendo que la voluntad los guía, o al menos que interviene en ellos. Todo le parecía normal y aun rutinario a veces, sabía demasiado bien que la tierra está infestada de fervores y afectos y de inquinas y malevolencias, y que a menudo los individuos no pueden evitar unos ni otras y además no quieren hacerlo, porque son mecha y pábulo de su combustión, también su razón y su lumbre. Y que no precisan de motivo ni meta para nada de ello, de finalidad ni causa, de agradecimiento ni agravio o no siempre, o que, como dijo Wheeler, 'llevan sus probabilidades en el interior de sus venas, y sólo es cuestión de tiempo, de tentaciones y circunstancias que por fin las conduzcan a su cumplimiento'. Y probablemente esa disposición suya tan drástica —o era sólo práctica, consecuencia de sus visiones nítidas, convencidas, firmes— era para Tupra un rasgo más de ese estilo del mundo en el que palabras como desconfianza, amistad, enemistad, confianza, no eran más que pretenciosidad y adorno y quizá innecesario tormento, al menos en lo que a él concernía; esa actitud irreflexiva, resuelta (o era de una reflexión tan sólo, la primera), también formaba parte de ese estilo inmutable a través de los tiempos y de cualquier espacio, y no había por qué cuestionarla, como tampoco hay que hacerlo con la vigilia y el sueño, o el oído y la vista, o la respiración y el habla, o con cuanto se sabe que 'así es y así será siempre'.

No se trataba sin embargo de una actitud preventiva, no exacta o exclusivamente, sino más bien punitiva o recompensadora según los casos y los sujetos, que él ya veía y juzgaba en seco y sin necesidad de ponerse en mojado, por utilizar las expresiones de Don Quijote al anunciarle a Sancho las locuras que haría por causa de Dulcinea sin que ella le diera quebrantos ni celos, luego cuántas más si se los daba. O bien los entendía, los casos, con la página sin aún escribirse, y quizá por eso para siempre en blanco. 'La vida no es contable', había dicho asimismo Wheeler, 'y resulta extraordinario que los hombres lleven todos los siglos de que tenemos conocimiento dedicados a ello... Es una empresa fallida', había añadido, 'y que quizá nos haga menos favor que daño. A veces pienso que más valdría abandonar la costumbre y dejar que las cosas sólo pasen. Y luego ya se estén quietas.' Pero la página en blanco es la mejor de todas, la más creíble eternamente y la que más cuenta porque nunca se acaba, y en la que todo cabe, eternamente, hasta sus desmentidos;

y lo que ella no diga o diga, por tanto (porque al no decir ya dice algo, en un mundo de infinitos decires simultáneos, superpuestos, contradictorios, constantes, y agotadores e inagotables), podrá ser creído en cualquier tiempo, y no sólo en su tiempo único para ser creído, que a veces es nada, un día o unas horas fatales, y otras veces es muy largo, un siglo o varios, y entonces nada es fatal porque ya no hay quien averigüe si la creencia es verdadera o falsa, y además no le importa a nadie, cuando todo está nivelado. Así, ni al abandonar la costumbre, como dijo Wheeler, ni al renunciar a contar y no contar nunca nada, nos libramos de contar algo. Ni dejando la página en blanco. Y ocurre entonces que las cosas, aunque no se cuenten ni tan siquiera pasen, jamás logran estarse quietas. 'Es horrible', pensé. 'No hay manera. Aunque ni siquiera se cuenten. Y aunque ni siquiera pasen.'

Así que me levanté y aparté mi silla un poco a un lado y, sin disculparme con Manoia ni hacerle un gesto ni decirle nada, me encaminé con andar ligero hacia los lavabos, eso era lo primero de todo, me había indicado Tupra. No estaban cerca y hube de recorrer un buen trecho en su busca, miraba a derecha e izquierda y también al frente, por si mis ojos captaban durante el trayecto a la pareja evadida y así cumplía mi encargo sin más tardanza, aunque iba demasiado de prisa y atareado —el andar se me dificultó en seguida— para ver entre la muchedumbre que debía ir sorteando y que me cerraba el paso, a esa hora la discoteca ya estaba muy llena, de gente chic y no tanto, la noche mezcla cuanto más avanza, y de hecho nuestra zona —que abarcaba a los españoles y la pista semirrápida— era con diferencia la menos abarrotada, la música semilenta atraería a pocos (luego no duraría), y en cambio se veían masas danzantes en el otro escenario o pista o como llamen a éstas ahora, aquella sí era frenética, vi de refilón a esas masas sudando prietas, a unos metros de mí o eran yardas, las bordeé y no hice incursión en ellas, me habría llevado forcejeo y rato y lo urgente eran los lavabos, Tupra sabía que allí estaban los mayores riesgos para dos que se escabullen, es así desde la adolescencia, cuando se fuma a escondidas en el colegio.

Había un poco de cola ante el de señoras, eso no es raro, no sé si es que van más despacio porque toman asiento y cada una, cada vez, limpia el que va a ocupar bien a fondo; había dos o tres mujeres aguardando a la puerta y ante el de caballeros no había nadie, luego entré en éste primero para echar un vistazo, más bien para inspeccionarlo hasta el menor recodo, no quería fallarle al señor Reresby en esto, *'Bring her back. Don't linger or delay'*, esas órdenes claras resonaban en mi cabeza. Vi a tres tipos de pie, dos orinando con seriedad o con cara de malas pulgas, el uno al lado del otro aunque no parecían amigos ni desde luego se hablaban, era extraño que se hubieran juntado cuando había otros seis puestos libres, uno tiende a poner distancia en menesteres tales; el tercero frente al espejo, peinándose y tarareando. De los seis retretes, dos estaban ocupados, pero ambos mostraban (me incliné bastante, por la perspectiva escasa) sus correspondientes pares de perneras convertidas en sendos fuelles, asomaban bajo las portezuelas truncas, no estoy seguro de por qué motivo no llegan casi nunca hasta el suelo ni tampoco hasta el techo, las de esas cabinas públicas, como si fueran las de *saloons* del Oeste, o bueno, por suerte no son de vaivén ni tan cortas (no son chalecos sino gabardinas). Me miraron con suspicacia los orinantes, giraron el cuello como sincronizados y se les acentuó el gesto hosco, fui abriendo las demás portezuelas para comprobar que estaban vacíos los gabinetes, si alguien se sube a la taza sus pies ya no se ven por el hueco de abajo y el sitio parece desocupado, aunque dos personas a la vez encima traerían peligro de hundimiento probable, más aún si una de las dos llevaba fieros postizos de roble o injertos de plomo líquido o lo que fueran. El peinador no se volvió, en cambio, se hacía la raya con agua y con extremado esmero y no dejaba de canturrear muy contento y ajeno a todo ('Nanná naranniaro nannara nanniaro', así sonaba), era *'The Bard of Armagh'*, una canción irlandesa, o *'The Streets of Laredo'* si se prefiere, que es del Oeste (son la misma melodía con distinta letra y acompañamiento), la reconocí en seguida, la he oído cien veces en películas y en algunos discos, y aquel local no era tan abusivo como para tener altavoces en los cuartos de baño, así que la música de las pistas era apenas un eco lejano tras la doble puerta de los lavabos ingleses, y así se me metió en la cabeza al instante la bien audible balada o quizá es una nana, me sabía más o menos las palabras de la versión vaquera, mucho más conocida que la irlandesa, *I spied a young cowboy all wrapped in white linen, all wrapped in white linen as cold as the clay* ('Divisé o espié a un joven vaquero todo envuelto en hilo blanco, todo envuelto en hilo blanco tan frío como la arcilla'), es la historia atisbada de un muerto que habla (o en realidad negada, es la no-historia) y cuya muerte violenta él quiere que se oculte a su madre, a su hermana, a su novia, es decir, la mala vida que lo condujo a esa muerte, *'For I'm a poor cowboy and I know I've done wrong'*, ese fue uno de los versos que acudieron a mi memoria, sueltos y salteados, sin orden, 'Porque soy un pobre vaquero y sé que he hecho daño', dice el verso; o 'que he hecho mal', si se quiere. Y a lo mejor no es un muerto sino un moribundo, queda ambiguo y confuso en la taciturna letra o quizá dependa de las variantes y de los intérpretes. Pero no lo creo. En mi recuerdo el pobre vaquero hablaba ya muerto.

Salí del lavabo de caballeros antes que los tres o cinco que allí estaban, fui rápido. Aún había una mujer esperando a entrar en el de las damas, mucho trasiego, así que pasé al de los discapacitados —estampada en su puerta la extravagante imagen de un garfio, tal vez una silla de ruedas habría resultado demasiado prosaica y sórdida para aquel sitio ufano—, o al de los tullidos, como lo había llamado Tupra —estuve a punto de convertirme en uno al resbalar en la rampa, son criminales para los aún enteros—, no por falta de respeto seguramente, sino porque debió de parecerle que la palabra inglesa correspondiente sería más difícil que la conociera Manoia. En efecto era mucho más amplio, en verdad espacioso, y estaba extrañamente vacío. No es que me extrañara que no hubiera en él minusválidos: ese lavabo era toda una deferencia, un rasgo de consideración o una mera medida hipócrita, o acaso obligaban las normativas para discotecas con la demagogia insistente de nuestra época. Pero lo normal es que en esos locales no abunden las sillas de ruedas ni las muletas ni tan siquiera los garfios.

Lo que encontraba insólito, sobre todo con mirada española que nunca me ha abandonado, era que el resto de la gente no se colara allí con toda *sans-façon* y holgura e hiciera uso de las instalaciones tan cómodas como si le estuvieran también destinadas, más aún si había aglomeración en otro. En mi país nadie habría hecho el menor caso de la viñeta en la puerta: ni se habría visto (pero es que nadie; pueblo incivilizado). No comprendí la función de unas barras de metal cilíndricas que salían aquí y allá de las paredes, quizá eran apoyos para quienes caminaran con fragilidad o a duras penas, las toqué, eran cuatro, compactas, no huecas, frías, una estaba fija y las otras podían moverse lateralmente a derecha e izquierda, por tanto quitarse de en medio y dejarse pegadas a los elegantes azulejos falsos, no eran toalleros porque toallas no había, tampoco disponía de tiempo para especular al respecto ni para colgarme de ellas con el estómago encima (creo que asombrosamente los cronistas deportivos llaman a esa postura 'rodillo ventral'), como si fueran barras de ejercicios gimnásticos, para probar cuánto resistían de peso: no estaban altas, al nivel del hombro. Todavía no había encontrado a De la Garza ni a Flavia, todos estos pasos los di con celeridad, pero mi prisa aumentaba a cada segundo que transcurría sin aún avistarlos. Miré bien, miré el lujoso sitio de los inválidos hasta el último rincón por si acaso, y salí de allí, tocaba armarse de decisión y descaro y aventurarse en el de señoras sin más remedio, no podía arriesgarme a que el azaroso dúo se hubiera refugiado en él para incurrir en vicio ('No será posible') y yo no lo averiguara por falta de atrevimiento. *'But please not one word of all this shall you mention, when*

others should ask for my story to hear', decían otros
dos versos de la canción recordada de golpe, insta-
lada en mi mente ahora pese al estruendo ambiente y aunque fuera a trozos, 'Pero ni una palabra de
todo esto mencionarás, por favor, cuando otros te
pidan escuchar mi historia'. Confiaba en no ver nada
que me desagradase ver, en no descubrir historias que
se me pidiese oír; confiaba en que no hubiera nada
que yo pudiera o debiera contar después.

Aún había una mujer, distinta de la anterior, a la espera de entrar en el concurrido lavabo reservado a ellas y no sé si a los travestidos (había visto
por allí a un par, ignoro dónde los mandan ir, en los
lugares públicos). Pasé a su lado con tanta presteza
y resolución que sólo pudo reparar en mi quebran-
tamiento cuando ya la primera puerta se cerraba a
mi espalda. *'Hey, you'*, llegué a oír que intentaba exclamar, pero demasiado tarde y sin convicción, la
segunda palabra casi abortada como si se le hubiera ido la electricidad —luego no fue exclamación—,
no me seguiría dentro, ella no. Henchí el pecho, tomé aliento, ensanché los hombros y abrí la segunda
puerta con el mismo desparpajo (una actuación), la
que ya daba al cuarto de baño, una visión repentina de un montón de damas ante los espejos o cerca
de ellos aguardando turno o aprovechando un hueco entre dos cabelleras para recomponerse a distancia; se hizo un semisilencio, hubo un movimiento
de caras vueltas en mi dirección, distinguí algún ojo
perplejo, alguno divertido, alguno asustado y hasta
alguno de apreciación. Murmuré varias veces con seguridad el absurdo vocablo 'Seguridad. Seguridad',
y cada vez me estiraba o levantaba una de las solapas de la chaqueta, como si en ella llevara una in-

signia que no llevaba: pero da lo mismo, lo que cuenta es el gesto o el señalamiento aunque nada haya que señalar, como cuando uno apunta con el índice al cielo y todo el mundo mira hacia arriba, al azul y a las nubes, tan vacíos y en calma como el instante anterior; ni siquiera sabía si la repetida palabra, 'Security' en realidad, era en inglés plausible o una tontería aún mayor que en español, si eso sería lo que dirían un policía o un matón británicos en persecución de alguien o en tareas de registro urgente.

Paseé la mirada veloz, rostros agraciados en general, si Rafita y la señora Manoia se habían introducido allí eran unos insensatos si no unos imbéciles (bueno, él lo era del todo pero aun así no tanto: meterse en un lavabo atestado, teniendo cerca y desierto el de los mutilados); pero ya que estaba dentro tenía que cerciorarme, así que me acerqué a las cabinas con paso firme de inspector o de esbirro (cumplir órdenes, hacer algo por encargo de otro y no por interés ni iniciativa propios, eso ayuda y exime de responsabilidades al ánimo, prestar servicio, eso infunde desenvoltura y desconsideración y hasta puede que crueldad); eran ocho, ocupadas todas como era de prever por la permanente cola en el exterior. Eché una ojeada panorámica bajo las portezuelas cojas, dos pantalones arrugados y seis faldas, o más bien no —las faldas estarían subidas y no asomaban—, sino seis pares de piernas con las medias y las bragas caídas (algún tanga había y una de las mujeres no vestía medias, cosa rara en Inglaterra incluso en verano, sería una extranjera seguro. 'Cuánta lata cada vez', pensé; 'cuánta pequeña complicación, nosotros lo tenemos más cómodo'), ninguno de los ocho en postura irregular, quiero decir ningún par de piernas, todos parecían estar a lo mismo normal, en fin, a lo esperable y a lo regular. Fue un instante, el barrido del ojo, a lo sumo dos, pero no pude evitar recordar la imaginada imagen de un cuento que mi madre me contaba de niño: una de las siete pruebas que debía superar el héroe para rescatar a su amada —campesina o princesa raptada, cautiva en un castillo, no sé— consistía en reconocerla por sus piernas precisamente, el resto del cuerpo y la cara ocultos detrás de un largo biombo corrido o de la correspondiente puerta asimismo truncada, al igual que los de seis o trece o veinte mujeres más puestas en fila, una rueda de reconocimiento como las de las comisarías sólo que con fines liberadores y no acusatorios y nada más que de piernas, no en posición sedente como las de los retretes sino bien erguidas, al héroe le resultaban visibles sólo los seis, trece o veinte parcs de pantorrillas y muslos, tenía que adivinar cuáles pertenecían a su pastorcilla o a su damisela; si no me equivoco había algún truco o detalle —no una cicatriz, demasiado pobre hasta para la imaginación de un niño— que le permitían acertar y salvar la prueba, aunque sólo para pasar a otra más ardua. Ya no estaba mi madre en el mundo para preguntarle cuál era la clave del reconocimiento, y seguro que mi padre no recordaría ese cuento, puede que él nunca lo oyera ni lo pidiera al no ser hijo sino marido, tal vez mi hermana o mis dos hermanos, sin embargo era improbable, yo tenía por lo general mejor memoria para las cosas de nuestra infancia, y si la mía fallaba... 'Nunca lo sabré, pero tampoco importa, la mayoría de la gente no se da cuenta de que no importa nada no saberlo todo, aun así demasiado es sabido siempre, tanto que olvidamos gran parte sin querer o queriendo, en todo caso sin preocuparnos ni lamentarlo, aunque averiguarlo en su día nos costara lágrimas y sudor y denuedo y sangre.'

Allí tenía yo ante mí aquella fila, no me pareció que estuvieran las de Flavia entre las dieciséis piernas, más jóvenes, casi todos los pies muy bien calzados —eso lo aprecié: iban de fiesta—, me llamaron la atención los elegantes zapatos de tacón alto de quien no usaba medias o se las había quitado antes de tomar asiento y lo mismo las bragas —nada le colgaba de los tobillos, estaban limpios—, claro que fue un golpe de vista muy breve, las mujeres de la zona de espejos no protestaban ni se largaban de allí escopetadas, notaba más expectación o curiosidad a mi espalda que indignación o alarma, nuestros gobernantes aprovechados han metido tanto miedo a la gente que ésta se ha vuelto dócil en poco tiempo, sobre todo ante quien esgrime la aterradora y dominante palabra que lo justifica todo, 'Seguridad. Seguridad': hasta los abusos irónicos y las humillaciones que fingen no serlo, no sé: las funcionales.

Quizá no lo pensé entonces sino más tarde, cuando mucho más tarde me acosté por fin aquella noche o era ya mañana, pero el germen de estos pensamientos sí surgió entonces, en esa situación del lavabo de damas apremiante y disparatada, a veces los concebimos como relámpagos y los aplazamos porque en el momento nos va mal mirarlos, para luego recuperarlos y desarrollarlos con ociosidad y fal-

sa calma; y sin embargo puede decirse que el fogonazo es ya el pensamiento, concentrado o medio ig-
norado (o quizá es la presciencia de una presciencia). 'Yo habría reconocido las piernas de Luisa entre
dieciséis, veintiuna, aunque ahora haga mucho que
no las veo y parezcan difuminarse a ratos y aun em-
piecen a confundirse con otras presentes que serán
pasajeras y sí olvidadas', pensé. 'Tal vez también sabría señalar las de Clare Bayes, mi antigua amante de Oxford, pero estas sí que hace siglos que no
se me muestran y podrían haber cambiado, tener
cicatrices o estar coja una de ellas como la de Alan
Marriott o haberse hinchado o incluso ser ya sólo
una, como eran tres las del perro al que la gitana
Jane no le había cortado la cuarta —eso tengo que
recordármelo siempre, que no fue ella, porque en
el primer latido de mi memoria es eso lo que siempre
creo y lo que me asalta, me ha quedado más viva la
hipótesis, la historia inventada con su horrible conjunción de ideas y su pareja espantosa, que la verdadera con su estación de tren y sus hinchas borrachos del Oxford United—, la joven florista de
aquellos tiempos en que Clare Bayes me visitaba
con su bolsa llena de peregrinas compras, sus fragmentos de eternidad exigidos o su tiempo expansivo
impuesto y con algo de utilitarismo, ahora ya puedo
decírmelo sin que me duelan la palabra ni el hecho,
eso fue en otro país y de la moza quién sabe, quién
sabía (pero el país vuelve a ser este), un accidente de
coche basta y lo puede sufrir cualquiera, la ampu-
tación viene luego y entonces ella tendría que ir al
lavabo espacioso y desierto. Pero es difícil imaginar
a Clare Bayes sin pierna, porque eran tan conspicuas
ambas, con los pies calzados a la italiana o con ellos

descalzos, en los interiores privados ella se descal-
zaba siempre, dos puntapiés al aire y los zapatos vo-
laban, y luego había que rastrearlos', pensé eso ante
los gabinetes cerrados con sus ocho pares de zapatos
brillantes asomando bajo las portezuelas, y también
antes de dormirme con tantísimo malestar como me
llevé a la cama, debí de recuperar la escena del lavabo de las mujeres y rememorar el cuento tan envuelto en nieblas que contaba mi madre, para ale-
jar de mi mente cuanto había sucedido más tarde y
aplacar la punzada del alfiler en mi pecho. Y aún alcancé a pensar a continuación, con tan sólo un hi-
lacho de conciencia despierta: 'No reconocería en
cambio las piernas de Pérez Nuix, no todavía, si es
que tiene esa palabra algún fin o sentido, "todavía"'.

Lo que dije entonces fue innecesario, era evidente que allí tampoco estaban los desaparecidos,
y debía apresurarme a buscarlos en otras zonas, seguía sin creer que se hubieran marchado pero no
podía arriesgarme a enojar a Tupra y a Manoia menos, 'No te entretengas ni esperes', esa había sido la
recomendación o instrucción, y el encargo fue 'Tráetela'. Pero sí me entretuve un poco, muy poco. Supongo que aquella visión de las ocho puertas y las
dieciséis piernas me tentó demasiado para abando-
narla nada más descubrirla, sin demorarme en ella
ni los segundos precisos para fijarla y retenerla al
menos, como quien memoriza un teléfono que le
es vital o se aprende unos cuantos versos ('Extraño
no seguir descando los deseos. Extraño ver todo
aquello que nos concernía como flotando suelto
en el espacio. Y penosa la tarea de estar muerto...'
O bien aquellos: *And indeed there will be time to wond-
er, "Do I dare?" and, "Do I dare?". Time to turn back*

*and descend the stair, with a bald spot in the middle
of my hair...'*; y un poco más tarde viene la pregunta que nadie se hace antes de obrar ni antes de hablar: *'Do I dare disturb the universe?'*, porque todo
el mundo se atreve a ello, a turbar el universo y a
molestarlo, con sus rápidas y pequeñas lenguas y
con sus mezquinos pasos, *'So how should I presume?'*). Quizá me atrajo por la reminiscencia infan-
til —algo significa que una imagen relatada tan sólo
y jamás vista permanezca en nosotros la vida entera—, o acaso intervino un elemento prosaico de
segregaciones y humores, según el vocabulario de Sir
Peter Wheeler tras elogiar yo de Beryl el olor infrecuente y sexuado y los magníficos muslos que tanto
había exhibido para exasperación y delirio del agregado maldito que se me había escabullido ahora con
quien aquella noche habían puesto a mi descuida-
do cuidado.

Así que dije innecesariamente, en parte por
vicio menor o venial y en parte por irresistible afán
de improvisada broma, alzando la voz como si fuera una autoridad de algún tipo, policial o funcio-
narial o laica, y dirigiéndome a las ocho usuarias de
los gabinetes, sus pies tenían algo de composición
coreográfica, de pausa momentánea en medio de
un medido baile, y nada más oírse mi voz masculi-
na y allí incongruente vi el movimiento instintivo
y simultáneo de siete pares de piernas que se junta-
ron o se cerraron, quiero decir cada par por su cuenta, sólo no cambiaron de postura las dos que estaban desnudas y con los tobillos desembarazados de
toda prenda, su dueña sería por fuerza extranjera y
tal vez compatriota mía, la depilación era perfecta.
Había un cierto olor no penetrante de segregacio-

nes y humores en aquel espacio (no, no era a orina, curiosamente, por suerte), sin duda sexuado y para mí infrecuente, mezclado con el de las colonias y perfumes varios de las mujeres a menudo más aseadas que los varones aunque no siempre (y entonces son tan haraganas y sucias como la agente de SMERSH Rosa Klebb, menos mal que era ficticia y así el pobre Nin no la habría podido tener en la realidad de amante), y el conjunto no me era en absoluto desagradable. Así que dije esto, maldita la falta que hacía para mis propósitos, reconozco que fue por juego y por gusto:

—Disculpen la intrusión, mis queridas señoras —llamarlas en seguida *'my dear ladies'* me pareció que las tranquilizaría, dentro del sobresalto—, pero andamos buscando a un carterista muy habilidoso para detenerlo. —*'A very skilful pickpocket'*, esa fue la locura que dije, además me sonó anticuada nada más soltarla, como de los años treinta o incluso de Dickens (un *pickpocket*), pero hablar de un maniaco o de un terrorista (no digamos de una bomba oculta) habría sembrado el pánico y quizá las mujeres habrían salido precipitadamente, sin subirse como es debido las medias o los pantalones y manchándose con alguna gota, no quería ponerlas en situación desairada ni hacerlas ruborizar ante testigos, aunque fuéramos yo y ellas mismas—. Supongo que no es así —añadí con tanta circunspección y neutralidad como fui capaz de imitar, cuánto ayudan las películas a los que decidimos aprender de ellas desde la primera tiniebla—, pero les ruego que me confirmen que en efecto no hay ningún hombre escondido ahí dentro, en las cabinas. Verán, desde aquí se ven dos pantalones, y no todas las piernas son... —No seguí por ahí, me temo que iba a decir algo así como 'inequívocas'—. Si son tan amables de responderme, una por una, se lo agradeceré enormemente y me marcharé en seguida.

Me imagino que un verdadero policía se habría esperado hasta que salieran, para cerciorarse, pero claro está, yo no lo era ni andaba tras ningún *pickpocket*. Oí una risa involuntaria o fueron dos a mi espalda, en la zona de los espejos, la mayoría de las mujeres ven más fácilmente la gracia a las cosas que pueden tenerla, sobre todo si es cuestión de mirarlas con ligereza o como si ya hubieran pasado y sólo cupiera contarlas sin más consecuencias (sin más sobre lo acaecido, porque casi siempre las trae nuevas el cuento). Tras un par de segundos de desconcierto probable, las voces femeninas fueron contestando desde el otro lado de sus portezuelas, unas con mayor sumisión que otras y nada más que una irritada; pero si la gente se deja hoy registrar por las buenas en cualquier aeropuerto u oficina pública, y se descalza y aun se desviste obediente a la orden de un aduanero torvo, no es extraño que admita importunaciones e interrupciones e impertinentes preguntas hasta en medio de sus ocupaciones íntimas. 'No', 'Por supuesto que no', '¿Está usted loco? Lárguese', 'Aquí no hay nadie, señor', fueron las respuestas, y sólo una se apartó de las negaciones simples: la mujer sin visibles medias ni bragas, la que no había juntado más las piernas al oírse mi voz de hombre, abrió lentamente su portezuela hacia fuera con un leve chirrido, y me contestó, mirándome desde su asiento:

—*You come and see*. —Eso dijo, 'Venga usted a verlo'. O 'Ven tú a verlo' (aunque en inglés no se distingan, debió de ser más bien esto último, en su mente).

La frase era demasiado breve y carente de aristas para notarle o no ningún acento, quizá el sonido *k* de *'come'* no fue aspirado y fue por tanto extranjero a Inglaterra y aun a la Commonwealth y a las demás antiguas colonias, pero no me pude fijar mucho, no estaba por las precisiones fonéticas, la visión me turbó, por eso fue tan breve como la frase o casi, yo mismo volví a cerrarle la puerta raudo, no tanto como abrí aquella mañana la del despacho de Pérez Nuix y Mulryan para encontrarla a ella secándose desnudo el torso, no con brío, no de una ráfaga, más bien se pareció al modo en que se la cerré a mi compañera unos segundos más tarde, de un solo movimiento resuelto pero mirando y aun memorizando la imagen, duró doce segundos que conté en el recuerdo, la del lavabo de damas no llegó ni siquiera a eso, yo creo, empujé la portezuela muy pronto a la vez que balbuceaba, seguramente no con la voz sino sólo con el pensamiento: *'I can see well enough, thank you very much indeed'*; y era cierto, bien podía verlo, que estaba allí sola y sentada, no había tenido el remilgo de tantas mujeres que evitan posarse del todo en la tabla y orinan cernidas por así decirlo —a poca distancia pero en el aire—, en los lugares públicos les da asco o grima ese contacto, ignoran quién las habrá precedido y en el mundo hay todo tipo de gente desaseada y haragana y sucia y también la hay ponzoñosa, en cualquier ambiente por muy chic que sea, por doquier hay contagios y mucho pringue. Aquella mujer no era precavida, sobre todo teniendo en cuenta que no debía de usar ropa interior: no era que las bragas hubieran quedado a la altura de unas ligas o apenas bajadas, sino que no las había, eso comprobé o descubrí al ofrecerse la figura entera a mi vista más elevada, los muslos tan desembarazados de prendas como los tobillos, la falda estrecha subida hasta arriba, hasta las ingles y las caderas y arrugada por tanto (tampoco habría demasiada tela, a buen seguro sería tirando a corta), una falda de tubo blanca, los zapatos de tacón fino pero potente eran del mismo color, veraniegos y como de los años cincuenta, la década de mejor gusto general femenino, muy bonitos aunque inesperados en Londres y fuera de la estación que más los toleraría como le pasaba a la falda, le vi el bulto o la mancha amarilla bajo la que sostén no había, una blusa de escote redondeado y mangas casi imaginarias —mangas como muñones, por la parte exterior le cubrían el arranque de los brazos tan sólo y poco más que las axilas por la interior, eso deduje—, lo turbador eran los muslos robustos, fuertes y tan al descubierto —tanto—, no gruesos sino compactos y densos, como si la carne llenara toda la superficie hasta el borde del estallido, sin nada de grasa superflua pero sin desaprovechar un milímetro de la piel ceñida como envoltorio tirante, se iban ensanchando debidamente en su crecimiento o camino hacia las caderas e ingles y hacia el pico oscuro que se me mostró (lo distinguí, creí verlo), me parecieron caderas vagamente centroamericanas o quizá es que también remitían a esos años cincuenta en que se apreció lo muy curvo, o bien fue que la melena rizada y los enormes pendientes —eran aros, de amplísima circunferencia— le conferían un aire tropical que no tenía por qué ser auténtico pese al color de su desnudez dorada

—nunca británico, ni de la Commonwealth casi entera—, podía tratarse de una mera opción, del disfraz escogido para una noche de discoteca eterna, lo mismo que De la Garza creía haberse vestido de rapero negro y a la postre iba de torero ucrónico o de goyesco absurdo.

Mi mirada fue fugaz pero no velada, no fue inglesa ni de nuestra época como en apariencia lo había sido aquella mañana ante Pérez Nuix con toalla, ella estaba sin ropa de cintura para arriba y aquella joven lo estaba —para mí era joven, treinta y cinco, ese fue el cálculo— de cintura para abajo, tuve la sensación momentánea de concluir un rompecabezas pero con un encaje algo cubista, como si se completaran la una a la otra con no cabal armonía (eran tan distintas), y además se completaran sólo en sus mitades desnudas, no en las vestidas. Así que mi mirar no duró nada, pero durante esa nada fue el que sí mira, no fingí que ella estuviera de pie y con la falda bajada, y sin que yo supiera por tanto si debajo llevaba o no nada. Me miró a su vez, al decir su frase. No con desafío, no con coquetería ni con salacidad desde luego, no con reproche ni con sarcasmo, sino con expresión bromista y claro está que sin pudor alguno, como si no le importara dejarse ver en aquella postura de poco garbo a cambio de hacer una breve gracia y desconcertarme y turbarme (por añadidura esto último, no era fácil que lo hubiera previsto sin ni siquiera conocer mi cara, podía haber sido un osado y haber respondido con dos pasos al frente), ella debió de captar más que nadie el lado cómico estúpido de mi exposición o pregunta, dirigida simultáneamente nada menos que a ocho mujeres guarecidas u ocultas, sin duda con el respingo incrédulo interrumpieron su función todas ellas, estaba seguro de que en el instante de sonar mi voz dejó de caer todo líquido en el interior de las ocho tazas, una retención colectiva refleja, una obturación, un párpado, un mismo músculo represor contraído, y a eso, por suerte, no se habría podido sustraer tampoco la mujer que sí había aguantado con las piernas entreabiertas imperturbables en el primer momento y en los que siguieron —uno, dos, tres, cuatro; y cinco, eso duraron el chirrido de la portezuela y sus cuatro palabras provocadoras, 'Ven tú a verlo'—, y también en los que vinieron luego —cinco, seis, siete, ocho; y nueve; o diez, eso debieron de durar mi pasmo, mi fotográfica memorización de la imagen, mi agradecida respuesta y mi movimiento resuelto para cerrar la puerta—; y en esos diez segundos también me dio tiempo a ver lo más turbador de todo, una gota de sangre caída en el suelo del gabinete, o bueno, eran dos, pero la otra, más chica, le manchaba el zapato izquierdo como una lenteja, no sería grave, parecían de charol aunque blancos, de tan brillantes y lisos, o de porcelana, sería muy sencillo quitar esa diminuta mancha de superficie tan pulimentada, si se daba ella cuenta de que la llevaba.

Pensé de inmediato lo que habría pensado casi cualquier hombre, solemos ignorarlo todo sobre las menstruaciones —hemos visto su huella sólo en alguna colcha o en alguna sábana, yo al menos he procurado ignorarlo—, hasta si puede caer una gota al suelo o más que eso inadvertidamente, en el caso de estar una mujer de pie con falda, sin bragas, y sin tener a mano compresas ni sucedáneos, algodones, kleenex, algún papel absorbente o quizá secante como para la tinta —no, eso es impensable, idiota, eran rígidos y de color rosado, no he vuelto a verlos desde la infancia, desde los tiempos en que mi madre nos contaba el cuento—, no sabía una palabra de tales cuestiones pese a haber estado casado durante muchos años que ahora parecían menos al haber terminado, de la misma forma que jamás había visto a Luisa sentada orinando como se me había mostrado la desconocida, hay cosas que la convivencia no trae nunca, o es que la educación, la que yo tuve al menos, la que tuvo Luisa, impone límites naturales y tácitos a las confianzas, y rehúye las dejadeces siempre, e impide acabar siendo indiferente y perezoso testigo de lo que no debe uno serlo.

También Comendador, mi antiguo amigo del colegio tan torcido luego, había pensado en menstruaciones sobrevenidas cuando vio la sangre de aquella muchacha, sobre la madera y las sábanas y en su camiseta larga, la pasajera novia del camello Cuesta a la que creyó muerta tras su tambaleo y su tropezón y su golpe de frente contra una pared muy seco, había sonado como leña partida y en seguida le descubrió una brecha cuando quedó inconsciente, o para él difunta. Y más tarde había dudado de haber visto nada y hasta admitió la posibilidad de haber tomado por sangre lo que tal vez era sólo cognac o vino o incluso una veta oscura del entarimado. Yo tenía ahora una desazón o problema en ciernes por culpa de aquel hombre tan afín a Comendador que me parecía él mismo en algunos instantes, Incompara su nombre, algo había además en esos dos apellidos que me hacía remitirlos el uno al otro, o que en mi sentido particular de la lengua me los asociaba: Incompara, Comendador; Comendador, Incompara, no sé, como si fueran del mismo calibre o equiparables, recomendables ambos y comparables (para ir por el mundo con aplomo y brío y pisando fuerte, para eso recomendables).

Pero lo que me vino a la memoria como una ráfaga fue la otra mancha de sangre, la que vieron mis ojos, la de la escalera en casa de Wheeler que yo había limpiado a conciencia en mitad de la noche allí pasada, madrugada del domingo de hecho pero para mí noche del sábado, puesto que la jornada se me eternizó con libros y aún no me había acostado, me fui a la cama tan tarde o temprano que ya intuí la claridad del cielo, sosegado o arrullado por el rumor del río. Continuaba sin saber de quién o de qué había salido, aquella sangre, al día siguiente les había preguntado por fin a Peter y a la señora Berry durante el almuerzo, sin éxito: su respuesta tan decepcionante que empecé a dudar de la existencia de la gruesa gota cuyo cerco se me había resistido de noche, reacio a desaparecer y borrarse (y esa incertidumbre futura ya la había yo previsto, hasta cierto punto: de cuanto cesa y no persiste puede uno dudar siempre, luego de todo, porque nada es nunca presente interminablemente, o lo son sólo los astros y las estaciones y yo quiero decir: nada humano); así que me pasó un poco lo mismo que a Comendador en su día, que desconfió de la realidad de las varias manchas que en su pánico había visto en aquel piso. Pero yo no sentía pánico cuando descubrí la mía, en lo alto del primer tramo de la escalera de Wheeler, aunque sí había bebido y andaba algo febril de palabras y aun de la vigilia tan larga, con mis muchas lecturas nocturnas encadenadas y los recuerdos de mi padre entremezclados, más los suyos que los míos: 'colaborador asiduo del diario moscovita *Pravda*; enlace, acompañante voluntario, intérprete y guía en España del bandido Deán de Canterbury; conocedor de la entera trama de la propaganda roja a lo largo de la contienda', de todo eso había sido acusado, ideas de su mejor amigo cuyo rostro él no supo ver, el del mañana que llegó muy pronto, casi hoy mismo. Pero ahora eran también recuerdos míos, a veces tenemos algunos que solamente son de oídas, o heredados. Como las piernas de mi princesa de cuento entre otros seis o trece o veinte pares.

Debía salir ya de aquel lavabo inadecuado y lleno o que no me correspondía, fuera se estaría formando más cola, llevaba allí un par de minutos durante los que no había entrado ni salido nadie, las mujeres de dentro entretenidas, las que había a mi espalda, en la zona de espejos, reían ya abiertamente la mayoría tras escuchar mi cruce de frases con la caribeña sedente —cubana, puertorriqueña, nicaragüense, o más sureña, colombiana o venezolana o hasta brasileña; o española, también eso era posible—. No fui capaz de no advertírselo, a una joven de tan poderosos muslos que ya entonces supe que se me representarían más tarde, incluso en otras noches o días. Tenía ojos muy rasgados, eso me dio tiempo a verlo, no el color, sí las aletas de la nariz algo anchas, o eran unas fosas nasales demasiado aireadas o ambas cosas, me hizo el efecto de una de esas bellezas con cara de exhalación involuntaria, abundan hoy mucho en todas las razas, quizá sea uno de los modelos de nariz más solicitados por quienes se la operan, casi nadie anda contento con la suma de sus facciones. Así que le dije a través de la portezuela ya de nuevo cerrada, de hecho con mi mano izquierda sujetando aún el pomo para que no se abriera otra vez sola (el pestillo por su lado, por dentro, y no la había oído volver a echarlo), o no insistiera ella en abrírmela, quién sabía:

—Se le ha manchado de rojo uno de sus zapatos blancos, señora. Por si no se ha dado cuenta.

Podía haberme contestado que no era grave ni asunto mío, en el mismo tono que Wheeler (o en uno más desabrido) cuando le advertí sobre sus calcetines bajados aquel sábado ya muy tarde, justo antes de que se diera la vuelta y acabara de subir los peldaños del primer tramo de su escalera, para por fin retirarse. Pero la mujer se limitó a responder *'Thank you'*, y tampoco pude notarle ahí acento. 'De rojo', dije. No me atreví a decir 'de sangre'. Aunque estaba seguro de que aquella gota y la del suelo eran sangre, recién vertida, recién caída.

Salí de allí con tanta decisión como había entrado, murmurando *'No luck. No luck'*, 'No ha habido suerte', como si me diera una explicación a mí mismo o me presentara excusas, ni siquiera miré a las mujeres de dentro ni a las de fuera cuando pasé a su lado (éstas eran otra vez tres o cuatro), había que dar con Flavia y conducirla de vuelta a la mesa de su marido, no es que mi cabeza no estuviera en eso ni que hubiera perdido la encomienda de vista, pero unas cuantas cosas se me habían mezclado ahora con ella, versos e imágenes y heredados recuerdos además de un cuento, ninguno llegaba a hervirme porque ninguno era apremiante, pero por allí se me quedaron flotando todos, quizá también a la espera de ser recogidos más tarde por el pensamiento ocioso —es decir, por el más activo— al término de la jornada, cuando por fin me acostara.

La canción de Laredo y de Armagh me seguía rondando pese a la música de la discoteca altísima, volvió a ser abrumadora en cuanto franqueé las dos puertas y me encontré en la sala, poco rato ausente y la muchedumbre crecida, el local encaminado hacia su apogeo. Pero si reaparece una melodía conocida antigua y se nos aloja, no hay manera de echarla sin la mediación de algo externo y de otro carácter (tal vez un susto, como con el hipo), *'And when Sergeant Death's cold arms shall embra-*

ce me', eso era de la versión irlandesa de Armagh,
'Y cuando me abracen los fríos brazos del Sargento
Muerte', en inglés aún pervive la idea de la muerte
como figura o ser masculino aunque los nombres comunes carezcan de género gramatical con la excepción de 'barco' —eso creo—, pero no siempre
fue así o no para todos, el emparentado alemán sí
conserva los géneros y en él no cabe duda de que es
el muerte y de que se trata de un hombre cuando se
lo representa, así sucede en el tema clásico de la
Muerte y la Doncella, tantas veces en la pintura o
en los grabados se lo ve, es un caballero con yelmo
y armadura y lanza, o quizá es con espada o con ambas armas, *Sir Death* fue llamado en más de una obra
medieval inglesa, y también se lo ha visto disfrazado
de médico con su bata blanca en algún dibujo de la
época nazi, acechando con su linterna en la frente y
con predilección por las jóvenes semidesnudas como
Pérez Nuix aquel día y la mujer con la falda subida
en el lavabo de damas aquella noche, al igual que sus
antecesores férreos de la Edad Media y el Renaci-
miento que perseguían doncellas a través de los bos-
ques y de los campos, se les desgarraban las ropas
en su huida vana a las pobres desesperadas, según
la fantasía de las estampas. Mientras que para nosotros latinos, con nuestras palabras con género casi
obligado, se trata de un ser femenino y además anciano, esa vieja decrépita con la guadaña de tantos
cuadros y de tantos textos, y quizá por eso son sus
víctimas varones en ellos con más frecuencia que las
de su sexo, aunque nos visite o nos cace a todos o
nos siegue literalmente con su herramienta rústica,
tiene sentido que sea anciana, empezó a trabajar a
destajo hace mucho y no ha parado ni una sola hora

de la noche o el día desde que se estrenó con aquel primer muerto desconocido y remoto que todavía aguarda a que se acabe el mundo y no haya en él ya nadie, para por fin ser juzgado y relatar su historia y exponer su caso, 'cuando todas esas piernas y brazos y cabezas segadas en la batalla se junten el último día y griten todas "Morimos en tal lugar"'. Y también tiene sentido que en la imaginación germánica sea un caballero en su plenitud, un guerrero brioso y fuerte y capacitado para arrancar vidas sin tregua, un profesional experto con sus fríos brazos de disciplinado sargento, porque cualquier otro ser no daría abasto a tan infinita tarea en aquellos antiguos tiempos: y muchos siglos más tarde ese fue el problema de los dirigentes nazis, que buscaron cómo ir más rápido y con menos gasto y no tanta fatiga en sus labores de exterminación masiva, y así recurrieron a la inteligencia de hombres de bata blanca, a físicos y a químicos y a biólogos y también a los médicos con su linterna en la frente, matar no es tan fácil y lleva su tiempo. Y desde luego cansa y aun extenúa.

'We died at such a place', eso me había citado Wheeler en su lengua de Shakespeare, y era de suponer que en ese Juicio Final previsto por la fe firme de entonces, con la historia entera del mundo contada a la vez y en detalle por cuantos la integraron y compusieron, desde el Emperador poderoso que dejó más duradero rastro hasta el recién nacido que salió de la tierra con su primer llanto sin llegar a cruzarla ni a poner pie en ella y no dejó en la memoria de ningún vivo ni su rostro del todo configurado, era de suponer que en ese último día, con todo su espacio y su tiempo convertidos en un gallinero y una algarabía, como le sugerí yo a Wheeler —quizá ya perteneciera a la eternidad ese día, y así sólo tuviera lugar, pero no transcurso—, también habrían de encontrarse y juntarse y volverse a ver las caras los condenados con sus condenadores y los delatados con sus delatores, los perseguidos con sus perseguidores y los torturados con sus torturadores, los mutilados con sus mutiladores, los asesinados con sus asesinos y las víctimas con sus verdugos y con quienes los instigaron o les dieron la orden que fue cumplida, todos ante el Juez al que no se miente (juez blando o colérico, implacable o piadoso, eso quién lo sabe). Y habrían de intentar ponerse en aprietos unos a otros alegando la justicia de sus respectivas causas y con ella sus inocencias o la atenuación de sus culpas, era a eso a lo que emplazaban a Enrique V (ahora ya sabía qué rey de Shakespeare era ese) aquellos soldados con los que en el campamento se mezcló embozado y de incógnito antes del alba de la batalla, según rememoró y contó Wheeler, todos ya sobre las armas; y había venido a decir uno de ellos: 'Arduas cuentas habrá de rendir el rey en el día último, si no es buena causa la de su guerra'.

De modo que todos esos muertos se cruzarían entre sí reproches, acusaciones, cargos: 'Tú me mataste sin que te hubiera hecho nada'. 'Morí por tu causa y por tus ligeras palabras.' 'A mí me sacrificaste por aniquilar a otro que fue tu enemigo, de mí no sabías ni la existencia pero no te importó cortarla, para ti fui sólo un número tras un bombardeo o ni siquiera, una mera unidad de ese número que quedó consignado en vuestros archivos secretos bajo siete llaves.' 'Yo morí por mi propia mano porque no pude vivir con aquello, con las muertes por mí causadas; creed que me costó gran esfuerzo y gran miedo, e indecibles remordimientos anticipados, por el otro daño que hacía al matarme; pero no fui capaz de seguir ya más días como si aquello no hubiera pasado, y los muertos no fueran míos.' 'A mí me pegasteis un tiro en la cuneta de una carretera que jamás había visto aunque no podía estar lejos, no tardamos en llegar a ella desde la cheka de la calle Fomento de la que me sacasteis de noche y en la que me habíais metido por la mañana tras detenerme en la calle, por llevar corbata, dijisteis, y un carnet juvenil que no os gustaba, "Ahí hay mucha Falange", eso dijisteis, y que yo me había sacado atolondradamente en imitación de mi hermano el mayor, que andaba entonces escondido, yo tenía diecisiete años y ni siquiera sabía bien su significado, no me dejasteis averiguarlo, ni volver nunca más a mis historietas gráficas por las que vivía y me apasionaba, de política yo no entendía', diría mi tío Alfonso al encontrarse de nuevo con los milicianos olvidadizos que lo mataron: apenas lo recordarían, aún menos que a la amiga que lo acompañaba y que sufrió igual destino, tiro en la sien o quizá en la nuca, o quizá en el oído. 'Os ensañasteis y sentí tanto dolor como no habéis imaginado nunca en todos los años de vuestra vida ni en los de vuestra muerte a la infinita espera de este último día, y me acusabais en falso con conciencia plena de vuestra falsedad absoluta, y me exigíais nombres y que confesara traiciones jamás cometidas, a sabiendas de que no podría', diría Nin a los dos o tres hombres —antiguos camaradas todos: Orlov seguro, tal vez Bielov, tal vez Contreras— que lo interrogaron exasperados y lo torturaron en Alcalá de Henares, y según una sombría fuente lo desollaron vivo. 'Me disparasteis con balas envenenadas y además no les untasteis la cantidad suficiente para que me mataran rápido, de aquella toxina botulínica que os trajeron de América y que me fue corroyendo durante siete días sin darme la muerte nunca ni acabar con el suplicio y la furia, y si hubierais tenido mejor puntería ni siquiera habría hecho falta esperar a su efecto y yo me habría ahorrado el largo y deslucido periodo de mi ser moribundo', diría el nazi Heydrich a los dos resistentes o estudiantes checos que lo ametrallaron a bordo de su coche en Praga y le lanzaron granadas, guiados y pertrechados por el Special Operations Executive inglés, el SOE, cuyo jefe Spooner planeó el atentado. 'Sí, cometisteis un gravísimo crimen frívolo, al no afinar vuestra puntería y al no aseguraros de que el nazi saldría al instante hecho pedazos, porque cada noche de su agonía cogieron a cien de nosotros y nos fusilaron, y fue una sanguinaria semana lo que aún le duró el aliento', dirían a esos mismos resistentes y a los responsables del SOE los setecientos rehenes ejecutados hasta que el aguante y la ira de Heydrich por fin fueron vencidos por el perezoso veneno. 'Morimos el 10 de junio de 1942 en Lidice, no dejasteis un alma viva en toda la aldea, nos matasteis a todos sin hacer distinciones de edad ni de sexo, a los hombres allí mismo y a las mujeres nos llevasteis al campo de Ravensbrück a morir más despacio, sólo porque tuvimos la mala suerte de que donde vivíamos aterrizaran con sus paracaídas los agentes que dirigieron la muerte lenta del Protector del Reich en nuestras invadidas tierras de Bohemia y Moravia, no os bastó con odiarnos mucho y castigar a unos pocos por su colaboración probable, qué pérdida de tiempo para vosotros averiguar o discernir nada, sino que odiasteis nuestra cuna entera y la arrasasteis para que no existiera ni quedara memoria de ella, y nos asesinasteis a todos para que no hubiera tampoco nadie que recordara lo inexistente', dirían a los ocupantes nazis los ciento noventa y nueve varones y las ciento ochenta y cuatro mujeres de aquel pueblo checo que padecieron las represalias por el llegado fin de Heydrich, hasta el último anciano y el penúltimo niño, pues hubo tres de éstos, de corta edad y 'aspecto ario', que se juzgaron 'germanizables' y se salvaron por eso, no debieron de salvar en cambio el uso de la memoria. 'Tú me rajaste para no dejarme escribir más ningún verso desde mis veintinueve años, me has robado mi edad viril, pensé al caer sobre la madera salpicada de vino que se empapó de mi sangre; pero me confié, fuiste más rápido, yo habría hecho contigo lo mismo, tu vida tan valiosa como la mía entonces aunque tú no escribieras nada, y otra cosa es que otros hombres que vinieron luego te hayan detestado egoístamente porque truncaras mi arte y los privaras de disfrutarlo extenso; pero yo, que soy tu muerto, no tengo queja, ni de qué culparte', diría el dramaturgo y poeta Marlowe a su apuñalador Ingram Frizer en la taberna de Deptford, si es que es ese su definitivo nombre, a lo largo de los siglos desconocido o cambiante. 'Tú hiciste que dos esbirros me sumergieran cabeza abajo y me ahogaran en una tinaja de tu nauseabundo vino, pobre de mí, pobre Clarence, sujetado por las piernas, que quedaron fuera e intentaron patalear ridículamente hasta la embriaguez última de mis pulmones, traicionado y humillado y muerto por la negra astucia opaca de tu lengua infatigable y deforme', diría George, Duque de Clarence, a su rey de Inglaterra asesino que también fue rey de Shakespeare.

Oh sí, en ese día postrero con todos los tiempos juntos, quizá suspendido e inmóvil, resonarían una y otra vez estas frases hasta provocar arcadas en todos los muertos, incluidos los que asesinaron (pero ninguno concibió jamás el resultado de la suma entera, y cuando las cosas acaban tienen su número), y aun en el Juez al que no se miente, que se vería quizá tentado de olvidar su promesa y sus planes y cancelar para siempre la asamblea pestilente eterna: 'Morí en tal lugar y en tal fecha y de tal manera, y tú me mataste o me pusiste en la trayectoria de la bala, la bomba, la granada o la antorcha, de la piedra, la flecha, la espada o la lanza, me mandaste salir al encuentro de la bayoneta, el alfanje, el machete o el hacha, de la navaja, el mazo, el mosquetón o el sable, tú me mataste o tú fuiste la causa. Caiga todo ahora como plomo sobre tu alma, y siente la punzada del alfiler en tu pecho'. Y los acusados responderían siempre: 'Fue necesario, defendía a mi Dios, a mi Rey, mi patria, mi cultura, mi raza; mi bandera, mi leyenda, mi lengua, mi clase, mi espacio; mi honor, a los míos, mi caja fuerte, mi monedero y mis calcetines. Y en resumen, tuve miedo'. (Aquello era también un verso, y me lo repetí más tarde en voz alta, cuando ya estaba acostado: *And in short, I was afraid*'; varias veces, porque aquella noche me lo aplicaba o lo suscribía: *And in short, I was afraid*'.) O bien recurrirían a esto: 'Fue necesario y evité así un mal mayor, o eso creía'. Porque ante ese juez harto y con náuseas no podrían aducir: 'Oh no, yo no quería, yo fui ajeno, ocurrió sin mi voluntad, como en las humaredas tortuosas del sueño, eso fue cosa de mi vida teórica o entre paréntesis, de la que en realidad no cuenta, no pasó más que a medias y sin mi consentimiento pleno: "No ha lugar, aquí no hay causa", diría el juez que viera esto'. No, no podrían aducirlo ante ese juez que ahora iba a verlo, y aun así algunos lo harían: son inconfundibles, yo los conozco en mi tiempo. Son siempre tantos.

Qué reconfortante tenía que ser esta esperanza remota o compensación aplazada o dilatada justicia, esta perspectiva, esta visión, esta idea, para los humanos de la fe firme durante los muchos siglos en que la dieron por cierta y la prefiguraron y acariciaron, como si formara parte del conocimiento común a todos, iletrados y doctos, acaudalados y menesterosos, y más que una promesa o *desideratum* fuera casi una presciencia. Qué apaciguadora la idea, sobre todo para los sojuzgados definitivamente, para los que se sabían destinados a sufrir en vida —en su entera vida mansa sin revés ni vuelta— injusticias y abusos y humillaciones impunes, sin reparación posible para sus agravios ni concebible castigo para sus ofensores, más poderosos o más crueles, o sólo más decididos. 'Yo no lo veré aquí', pensarían aquéllos mordiéndose el labio inferior o la lengua hasta hacerse daño, para aflojar entonces la dentellada, 'no en este mundo tan descompensado y terco, no en su orden inerte que no puedo alterar y que me perjudica tanto, no en esa armonía desequilibrada que lo gobierna y que ya cava mi tumba para expulsarme pronto; pero sí en el otro, cuando acabe el tiempo y nos reunamos todos, convidados sin excepción al gran baile de la aflicción y el contento, y me dé a mí la razón y me premie el Juez al que no se miente porque ya está al tanto de lo sucedido, ha viajado por todas partes y lo ha visto y oído todo, hasta lo más nimio e insignificante en el conjunto del mundo o de una sola existencia; lo que hoy me ha ocurrido, esa afrenta odiosa que olvidaré yo mismo si aún vivo unos cuantos años y no se repite, o bien se repite tanto que confundiré las veces y me acostumbraré a ella por mi conveniencia de no verla más como un crimen, no la olvidará ese juez que lo recuerda todo con su abarcador registro o infinito archivo de la historia del tiempo, desde la primera hora hasta el día último.' Qué enorme consuelo para la soledad absoluta creer que éramos vistos y aun espiados en todo instante a lo largo de nuestros escasos y malvados días, con perspicacia y atención sobrehumanas y con la sobrenatural anotación o memoria de cada fastidioso detalle y pensamiento vacuo: así tenía que ser si es que así era, ninguna mente humana habría soportado eso, saberlo y recordarlo todo de cada persona de cada época, saberlo permanentemente sin echar jamás en saco roto un solo dato de nadie, por prescindible que fuera y aunque no sumara ni restara nada: una verdadera condena, una maldición, un tormento o aun el mismísimo celestial infierno, quizá estaría arrepentido de su omnisciencia el juez con tanto acontecimiento, resentido con los demasiados sucesos aburridos, pueriles, idiotas y bien superfluos, o se habría hecho bebedor para hacerse olvidadizo (copita y adentro, copita y adentro, de vez en cuando), o mejor opiómano (una ocasional pipa tumbado, para vaciarse de conocimientos).

'Hay muchos individuos que sienten su vida como materia de un minucioso relato', le había dicho yo a Tupra al interpretarle a Dick Dearlove, 'andan instalados en ella pendientes de su hipotético o futuro cuento. No se lo plantean mucho, es sólo una manera de vivir las cosas, una manera acompañada, digamos, como si siempre hubiera espectadores o testigos fijos de sus actividades y pasividades, aun de sus pisadas más fútiles y de los momentos muertos. Esa ensoñación narcisista de tantos contemporáneos, llamada a veces "conciencia", tal vez no sea sino un sucedáneo de la antigua idea o vago sentido de la omnipresencia de Dios, que con su ojo vigilaba y estaba atento a cada segundo de la vida de cada uno, era muy halagador en el fondo, y un alivio pese a las contrapartidas, es decir, al elemento implícito de amenaza y castigo y a la aterradora creencia de que nunca era nada ocultable del todo a todos y para siempre; sea como sea, tres o cuatro generaciones de duda o incredulidad dominantes no bastan para que el hombre acepte que su trabajosa y no solicitada existencia transcurre sin que nadie asista ni la contemple ni se asome jamás a ella; sin que nadie la juzgue ni la desapruebe.'

Quizá ni el hombre más ateo pueda encajar eso aún fácilmente, sin hacerse racional violencia. Y quizá la repugnancia u horror narrativo que le había mencionado a Tupra —quién sabe si no lo sentimos todos en alguna medida, no sólo los Dearlove del mundo— procedía también de los viejos tiempos de la fe firme, cuando una vida entera de virtudes y de hacer el bien y de cumplir preceptos podía irse al traste por un solo pecado grave cometido a última hora —mortal se llamaba, no se andaba con rodeos el recordatorio—, sin margen para el arrepentimiento ni para ser perdonado, el propósito de enmienda ya apenas creíble por el escaso tiempo restante de quien se lo hiciera, los ancianos debían de recorrer en ascuas sus trechos finales, procurando no caer en tentaciones intempestivas, o lo que es lo mismo, tratando de evitarse cualquier error o borrón narrativo que los marcara en el desenlace y los condenara en el juicio. Parecía un sistema injusto; no sé si divino pero desde luego poco humano, dependiente en exceso de la sucesión o el orden de las palabras, obras, omisiones y pensamientos, no pude dejar de acordarme de una de las razones que mi padre me había dado para no haber intentado nada contra su delator Del Real, ningún ajuste de cuentas o resarcimiento tardío, cuando por fin le habría sido posible buscarlos tras la muerte del tirano, el ahora remoto Franco al que el traidor prestó un servicio temprano que le fue correspondido con prebendas universitarias y con la protección asegurada de sus leyes bárbaras, en lo referente a ese servicio, durante treinta y seis años y medio. Treinta y seis años inmune, de 1939 a 1975 y de aquel mayo a este noviembre: unos cuantos más de los que tuvo Marlowe, el doble de los vividos por mi tío Alfonso... 'Le habría dado una especie de justificación a posteriori, un falso asidero, un motivo anacrónico para su acción', había dicho mi padre al preguntarle yo por su mal amigo. 'Ten en cuenta que en el conjunto de una vida lo cronológico va perdiendo importancia, no se distingue tanto lo que vino antes de lo que vino luego, ni los actos de sus consecuencias, ni las decisiones de lo que desencadenan. Él habría podido pensar que al fin y al cabo yo le había hecho algo, qué más daba cuándo, y haberse ido a la tumba más conforme consigo mismo. Y no fue así, no ha sido así. Yo nunca lo perjudiqué, nunca le hice ni le había hecho nada, ni antes ni después ni desde luego entonces...'

Sí, mi padre y Wheeler eran ya muy viejos y quizá ambos recorrían en ascuas sus penúltimos trechos, no por pavor religioso sino por aprensión biográfica; o quizá no tanto, y apenas si temían tiznarse. Mi padre parecía bastante conforme consigo mismo y sereno en su presente, con alguna amiga de supervivencia y con sus hijos y nietos que lo visitaban y lo conducían a hablar del pasado personal o colectivo, y ese es el gran alivio (yo iba faltando últimamente, desde mi nueva marcha a Inglaterra y mi deliberado aturdimiento para no pensar mucho en el mío, que todavía no me resultaba alivio; él no me decía nada, pero cuando nos llamábamos o nos escribíamos —esto último para complacerlo: 'No me gusta el buzón siempre vacío, o sólo con propaganda y demás porquerías'—, yo notaba que me echaba de menos, un poco acaso); no debía de prever cambios sensibles, ni ningún episodio maléfico que arruinara a la postre su historia ya trazada en esencia en tiempos mucho más difíciles que los actuales y ya contada a sí mismo, si no con orgullo sí desde luego sin repugnancia ni casi embellecimientos, eso suponía; y tampoco era probable que la estropease a ojos ajenos, ni siquiera a los exigentes ojos de un hijo, ni que defraudase mi confianza por tanto, a menos que hiciera yo un día algún mal descubrimiento, y dejara de ocultarse algo oculto. (Yo sí estaba en condiciones de defraudar la suya y la de cualquiera, inconvenientes de tener la vida tan sólo a medias; y sin duda habría ya defraudado unas cuantas, la de Luisa y la de mis hijos seguro.)

En lo que respectaba a Wheeler, tal vez él sí tenía más riesgo, por ser un falso anciano y porque tras su venerable y amansado aspecto aún se escondían maquinaciones enérgicas, casi acrobáticas, y tras sus abstraídas divagaciones una mente observadora, analítica, anticipadora, interpretativa; y que sin cesar juzgaba; él parecía dispuesto a intervenir no sólo en su tiempo menguante y a la vez sobrante, a no dejarlo ya más en poder del azar y a dictarle lo más posible sus contenidos finales, sino a tener todavía participación e influencia en algún que otro asunto menor del mundo, aunque fuera sólo por interpuestos amigos, a través de mí o a través de Tupra, o de alguien que no conociéramos ni yo ni Tupra, quién sabía cuántos más se acercaban a visitarlo en su casa junto al río, o simplemente le telefoneaban, o hablaban con la señora Berry como intermediaria, o incluso quizá le escribían cartas. Él me había puesto en contacto con Tupra y con cuanto de éste venía, eso para empezar, aquel habría sido un movimiento espontáneo suyo, una intervención en mi vida y una mano prestada a Bertram, un ofrecimiento en todo caso, nadie más que él podía haberme ofrecido al grupo y al edificio sin nombre a los que ahora pertenecía sin apenas darme cuenta de la pertenencia, algo más me la di aquella noche a su término. Wheeler no renunciaba a tramar, a encauzar, a manipular y a escenificar, y en ese sentido no sólo se exponía aún a tiznarse con el ascua o la brasa, sino a quemarse. No parecía temerlo, como tampoco mi padre, pero cada uno con su temeridad distinta o incluso opuesta: podía ser que Juan Deza se considerase ya pintado y en regla y listo, y Peter Wheeler sin remedio y garabateado en cambio, desde su mismo nombre sustituido y tachado, así lo veía yo con mi percepción imperfecta; habría sido aventurado, excesivo, injusto, decir que el primero se sentía a salvo y el segundo condenado, aunque fuera en el plano narrativo sólo, y no en el moral en modo alguno. No sé, tal vez Wheeler sabía aplicarse a sí mismo su convencimiento de que los individuos llevan sus probabilidades en el interior de sus venas, y de que sólo es cuestión de tiempo, de tentaciones y circunstancias que por fin las conduzcan a su cumplimiento; y conocía bien las suyas, puede que de antemano pero ya también por experiencia; y sabía que él había dispuesto de las tres cosas en abundancia, sobre todo de tiempo: para ser persuasivo y encerrar más peligro y volverse más ruin que sus enemigos, y desarrollar una capacidad de fabulación superior o más mortífera que la de ellos; para aprovecharse de la mayoría de la gente, que es tonta y frívola y crédula y en la que es fácil prender un fósforo que dé lugar a un incendio, y que éste a su vez se propague como la peor de las epidemias; para hacer caer a otros en la odiosa y destructiva desgracia de la que jamás se sale, y así convertir a esos sentenciados en bajas, en no-personas, en talados árboles de los que rebañar leña podrida; tiempo para esparcir brotes de cólera, y de malaria, y peste, y poner muchas veces en marcha el proceso de la negación de todo, de quién eres y de quién has sido, de lo que haces y lo que has hecho, de lo que pretendes y pretendiste, de tus motivos y tus intenciones, de tus profesiones de fe, tus ideas, tus mayores lealtades, tus causas... Le constaba que todo podía ser deformado, torcido, anulado, borrado. Y tenía conciencia de que al final de cualquier vida más o menos larga, por monótona que hubiera sido, y anodina, y gris, y sin vuelcos, siempre habría demasiados recuerdos y demasiadas contradicciones, demasiadas renuncias y omisiones y cambios, mucha marcha atrás, mucho arriar banderas, y también demasiadas deslealtades, o quizá eran todas trapos blancos, rendiciones. 'Y no es fácil ordenar todo eso', había dicho, 'ni siquiera para contárselo a uno mismo. Demasiada acumulación... Mi memoria está tan llena que a veces no lo soporto. Quisiera perderla más, quisiera vaciarla un poco. O no, eso no es cierto... Lo que quisiera es que no se me hubiera llenado tanto.' Y después había añadido lo que yo bien recordaba (desde entonces me volvía como un eco de tarde en tarde, o no tan tarde): 'La vida no es contable, y resulta extraordinario tanto empeño en relatarla... A veces pienso que más valdría abandonar la costumbre y dejar que las cosas sólo pasen. Y luego ya se estén quietas'.

Sí, tal vez Wheeler se habría abstenido de tomar la palabra en el famoso último día: habría desdeñado exponer su caso, y abrumar al cansado juez con sus razones argumentadas y la enumeración de sus hechos notables o con su completa historia desde el nacimiento, y solicitar o esperar justicia o la ultrajante misericordia, de haber él vivido y muerto en los tiempos en que ese día aún tenía vigencia para la mayoría de los humanos. Quizá habría preferido acogerse a *la fórmula Miranda* de los detenidos en América (me fue una vez recitada, imperfectamente), quiero decir crearla *avant la lettre* y claro que sin ese nombre en medio de aquel gran baile, de modo que su beneficio o perjuicio no habrían trascendido a los vivos en ningún caso (no quedaría en realidad ya ningún vivo, en esa jornada, caí en la cuenta, y sería todo *après la lettre*). Puede que Wheeler hubiera guardado silencio y así le hubiera ahorrado a ese juez un trago o dos, media cachimba, dejándole la tarea en cambio de la ordenación y el recuento, al fin y al cabo lo había visto ya todo y lo había oído, a él no hacía falta contarle con inevitables vergüenza y esfuerzo, sería tirar el tiempo aunque allí ya no lo hubiera o sólo ese tiempo absurdo que sí tendría comienzo pero carecería de término. Y de haber sido interrogado, o si el juez lo hubiera instado a defenderse o a alegar algo —'¿Qué tienes que decir a esto, Peter Rylands y Peter Wheeler, de Christchurch en la Nueva Zelanda?'—, ni siquiera habría respondido 'Nada', sino que habría sostenido el silencio, rehuyendo la *careless talk* hasta el último instante, también esa y aun en medio de tanta, porque aquel sería el día supremo de la charla indiscreta y la conversación imprudente, de la locuacidad y la verborrea y las cantadas de plano, el instituido para los reproches y las justificaciones máximas, las acusaciones y los descargos, las excusas, las apelaciones, los mentís furiosos y los testimonios sesgados, para algún perjurio iluso y los múltiples chivatazos ('Oh no, yo no quería, yo fui ajeno', 'A mí que me registren', 'Yo no he sido', 'A mí me obligaron con amenazas', 'A mí me pusieron una pistola en la sien, tuve que hacerlo', 'La culpa fue de él, fue de ella, fue de ellos, fue de todos excepto mía'); el día más indicado para quitarse de encima los infinitos muertos y echárselos a los otros siempre. Sí, quizá Wheeler habría renunciado a participar en ese guirigay del mundo, y a jugar ninguna baza en la descompensada partida: 'Calla, calla y no digas nada, ni siquiera para salvarte. Guarda la lengua, escóndela, trágala aunque te ahogue, como si te la hubiera comido el gato. Calla, y entonces sálvate'.

Eso había hecho Sir Peter Wheeler, callar de entrada, cuando por fin les había preguntado a él y a la señora Berry, durante el almuerzo de aquel domingo o más bien a los postres, poco antes de levantarme para irme yendo hacia la estación y regresar ya a Londres, por la mancha de sangre de su escalera en lo alto.

'Antes de que se me olvide', les había dicho aprovechando una pausa, de las que preludian o acercan las despedidas, 'anoche limpié una mancha de sangre en lo alto de la escalera, al final del primer tramo, cuando subí a mi habitación.' Y señalé hacia los primeros peldaños con el pulgar vuelto. En realidad había sido al bajar con *From Russia with Love* como un tesoro, el ejemplar dedicado a Wheeler por el antiguo Comandante Fleming de la División de Inteligencia Naval ('... *who may know better. Salud!*'), pero eso daba lo mismo y prefería que Peter no me tuviera por chafardero, como dicen en el castellano de Cataluña. 'No sé de qué era, pero no era pequeña, ¿ustedes tienen idea?'

Fue la señora Berry quien contestó, cuanto más rara una pregunta más exige una respuesta inmediata, aunque ésta sólo consista en repetir palabras.

'¿Una mancha de sangre?', dijo, y se le enarcaron por sí solas las cejas, sin aparente orden previa. Y al instante añadió con leve enojo: 'Cómo es posible que yo no la viera, al subir a mi cuarto, si además no era pequeña', y así pareció desviar en seguida el asunto hacia una posible negligencia suya. '¿En lo alto de la escalera, dice usted, Jack? Qué extraño.' Y miró con aversión hacia los peldaños bajos que yo había señalado, como si aún pudiera ser visible aquello de lo que la enteraba —pero también la enteraba de haberlo borrado—, y en el sitio inadecuado. 'Cuánto lo lamento, Jack, que tuviera que molestarse.'

Me fijé en Wheeler, que había abierto los ojos mucho y la boca un poco, un gesto de suficiente sorpresa como para asociarlo a esa expresión, 'quedarse sin habla'. O era más bien una cara de no comprender del todo, como si la ocasional lentitud de sus años estuviera procesando mi pregunta o noticia con desconcierto y aun dificultades; como si estuviera pensando: '¿He oído bien, ha dicho sangre? ¿Le habrá fallado la pronunciación o sí lo ha dicho, mancha de sangre? Aunque sea extranjero a él no suele fallarle, salvo en palabras caprichosas o poco frecuentes que quizá nunca ha oído y sólo ha visto escritas, pero en esos casos es consciente de su inseguridad, y vacila y pregunta antes de soltarlas. Habré sido yo, que me he despistado y no he entendido'. Parecía pensar algo así pero no podía pensarlo, porque la señora Berry había repetido en el acto 'A bloodstain?', y sobre su pronunciación no había dudas.

'No se apure, Mrs Berry, no fue molestia, todavía no tenía sueño', le contesté. 'Sólo que no me explico de dónde pudo salir. Creí que era mía, que me había hecho algún corte inadvertidamente,

pero me palpé entero y no. ¿Así que no tienen idea?',
insistí con la voz algo retraída.

La señora Berry miró a Wheeler con perplejidad, como si con los ojos le preguntara ella también a él, o se me ocurrió que acaso era de consulta, la mirada, o hasta de preocupación por mí, que
aseguraba haber quitado en mitad de la noche una
mancha improbable y rara. Pero Peter seguía callado, muy abiertos sus ojos metálicos o minerales
(como calcedonias a aquella luz del día) y sus labios
aún separados (pero ya no tanto como para decir
boquiabierto).

'No realmente', respondió ella. 'Quizá se
cortó algún invitado que subió al cuarto de baño
del primer piso, vi a varios subir a lo largo de la velada... ¿Dónde fue, exactamente?'

Me puse en pie y ella también ('Se lo ense-
ño'), la conduje hasta la escalera, subí el primer tramo a zancadas y ella conmigo, detrás, sin saltarse
escalones.

'Aquí', dije, y señalé el lugar aproximado.
No podía ser el exacto porque la memoria espacial
es imprecisa si no se ha establecido una referencia
invariable y allí no quedaba rastro, ni siquiera de
mis frotamientos, se veía todo uniforme, liso, había
limpiado a conciencia y con gran esmero, habría
sido yo un buen criado en otra vida, o una cumpli-
dora fregona, no sé si ilustre. 'Ocupaba más o menos esto', añadí, 'pulgada y media, quizá dos, de
diámetro. Y no había reguero, eso es curioso, sólo
la mancha. Como una huella aislada.'

La señora Berry se inclinó para mirar más
de cerca el suelo. Yo ya estaba agachado y daba gol-
pecitos sobre la tarima con los cinco dedos en po-

sición de garra, como si llamara así a la madera, pero nada había que invocar y nada brotaría de ella. 'Lo sabía', pensé fugazmente, 'tenía que haber dejado algo de cerco, no en balde se resistió a borrarse.' Peter había abandonado también la mesa, con más parsimonia, y nos había seguido hasta el pie de la escalera, él no subía. Estaba allí con las manos apoyadas en su bastón como si éste fuera una espada hincada en la tierra en temporal descanso, mirando hacia arriba, mirándonos con esa mirada que a menudo se les pone a los viejos aunque estén acompañados y hablando animadamente, son ojos mates de dilatado iris que alcanzan muy lejos en dirección al pasado, como si en verdad vieran sus dueños físicamente con ellos, quiero decir ver los recuerdos, a veces la tienen hasta los viejos ya ciegos como el poeta Milton en su sueño, y no es una mirada ausente sino concentrada, sólo que en algo a muy larga distancia. Y además Wheeler no estaba hablando.

'¿Tanto? No se ve nada', dijo la señora Berry. En efecto, la madera pulida, brillante, encerada, como si nunca hubiera sufrido. '¿Con qué la limpió, esa mancha?'

'Cogí algodón y alcohol del cuarto de baño de abajo. Lo hice poco a poco, con cuidado. No quería ensuciarle ningún paño, ni que quedara marca.'

'Lo consiguió usted, Jack, desde luego', observó la señora Berry con aprobación y mirando fijamente el vacío suelo, pero me pareció percibir un leve dejo de ironía en la frase. Empezaba a no creerme, era posible. '¿Está seguro de que era sangre, Jack? ¿No pudo ser licor o vino, se le derramó a alguien? ¿O el jugo del *roast beef*, una rodaja resbaló de algún plato? Me temo que Lord Rymer no fue el único titubeante a lo largo de la velada. La carne estaba *très saignante*, y además algunos se sirvieron salsa. ¿No pudo confundir el jugo, la salsa? Eso explicaría que no hubiera reguero, cae un trozo de carne y sólo deja su mancha. No gotea.' Pensé entonces: 'Cree que estaba borracho, y que fueron imaginaciones; aunque es verdad que un filete crudo cae a plomo, plaf; pero no eran filetes, sino rodajas'. Y al instante recordé que ni siquiera podía recuperar los algodones ensangrentados para mostrárselos, los había arrojado al retrete, no a la basura, y había tirado de la cadena, naturalmente; también habría sido raro que me hubiera empeñado hasta el punto de ir a rebuscar en el cubo, mejor que no pudiera hacer eso, me habrían tomado por un insensato, un obsesivo.

'No la probé, si se refiere a eso, Mrs Berry', dije, y debió de haber decepción en mi tono, u orgullo herido. 'Pero conozco la sangre, créame. Sé distinguirla.'

'Bueno, es muy extraño, entonces.' Así respondió la señora Berry, como dando por terminados la inspección y el caso entero; sonó como si me hubiera dicho: 'No insista, Jack, ¿qué más quiere que hagamos? Yo no sé nada y no lo he visto, y tampoco Peter. Y es improbable que a mí se me escape una mancha así, más aún en el camino que conduce a mi cuarto. ¿No lo entiende, lo difícil que es eso?'.

Separé los dedos de la tarima, me incorporé, me volví más hacia Wheeler, lo miré desde la altura. No había pronunciado una sola palabra, pero no me pareció que esta vez se tratara de un nuevo atasco oral como los que había padecido un rato antes en el jardín, tras los raseados del helicóptero, y la noche anterior, cuando nos quedamos solos y el muy necio vocablo 'cojín' no le salía. No me pareció que tuviera una presciencia de nada, su mirada anciana no miraba ahora hacia lo venidero incierto y por lo tanto vacío y liso como la madera, era seguro, sino que en su asombro alcanzaba lejos, más allá de nuestras cabezas en cuya dirección iba su vista pero a las que no enfocaba o no del todo, y los ojos tan abiertos le conferían una contradictoria expresión, casi de niño que descubre o ve algo por vez primera, algo que no lo asusta ni le repele ni tampoco lo atrae, sino que le produce pasmo, o algún saber intuitivo, o bien una especie de encantamiento. Miraba algo que era rugoso, con dibujo o figura a diferencia del suelo, pero no me quedó muy claro que su trazo fuera distinguible y firme ni que perteneciera al pasado. Era como si contemplara el limbo, el envidiable lugar, el único libre de juicios y cómputos en aquel último día, según las antiguas especulaciones, y al que el juez se retiraría a ratos para estar tranquilo y tomarse un respiro de las atrocidades y las perfecciones, de las disculpas estrafalarias y las desmedidas aspiraciones, y quizá algún piscolabis con el que reponer fuerzas y aguante para las sesiones interminables, y aun darle a su divina petaca un chupito, un viaje con el que entonarse, antes de volver a la gran sala de baile para allí seguir oyendo más millones y millones de embrolladas y confusas y miserables y descabelladas historias.

'A usted tampoco se le ocurre nada, Peter.' Ahora le hablé sólo a él, directamente, fue confirmación más que pregunta, pero también, me di cuenta, una tentativa de hacerle expresar algo verbal sobre aquella sangre o no sangre que yo había visto o no visto, algo con su propia voz y no a través de la señora Berry, que se había adueñado de las conjeturas y de las respuestas. En realidad no había nada anómalo en ello, era lo lógico, el mantenimiento de la casa corría a su cargo, como su pulcritud o limpieza y sus desperfectos y manchas. En inglés era la *housekeeper*, literalmente la que conservaba o guardaba la casa.

'No.' La negativa de Wheeler vino en el acto, no es que estuviera ido, o que no prestara atención a lo que se hablaba. Su mirada iba viajando, pero no estaba perdida. 'Es muy extraño, en efecto', repitió, aunque él no le dio a la frase la entonación concluyente de su ama de llaves. *'That's very odd indeed'*, eso fue lo que dijo en su lengua, como si fuera una convención tan sólo, una manera más o menos aceptable y para mí no ofensiva de dejar la cuestión suspendida en el aire, o de enviarla sin más al limbo, donde nada ha lugar ni hay ningún caso, porque de lo de allí no se ocupa nadie. Desclavó su espada, la sostuvo un momento en alto con ambas manos como para asestar un mandoble, y a continuación dio media vuelta para regresar a la mesa y acabar el postre. Para mí fue la señal de que ahí debía pararme, abandonar, resignarme. Descendí el tramo de la escalera, dejé pasar a la señora Berry, fuimos tras él, sólo añadí una cosa más al respecto:

'Tuve que utilizar mucho algodón, para sacar la mancha. No les quedará ya demasiado, convendrá que lo repongan pronto. Y con el alcohol lo mismo.' Eso les dije. Me pareció justo advertirles. Y no fueran a creer que hasta eso eran figuraciones, o que también me lo había inventado.

Ahora veía otra posibilidad, se me ocurría otra ahora, al salir del lavabo de damas o más bien fue luego, esa misma noche pero horas más tarde, cuando trataba de conciliar el sueño y no acababa de conseguirlo, a lo sumo una duermevela pensante durante la que estuve pensando cuanto se me había alumbrado y yo había aplazado en el curso de los sucesos. Debió de ser más entonces, porque llevaba prisa y la vista aguzada hacia lo exterior tan sólo cuando salí del lavabo, donde sin embargo me surgió la ocurrencia sin duda, esa idea nunca habría cruzado la cabeza de Wheeler ni la de la señora Berry, de hecho no pasó por la mía hasta aquel momento, tras haber visto sentada en la tabla a la mujer de los abundantes muslos, no, eso hace concebir gordura y no la había, cómo decir, era imponencia, era formidabilidad, era presencia. Era llamada. 'Una mujer no lleva bragas', pensé; 'aunque sí lleve medias, pueden ser de esas que se venden ahora, que llegan hasta la mitad del muslo como las de antes y se sujetan con un elástico que hace las veces y la imitación sin gracia de las antiguas ligas, usaba de esas aquella inminente heredera consorte que se quedó una noche a desayunar en casa y cuyo teléfono móvil parecía una obsesión o un objetivo bélico para su aún premarido pero ya postcornudo, o al menos las usó esa vez única en que la vi quitárselas o se las quité yo mismo, de la vicisitud ya mal me acuerdo.' Rememoré y pensé eso echado en la cama, poco interesado en rememorarlo, fue del todo involuntario. 'Una mujer no lleva bragas en la cena fría de Wheeler, algunas tienen a gala prescindir de esa prenda para sentirse muy drásticas y radicales, o lo hacen ocasional y provocativamente para arriesgarse a ser vistas si visten falda mediana o corta y va a haber muchos testigos (una reunión, un banquete, un estreno, una clase si son estudiantes, y el profesor varón siempre está enfrente), o para incordiar a un marido al que de camino a la fiesta informan del detalle íntimo y que se inquieta por ello, o para que brote un deseo fugaz y primario donde no lo había ni quizá iba a haberlo —una vislumbre, un relámpago— y así pueda luego hacerse persistente y elaborado —una condensación, un crecimiento—, no pocas aprendieron esto de aquella película célebre con la actriz Sharon Stone y el cara de bruja hijo de Douglas.

Esa mujer sube al cuarto de baño del primer piso, está ocupado el de abajo, o acaso sube en busca de una habitación vacía en la que ya espera alguien o a la que acudirá ese alguien al cabo de un minuto o no llega, un encuentro acordado pero afanoso y rápido, lo que se llama gráfica y vulgarmente en mi lengua un mete y saca y en inglés un *quicky* (en verdad muy vulgarmente: no importa, el pensamiento es más vulgar que el habla, o lo es en los que tendemos a evitar la vulgaridad verbal para que así tenga sentido cuando incurramos en ella), en esos lances viene de perlas la ausencia previa de bragas, aunque tampoco sean éstas un impedimento, basta apartarlas con un par de dedos y con delicadeza —cuidado con pellizcar nada—, a la altura apropiada. Sube esa mujer con falda, suenan sus tacones altos sobre la tarima o no suenan sobre la parte alfombrada, y tiene la mala suerte —o es peor para el anfitrión, según se mire, o para un invitado con mejor ojo que el resto— de que justo entonces, al llegar arriba y detenerse un instante buscando con la mirada la puerta adecuada o la convenida, le hace acto de aparición la regla —sin duda ya presentida, pero no tanto o no lo bastante— en forma de gota que cae al suelo al no haber tela ninguna para frenarla; pero la cosa es aún incipiente y es sólo una gota, la primera, una sola, no ha lugar a reguero porque no es un flujo y no continúa inmediatamente, y así ella puede no darse cuenta del advenimiento hasta un poco después, cuando ya ha entrado en el cuarto de baño y puede ponerle provisional remedio o cuando el hombre que la esperaba nota esa humedad distinta o más cálida y ya se ha manchado, la mancha sobre la madera queda allí inadvertida y por eso no se limpia hasta bien entrada la noche, cuando yo subo a buscar un libro y al bajar ya con él la descubro, la veo, y pienso que no debo dejarla ahí una vez que sé que existe: me toca a mí, toca quitarla o si no podría resbalarse Wheeler con ella por la mañana —aunque para entonces se habrá secado—, y a su edad no podemos permitir que se caiga, más vale ahorrarle cualquier riesgo y salvarlo.'

Mi antiguo compañero Comendador había pensado en la posibilidad menstruosa con más rapidez que yo, pero él tenía una joven delante cuando vio la sangre, y también observó gotas rojas minúsculas en su camiseta y otra más grande en su sábana, lo tuvo más fácil para ocurrírsele, y además nunca sabríamos, él seguro y yo muy probablemente, si esa era la explicación acertada para nuestras respectivas manchas, sí lo sería para las de la mujer del gabinete —baldosa y zapato blanco— que se había conducido con tanto cuajo. Pero quién sabía.

De pronto me encontré haciendo memoria de qué mujeres llevaban falda en la cena de Wheeler (fue también medio involuntario, o quizá es que cualquier recuento atrae siempre al parcial sueño): desde luego Beryl y muy llamativa, que además bien podía haber prescindido de la prenda íntima a tenor de la avidez con que De la Garza trataba de poner la vista, sentándose en un *pouf* muy bajo, a ras o casi de sus patas largas (muslos como toboganes por los que deslizarse, había dicho el muy loco); y también le pegaba haber querido incomodar a Tupra con ese rasgo de descaro (no se lo habría comunicado hasta ya cerca de Oxford, en el automóvil), o haber pretendido reseducirlo, pese a su desdén aparente, de un modo elemental y tosco, sin rozarse apenas y a relativa distancia, sin esfuerzo personal, psicológico, sentimental, biográfico, nada más que animalesco, que viene a ser sin esfuerzo alguno. Llevaba falda la señora Fahy, esposa del historiador irlandés soporífero Profesor Fahy, así como la alcaldesa laborista y aciaga (por matrimonio) de las desdichadas poblaciones de Eynsham o Ewelme o Bruern o Rycote, o quizá de aquella con peor fama en el Oxfordshire desde la lejana época del poeta Marlowe, Hog's Norton; pero ambas damas habían sobrepasado con creces el tiempo concedido a los regulares advenimientos, al igual que la propia señora Berry, que era claramente más joven que Wheeler pero no tanto como cuatro decenios ni siquiera tres ni dos y medio, de hecho me dio instantánea vergüenza pensar en ella o en ellas (sobre todo en ella, la conocía y la respetaba desde hacía siglos, aún al servicio de Toby Rylands) en semejante circunstancia a sus años, quiero decir en sociedad y sin bragas, la idea me suscitó gran rechazo, más que nada por irreverente, y un poco de compasión hipotética, me afeé mis cavilaciones. En cuanto a la Deana de York que había provocado delirios zafios en De la Garza ('Joder joder, esta tía está pistonuda', había dicho el anormal completo), resultaba aventurado pronunciarse sobre el actual influjo de la luna en su cuerpo, la viudez difumina la edad y engaña bastante, hace mayores a las muy jóvenes y rejuvenece a las ya talludas; asimismo vestía falda, y yo habría dicho que anticuadas enaguas y aún más anticuada faja, y por tanto no creía que la inaccesible *dowager* de un clérigo renunciase nunca a ropas más fundamentales (quizá ni siquiera en su cama a solas, no digamos en casa ajena y en compañía nutrida). Alguna había con pantalones, pero esa no fue Harriet Buckley, la Doctora en Medicina recién divorciada y que según Tupra podía estar más dispuesta aquella noche a hacer averiguaciones sobre el terreno que Beryl y que la señora Wadman (este nombre sólo supuesto); yo no había estado atento ni había hablado con ella más allá de las presentaciones, pero no le faltaba a esa Doctora cierto atractivo básico, y en realidad fue un milagro que no hiciera estallar su falda, no por gorda ella sino por estrecha y ceñida y ajustada la falda (en verdad se necesitan estas redundancias para dar idea de cuánto), y en toda la cena no se quitó unas gafas que le conferían un aire distraídamente vicioso, como de secretaria pimpante en una comedia norteamericana de los años cincuenta (luego secretaria fantaseada); la Doctora desbragada me pareció una idea aceptable o al menos no me causó dentera ni muy mala conciencia (sólo una pizca), como tampoco Beryl a pelo ni una jovencita que pululó por allí aburrida a lo largo de la velada y que nunca supe quién era, seguramente la hija estudiante de alguno de los convidados, podía serlo de la propia Buckley: en todo caso me la había figurado caprichosa y atrevida de lejos, y le había notado en la boca un aviso de indecencia (incisivos separados; labios que jamás lograban estar del todo cerrados ni ocultar, en consecuencia, aquellos dientes procaces); no creí que fuera abusivo imaginarla aligerada, quiero decir bajo la falda.

Una de las tres habría subido al primer piso en un momento desafortunado, habría perdido o soltado su gota sin percatarse de ello, lo mismo que la centroamericana que me había contestado 'Gracias', eso indicaba que la de su zapato no la había descubierto antes de que yo se la señalara. Era improbable, sin embargo, una conjunción de esos factores durante la fiesta de Wheeler, y ni siquiera sabía si algo como la desprevención y la consiguiente mancha en el suelo era técnicamente posible (técnica o fisiológicamente, por decirlo de algún modo). Me di cuenta de que en Londres no contaba con ninguna amiga ni amante estable a quien preguntarle al respecto, nadie con quien tuviera suficiente confianza, en Madrid sí, en mi vida normal le habría consultado a Luisa en primer lugar, también estaba mi hermana, y viejas amigas y antiguas novias, *old flames* como Beryl de Tupra o lo era Tupra de Beryl, ella más indiferente a su pasado. 'Mi vida

normal': no acababa de hacerme a la idea de que ya
no lo era, había sido expulsado de ella o mi tumba
estaba allí bien hundida, cavada hasta lo más hondo; aún conservaba la sensación engañosa de que
aquel otro país era un paréntesis, de que aquella segunda estancia inglesa era vida no vivida del todo,
esa que no cuenta mucho y de la que apenas si se
responde, o sólo al celebrarse el gran baile cada vez
más inverosímil —seguramente hoy abolido, can-
celado hasta nuevo aviso o más bien nueva creencia—, del tiempo que ya no es tiempo o está helado
y sin transcurso. ('Cuán largo me lo fiáis', excla-
mábamos los españoles irónicos ante perspectivas
tales, parafraseando a Don Juan en el verso de un
contemporáneo de Marlowe; ahora se dice menos
pero todavía es posible oírlo, cuando el tiempo no
es temible y parece que no llegará lo anunciado, de
tan lejos.) Quizá aquel periodo mío resultara provisional a la postre, pero nada es nunca provisional
ni es periodo mientras no concluye y se cierra, y
mientras eso no ocurre el paréntesis se convierte en
la frase principal, dominante, y al leer uno se olvida
hasta de que se abrió su signo.

Dos días después llamé a Luisa pese a lo extemporáneo de la consulta, y aun lo extravagante.
Con una hermana da más apuro referirse a estos
asuntos: aunque ellas sean la primera novia, lo son
cuando aún no hay sangre, esposa niña solamente.
Llamé a Luisa y la encontré en casa, no hubo lugar
a mi nerviosismo; sonó un poco sorprendida (no
era jueves ni domingo), pero no incomodada. Me
interesé por los niños rutinariamente, por su salud
y la de ella, y en seguida me justifiqué: 'Te llamo
para hacerte una consulta', dije. 'Dime', contestó

bien dispuesta. Así que le pregunté, tras un preámbulo y dos disculpas, si era posible que a una mujer sin ropa interior inferior, a la que pillara desprevenida la regla, le cayera una gota de sangre al suelo, estando de pie o caminando ('Sí, no sé, o subiendo una escalera', rematé sin necesidad, para completar el absurdo cuadro). Hubo un breve silencio durante el cual temí que me colgara sin más o me sugiriera buscar mi juicio en paradero desconocido, pero lo que vino luego fue una carcajada amigable, conocía bien esa risa, la divertida, la bienhumorada, la inevitable en ella cuando algo le hacía verdadera gracia. En ese momento vi con claridad su cara, y qué simpática era esa cara (la vi con los ojos de la mente, allí en Londres, o bien con los de la memoria, a través de mi ventana).

'Pero qué pregunta es esa', dijo aún entre risas. '¿Estás escribiendo una novela o qué, un anuncio de compresas? ¿O es que ahora te tratas con descuidadas? Espero que no, porque habría que serlo bastante, para que le pasara a uno eso que dices.' Y se oía su jovial sonido.

Me dio tiempo a pensar que, si estaba contenta, tal vez era por oír mi voz fuera de horarios, o porque ya se le delineaba del todo la figura que me sustituiría —el adulador piadoso que se desliza dentro, el irresponsable juerguista que se queda fuera, el suspicaz dominante que la acaba encerrando; yo prefería al segundo, hipotéticamente, pese a su cabeza a pájaros; pero no iba a requerirse mi opinión, eso seguro—. Nunca le preguntaba al respecto, como tampoco me interrogaba ella a mí por mis andanzas, sólo una vez me había dicho: 'Espero que no estés muy solo, ahí en Londres', y eso no era una pregunta, exactamente. 'Nada más que lo esperable', había contestado yo en seguida, sin decir ni sí ni no, y en todo caso desdramatizando. Y me dio tiempo a pensar que si hablaba así de 'descuidadas', podía significar que tenía curiosidad por saber si me trataba con mujeres en situaciones tan íntimas como para que anduvieran en mi presencia sin bragas (claro que eso era posible siempre con mi total ignorancia del escamoteo). Y eso podía significar a su vez que el hecho no le era indiferente y que acaso le escociera un poco, o bien que le diera lo mismo y por eso me las mencionara de modo tan desenfadado, tal vez incitándome a frecuentarlas, o a reclutarlas y que no faltaran. Ya no tenía la menor idea de cómo me consideraba ahora, si sentía por mí mero afecto apaciguado o aún le cabían borrascas, de qué lugar me adjudicaba, si seguía esperando a que se disipara mi olor del todo y me convirtiera en fantasma (en uno bien avenido, o de los que no se malquistan ni abusan y conceden espaciar sus rondas) o si ya estaba completo el proceso y mis sábanas rasgadas para hacer tiras o paños. En realidad casi nunca sabemos nada de lo que nos atañe directamente, por mucho que interpretemos y conjeturemos y yo lo hacía sin pausa, quizá estaba malgastando mis días en el edificio sin nombre, creía contribuir allí en algo y sin querer estafaba: quizá trabajaba en vacuo. Y además, luego, en resumen, había tenido miedo, miedo de Tupra y miedo a fallarle, y desconfianza de mí mismo, también eso (lo había descubierto todo sólo un par de noches antes, la noche de los Manoia). Me pagaban por hacer apuestas sobre el comportamiento futuro de las personas y sus probabilidades, y ni siquiera veía el rostro —el de hoy, el de mañana; sólo veía el de ayer, con ojo mental y tuerto— de quien mejor conocía, había vivido bastantes años con Luisa y en mis hijos disponía de más datos complementarios, ella se prolongaba en ellos y los hijos son transparentes mientras aún son los niños nuestros, después se acorazan o huyen o se envuelven en sus nieblas. Ahora ignoraba hasta cuál sería su peinado, el de Luisa (y tanto dice de las mujeres cómo llevan o se recortan el pelo), y ni a mí mismo me veía; pero esto último importaba menos, pues a fin de cuentas era cierto lo que apuntaba aquel texto relativo a mi nombre que había leído medio a escondidas en el fichero: eso nunca me había interesado ni preocupado nada. Un enigma poco digno, una pérdida de tiempo.

No pude evitar unirme a su risa, ni lo quise, sino al contrario: la había echado de menos y aproveché la ocasión, ella me la había retirado hacía mucho, pero antiguamente nos la contagiábamos, o ni siquiera eso, solía brotarnos casi al tiempo, la suya conmigo pertenecía a las que no se fuerzan ni van precedidas de una decisión ni un cálculo, también la mía con ella, aunque esta vez fui con retraso, estaba desacostumbrado y no había sabido ver de antemano, por mi cuenta, el lado cómico de mi consulta, supongo que andaba demasiado metido en mí mismo, en particular aquellos días que siguieron a la noche del miedo nuevo y la no tan nueva desconfianza; pero a ella le había hecho gracia inmediata o casi, tras unos segundos de estupefacción, de no dar crédito a mi llamada para hacer esa pregunta (*'Che vanto ridere insieme'*, solía exclamar una vieja y no efímera llama de Italia, de mi pasado ya remoto, a ella debía en gran parte mi conocimiento del italiano. No sé cómo se diría eso en mi lengua: 'Qué gloria reírnos juntos', o quizá 'Qué alarde').

'Serás boba', le dije, 'mira que eres boba', y mientras lo decía reímos juntos, y sentí algo parecido a un *vanto*. 'Pues no, todavía no me he idiotizado tanto como para dedicarme a la publicidad o ponerme a escribir novelas como todo el mundo. Aunque en fin, todo podría andarse, yo ya no descarto ninguna mamarrachada en la vida. Pero qué boba eres, pasan los años y es increíble lo boba que sigues siendo.'

'Ah, pues ya me dirás a qué viene esa pregunta tan natural, tan normal. Bueno, a mí me la hacen mis colegas a diario.' Y aún seguía o seguíamos riendo con gusto, nada como la leve tomadura de pelo mutua, la que jamás ofende sino que da contento, para demostrarse el afecto, quiero decir el preliminar cuando estábamos juntos y al cabo de tres frases o cuatro podíamos tocarnos, besarnos, o abrazarnos tumbados y muy despiertos. Pero ahora no habríamos querido, de habernos visto con los ojos físicos. 'Qué pasa, ¿alguien te ha puesto el suelo perdido? No me lo creo.'

Paré yo de reír por fin, un momento.

'No, no es mi suelo. Fue el de Wheeler. Pero sería largo de contar ahora. Dime, ¿es posible o no, que pase eso?'

'¿El de Peter? ¿A sus años? Voy a tener que regañarlo. Yo comprendo todas las tentaciones, pero no creo que le convenga nada de eso. ¿Cómo es que no se lo impide la señora Berry, cómo es que no ahuyenta a esas sucias?' Y aún soltó otra carcajada, sin duda tenía alegre el ánimo. Eso me gustaba y no me gustaba, podía ser por mí o por algún otro individuo que quizá acababa de irse, o estaba a punto de llegar, o estaba ella a punto de salir a encontrarlo, o estaba él ya allí en mi casa, oyendo la conversación y aguardando a que terminara impaciente, oyendo sólo su parte, no la mía pero sí la de Luisa. No lo creía, esto último, ella sonaba como si no hubiera testigos y nada la condicionara ni la amenazara. Pero quién sabía, no se sabe nunca, podía tratarse de un extranjero que no entendiera la lengua, uno habla como si no hubiera testigos cuando está seguro de que no le entienden, o incluso lo hace a propósito para enamorar o atraer o eso espera engreído, para mostrarse tal cual es supuestamente, para que el contemplador admire cómo es uno con los demás, cuán simpático y risueño, hay una pizca de fingimiento y otra de exhibicionismo en ello, yo lo he hecho, en épocas de debilidad desde luego, me empezaba a parecer esta una de ellas. Y aquella no era mi casa. Estos pensamientos embrionarios hicieron amainar mi risa y me permitieron insistir, no en tono serio pero sí de premura:

'Bien, los pondré sobre aviso a ambos, de que vas a reñirlos y se la cargarán contigo. Pero dime, ¿eso es posible, lo de la gota de sangre, lo de la mancha?'

Ella me conocía bien, seguramente era a quien mejor conocía, comprendió que ya tocaba responder a la estrafalaria consulta o bien dejarla caer, perderse, eso era fácil, nuestra confianza no era la de antaño y no me debía nada, ni siquiera respuestas de cortesía. Al menos yo no la sentía a ella en deuda, y en esto es el sentimiento lo que importa y manda (sentirse acreedor, deudor), mucho más que los hechos y los dineros, o que los favores y daños.

'Sí, podría ocurrir. Pero sería escasa cantidad, supongo, una gota pequeña; habría de ser muy incipiente la cosa, para pillar a la mujer desprevenida.'

';De un par de pulgadas, o una y media, algo así? La mancha. ¿Podría ser?'

Eso le provocó de nuevo un poco de risa. Aunque ya no era como la de antes, como la común; era un resto, con menos brío.

';Pulgadas?', dijo divertida. ';Cómo pulgadas? Te recuerdo que aquí no tenemos de eso, ni lo entendemos, eh, no exageres la anglificación. Y además qué, ¿cogiste la cinta métrica? ¿O fue a ojo? Todo esto qué es, ¿te has hecho detective, has entrado en Scotland Yard? Pero qué te ha dado.' Ahora su voz denotó extrañeza. En España nadie se acuerda de que el nombre es New Scotland Yard, desde hace tiempo.

'Perdona, quería decir centímetros, cuatro o cinco. De diámetro. Uno se acostumbra aquí, a estas medidas inglesas.'

'Ya ya. Pues no lo sé, Jaime. Yo no suelo ir con cinta métrica, y además, a mí nunca me ha pasado algo así. Sigo siendo precavida y sigo llevando ropa interior inferior, como la has llamado. Eso no te lo había oído antes, por cierto: muy logrado.' Y aún le salió un amago de risa sincera. Fue sólo un amago, como si la expresión le hubiera hecho gracia de veras, pero le diera ya pereza celebrármela.

';Y podría la mujer no darse cuenta?'

'Sí, podría. Aunque no tardaría mucho en dársela, si es alguien normal y no está ida, claro. O borracha, o algo. Pero inicialmente sí podría no darse cuenta, supongo. Dime de qué va todo esto, anda, si no es de anuncios de compresas ni de una novela. Empiezas a darme grima.'

'Y entonces dejaría sin limpiar la mancha, ¿no?', pregunté. 'Si ella no la ve, ahí se queda.' Y aquí afirmé.

La risa se había deshecho, sustraído, acabado. Yo había hecho una pregunta de más, tal vez dos pero sobre todo una, lo había sabido antes de hacerla, esa última. Pero cuesta mucho no intentar cerciorarse de la posibilidad de algo, y más cuesta cuanto más remota.

'No sé, tú sabrás de quién me hablas. Muy descuidada. Pero ahora en serio, ¿a qué viene esto, qué ha pasado?' No hubo enfado en su tono, ni creo que tampoco celos, no soy tan ingenuo. Pero sí leve aspereza, quizá se había cansado del juego al que no jugaba.

'Espera, que todavía he de hacerte otra consulta, a lo mejor estás más enterada que yo de estas cosas, que no tengo ni idea. ¿Tú has oído hablar de un producto de belleza, un injerto artificial o no sé, dicen que es una inyección, eso cuesta creerlo, lo llaman *bottox*?'

Quería averiguarlo aunque fuera algo anecdótico, pero es que así además evité contestarle, al final ella había preguntado un poco en serio ('Ahora en serio', había dicho, y lo parecía) y yo no iba a contarle, no sólo porque fuera largo y cosa mía, sino porque el relato le resultaría decepcionante y sobre todo ya no estaría intrigada, tras conocerlo. La había notado algo intrigada. No tanto como preocupada, eso habría sido aún mejor, para volver yo a su mente de vez en cuando, durante unos días. Sí, se le habían despertado la curiosidad y la impaciencia, yo no la había llamado con esa intención pero me había encontrado con ello. Y sí, de pronto había querido participar de mis cosas, como en los viejos tiempos. Había sido breve, sólo un minuto (ah, siempre hay más por venir, siempre queda, un minuto, la lanza, un segundo, la fiebre, y otro segundo, el sueño, y un poco más, para el baile —la lanza, la fiebre, mi dolor y la palabra, el sueño, y todavía un poco más, para el último baile—), había deseado compartir mis pesquisas o mis andanzas sin ni siquiera saber cuáles eran, como antiguamente. Pobre de mí o del que era entonces, lo sentí como un triunfo aunque fuera tan breve. O más bien como una gloria, un regalo, un alarde, un *vanto*. Lo que era seguro es que ella volvería a mi mente durante unos días, tras aquella charla, y no de vez en cuando sino todo el rato. Pero yo no podía regresar a casa ni pensar en ello, luego serían pocos esos días, por necesidad y por suerte. Durarían hasta que se extraviara otra vez lo que se me volvió a hacer presente, que Luisa aún no iba a decirme: 'Ven, ven, estaba tan equivocada antes. Ocupa de nuevo este lugar a mi lado, aquí tienes tu almohada que ya está sin huella, no había sabido verte. Ven. Ven conmigo. Aquí no hay nadie, regresa, ya se fue mi fantasma, puedes ocupar su sitio y ahuyentar su carne. Se ha convertido en nada y su tiempo no avanza. Lo que fue ya no ha sido. Así que entonces, supongo, quédate aquí para siempre'. Sí, también pasaría esa noche, y ella aún no lo habría dicho.

Fue a De la Garza a quien le oí la palabra *bottox* mientras esperábamos a Tupra en el amplio cuarto de baño de los discapacitados, al que éste me ordenó volver con el agregado, llevármelo allí y aguardar su venida, en cuanto él hubiera restituido la señora al marido, llevarme a Rafita a aquel espacio vacío y allí retenerlo o entretenerlo hasta que Tupra se nos uniera, prefería ser él quien se encargase ahora, estaba claro, debió de juzgarme atontado y lento y nada práctico en las emergencias, quizá también con escaso arrojo. Yo no había empleado, creo, más de cinco minutos en entrar y salir de los tres lavabos uno tras otro, pero sin duda le parecieron más de la cuenta a quien tenía por norma ser intransigente con las contrariedades.

Una vez fuera del de las damas me acerqué a la pista de baile más frenética y concurrida y entonces vi venir a Tupra o a Reresby en mi dirección desde su mesa, abriéndose paso con agilidad entre los noctámbulos —sabía ser escurridizo y así no pringarse con sus perfumados sudores—, habría dejado solo a Manoia y no le habría gustado tener que hacerlo y que interrumpir por tanto sus persuasiones o sus propuestas, llevaba la mirada alerta, tanto como yo la mía, al avistarnos simultáneamente percibí en la suya un chispazo de reconvención e incomprensión mezcladas ('Cómo es que no te los traes ya contigo, aún no has dado con ellos, te he pedido que aligeraras', me dijo con sus pupilas casi tan pálidas como sus iris a veces, o fue con sus pestañas tan lustrosas y densas que se tornaban lo predominante cuando le daba menos luz que sombra); pero no había tiempo para espaciarse en eso, de modo que al instante aunamos ojos para ser cuatro buscando, y fueron los suyos los primeros en divisarlos, me los señaló con un dedo irritado, a Flavia y a De la Garza, como quien alza el cañón de un arma.

Estaban en medio de la pista rápida bailando muy locamente, pidiendo sendos exorcistas y espantando a alguna gente que sin duda los veía como elementos extraños (a ella por edad, a él por peligro), aquel baile no admitía el agarrado clásico ni tampoco el aproximado, así que De la Garza no estaba sometido al tormento de los conos enhiestos o picahielos horizontales que ya habíamos probado ambos, sino que de hecho era él —y eso fue lo que nos provocó gran alarma y nos impelió a intervenir sin más dilación ni contemplaciones— quien ahora azotaba a la señora Manoia, casi literalmente o sin casi, y lo más sorprendente era que ella no parecía dolerse de los zurriagazos involuntarios —eso creí, no sé si Tupra— que aquel capullo mayúsculo le propinaba en su danza, hacía falta ser un capullo de nivel máximo para ponerse a bailar de aquella forma salvaje, a poca distancia, dando vueltas a lo Travolta, ofreciéndole a su pareja tanta nuca como cara, sin haber previsto que la redecilla vacía, sin coleta ni melena llenándola ni peso alguno para contenerla o frenarla, con tanto movimiento veloz y brusco podía convertirse en un látigo, una correa, una tralla descontrolada; de haberle puesto en la punta algún adorno metálico, habría sido directamente como las boleadoras de un gaucho o el knut de un cruel cosaco, por suerte no la había rematado con herretes ni bolitas ni cascabeles ni púas ni nada, eso habría hecho picadillo a Flavia; aun así me estremecí, porque semejante ocurrencia habría cabido de sobra en su despoblado cerebro, y habría sido muy propia de un chorras de su calibre: disfrazado de rapero negro y de torero napoleónico, de pintor majo Meléndez en su autorretrato del Louvre y de adivinadora zíngara con su aro preceptivo tintineando y bailándole (todo a la vez, un ser confuso). 'Es que le daría de tortas y no acabaría', ese fue mi pensamiento único, breve y simple, de aquel instante. Cada vez que giraba, su redecilla maldita fustigaba lo que de Flavia quedara a su altura y a su alcance, por fortuna las más de las veces el flagelo le pasaba a ella por encima del pelo o quizá eran postizos varios, al ser De la Garza más alto; pero aún nos dio tiempo a ver cómo en un par de ocasiones, al agacharse el agregado un poco en sus febriles remolineos, la redecilla le cruzaba el rostro a la señora Manoia, de oreja a oreja. Sólo la visión ya escocía, por eso era tan incomprensible que ella no pareciera enterarse, por muchas capas de maquillaje que le pudieran amortiguar los trallazos: me recordó fugazmente a esos boxeadores con enorme capacidad de encaje, esos que ni pestañean al recibir la primera tunda —una verdadera lluvia de golpes—, aunque todo suele ser cuestión de que les castiguen —y por fin les abran— un pómulo o una ceja.

No esperamos a que terminase la fiera pieza de música. Invadimos la pista en seguida y, agarrándolos por los hombros con firmeza y tiento (Tupra se fue por Flavia y yo me fui por el capullo, no hizo falta que lo habláramos), los paramos a los dos en seco. Vimos sus caras de gran desconcierto, y también vimos —al estar ya encima de ellos— que la señora Manoia llevaba en la mejilla una marca, una erosión de la soga, un arañazo del látigo, no le había brotado sangre pero resultaba apreciable, como si fuese una raspadura, me recordó a la huella que les queda largo tiempo en el cuello a los ahorcados de los *westerns* (a los ahorcados frustrados; y bueno, tampoco tanto, lo de ella se iría pronto), no iba a gustarle eso a Manoia cuando lo descubriera, vi en una mueca de Tupra que él estaba pensando lo mismo y oí el chasquido de su lengua, ella ni se había dado cuenta, sería por la exaltación de la danza, no acababa de explicármelo.

—La acompaño al lavabo, a ver si eso tiene remedio o puede disimularse —me dijo señalando la marca. Y a ella, inmediatamente—: Te has hecho un poco de daño en la cara, Flavia. —Y se pasó el dedo por su propia mejilla—. Vamos al cuarto de baño, yo te espero fuera. Lávate ese rasguño, anda, y quizá puedas maquillártelo, ¿sí? Se va a preocupar Arturo, si no. Te quiere ya allí, que vuelvas. ¿Duele? —Ella se llevó la mano a la cara y negó con la cabeza, estaba como pensativa o era sólo aturdida. Y a continuación Tupra se dirigió a mí de nuevo para darme esta orden, hablaba rápido pero con calma—: A él llévatelo al de los tullidos y esperadme allí los dos, no tardaré mucho. A ver si adecentamos esa herida un poco, no parece que haya corte, y se la devuelvo al marido un momento. Retén a este mamón mientras tanto, serán cinco minutos, no más, pon siete. Retenlo allí hasta que yo llegue. A este tarado hay que neutralizarlo, hay que anularlo.

Lo llamó primero *'cunt'* y luego *'moron'*, la primera palabra la conocía por entonces sólo en su sentido de 'coño', el sexo femenino nombrado a lo bruto o sólo con el pensamiento, la otra acepción la inferí aquella noche y la confirmé más tarde en el diccionario, uno de *slang* desde luego. No era muy distinto de lo que lo llamaba yo mentalmente, 'capullo', y es probable que *'cunt'* tenga un valor parecido a eso y que 'mamón' sea más inexacto, no sé si más agresivo. Pero no es lo mismo lo que piensa uno y hasta lo que dice, que lo que oye proferir a otros; el insulto que uno piensa y aun lanza, sabe en qué medida va en serio y que ésta no suele ser grande, conoce la función de desahogo que cumple, y las más de las veces no se preocupa ni le da importancia porque es consciente de que tiene poca; controla uno a voluntad la vehemencia, que en términos generales puede ser bastante artificial si es que no falsa: una exageración retórica, una representación ante uno mismo o ante los demás, una especie de bravata. En cambio el insulto vertido ajeno resulta siempre inquietante, tanto si nos va dirigido como si se dedica a terceros, porque es difícil calibrar con qué verdadero fondo se corresponde —fondo de la persona que injuria—, con qué cólera o qué inquina, con cuánta posibilidad real de violencia. Por eso no me hizo gracia oírle a Tupra esos vocablos, y también, es seguro, porque en él me eran inauditos y no nos gusta descubrir en otros incluso lo que nosotros tenemos o son nuestras potencialidades más feas, lo que en nosotros parece aceptable (qué remedio), queremos creer que hay hombres y mujeres mejores, querríamos que los hubiera sin tacha y que además fueran amigos, o al menos tenerlos cerca y nunca enfrente, nunca en contra. Claro que tampoco es frecuente que de mi boca salga 'capullo', sin ir a buscar más ejemplos, y sin embargo lo había pensado esa noche un montón de veces, al igual que durante la cena de Wheeler y después, con él a solas. Pero no lo había dicho, creía, no en su presencia, pues tampoco es lo mismo pensar algo y guardárselo, pensarlo con fuerza y callarlo, que soltarlo ante testigos o soltárselo al destinatario, aunque sólo sea porque uno permite entonces que se le atribuyan las pronunciadas palabras, y que sean ya para siempre tenidas como propias de uno o verosímiles en sus labios ('Yo te he oído, lo dijiste, aquel día recurriste a esos términos'). Y eso ya es dar muchos datos, destapar demasiadas cartas.

Vi la orden tan irrealizable que se lo pregunté a Tupra a las claras:

—¿Cómo que me lo lleve allí? ¿Con qué pretexto? ¿Y para qué, qué quieres?

—Dile que vas a mamársela. —Se había impacientado Reresby, pero fue un segundo: mi mirada de extrañeza tuvo que ser tan intensa (traslucería el mosqueo, indisimulable, inmediato) que debió de parecerle de intolerancia, o incluso de soñada amenaza. Así que añadió al instante, ahogando su anterior frase grosera (quizá era sólo Reresby el malhablado, no Tupra ni Ure ni Dundas, y acaso cada noche era quien era, a todos los efectos y consecuencias)—: Dile que si quiere una raya, superior, de primera. Seguro que me espera allí con la nariz hecha agua. Seguro que no objeta nada.

—¿Cómo sabes? —le pregunté. Luego pensé que con Tupra era una pregunta ociosa, o de redundante respuesta. Él se dedicaba principalmente a saber, o esa era mi idea, y además de antemano, a conocer rostros futuros; y a diferencia de lo que ocurría conmigo y con Mulryan y Rendel, tal vez con Jane Treves y Branshaw ocasionalmente (con Pérez Nuix era más dudoso), a él no hacía falta guiarlo ni indicarle la senda de cada saber pertinente. Era él quien nos conducía, quien decidía qué aspectos de las personas nos interesaban o concernían y nos interrogaba sobre el campo acotado, por ejemplo si el cantante Dick Dearlove era capaz de matar y en qué circunstancias, o si un hombre anónimo tenía intenciones de devolver un crédito, tantas cosas distintas y tantas veces. Nunca me había preguntado si yo creía que De la Garza podía darle a la coca o al pegamento o al opio, de hecho no tenía recuerdo de que nunca hubiera preguntado por él, nada. Así que sólo ahora, por tanto, me paré a pensarlo. Bien mirado, no era improbable que le diera a todo: demasiado ansioso, demasiado ufano y atolondrado, y también muy excitable.

—Tú díselo y verás —me contestó Tupra mientras le ofrecía delicadamente su brazo a la señora Manoia y arrancaban los dos hacia el lavabo de damas. Se encontrarían con cola, sin lugar a dudas—. Dentro de siete minutos más o menos. Me reuniré con vosotros. Entretenlo hasta entonces. —Y con su dedo como un cañón corto señaló la puerta del pintado garfio, imposible no acordarse de Peter Pan nada más verlo.

Se lo dije a Rafita, que al igual que Flavia se había quedado momentáneamente estupefacto. Eso lo hizo recobrarse, reactivarse; se mostró interesado, o más bien algo afanoso.

—Vale, vamos —contestó en seguida, y hacia allá nos fuimos y franqueamos el garfio. Una vez en el lavabo de los mutilados, que seguía desierto como poco antes, no ocultó cierta impaciencia ante la perspectiva, debía de pensar que así la ebriedad se le mitigaría, había entrado en una fase de pequeño mareo, por fortuna no grave, no vomitaría, pero los pies se le enredaron un poco en el breve trayecto con mucho obstáculo humano, lo achaqué también en parte a efectos de su demenciado baile y desde luego el jadeo, después me di cuenta de que se le habían soltado los cordones de los zapatos, ambos, se podía haber dado una buena toña y quedar frito en la pista, allí lo habrían rematado las hordas y nos habríamos ahorrado unas cuantas vainas—. No la tienes tú, tú no la tienes. —Quiso constatar el hecho.

—No, la tiene el señor Reresby —le respondí, y entonces se me ocurrió que éste bien podía tenerla de veras o en absoluto; para alguien como él no sería complicado disponer de ella, ofrecerla puede ser muy útil en nuestros tiempos y él sabía moverse en cualquier territorio—. No tardará, ha dicho. Iba a ver si le curaba un poco el jabeque que le has pintado a nuestra titi con esas cuerdas absurdas que te salen de la coronilla, esa canasta. —A aquellas alturas ya no me importaba ponerlo verde, y además en el extranjero se adquiere confianza con los compatriotas muy rápidamente y sin base, para mal y aun para fatal por norma, pero tiene la ventaja de que se puede ir al grano cuando hace falta. De la Garza me estaba causando demasiados problemas y todos evitables, lo peor era eso. Me adapté de antemano a su habitual jerga impostada (yo nunca diría por mi cuenta 'jabeque'), eso equivalía a recorrer de golpe un gran trecho, de la confianza—. A quién se le ocurre ponerse esa ridiculez, y luego azotar con ella a tu pareja de baile, ya veremos cómo se lo toma el marido cuando le vea el fustazo en plena cara. —'*Uno sfregio*', me acordé de sus consultas de pronto, horrorizado; 'se la vamos a devolver con una especie de *sfregio*, si comprendí bien su gesto, se pasó la uña del pulgar por la mejilla; tiene tela la cosa, le va a sentar como un tiro, aunque aún peor habría sido el arañazo en la *bazza* en lugar de en la *guancia*, Manoia lo podría haber juzgado una alusión, una burla, una revancha mía por sus malos modos, aunque el mentón de la pobre Flavia no sea protuberante ni por lo tanto *bazza*, propiamente'—. Eres un imprudente del copón, De la Garza. Te he dicho que ese tipo tiene mucha influencia en el Vaticano, y bueno, en toda Italia, incluida Sicilia. —Yo mismo me quedé sorprendido de utilizar esa expresión ('del copón'), en mí absolutamente desusada, debió de ser por asociación de ideas con el Vaticano, que estará perdido de copones, supongo, uno al menos en cada estancia—. Y además le he visto muy malas pulgas, muy mala hostia —debí de seguir asociando, también deslizándome hacia el habla a la vez zafia y redicha de aquella peste de gañán perfumado—, confío en que Reresby sepa explicárselo, que no fue intencionado, que ni te diste cuenta. No lo fue, ¿verdad, Rafita?, no fue a propósito. —Nunca antes lo había llamado a él así directamente, me parecía; de hecho creía haberle oído el diminutivo a Peter ya después de que el agregado hubiera abandonado su casa aquella noche sin mojar y de vacío, para conducir y estrellarse en la carretera junto con el alcalde y la alcaldesa de Thame o Bicester o Bloxham o Wroxton (pero no había habido suerte).

—Claro que no ha sido aposta, qué te crees, ¿que me quiero quedar sin mojar al final, que me quiero estropear el polvo? Espero que no me lo hayáis jodido ya vosotros, me habéis cortado la inspiración y la faena al carajo, sois la leche merengada. Estaba que me salía. —Eso dijo, 'joder el polvo', y la metáfora taurina, y 'merengada', lograba teñir casi siempre su ordinariez de ñoñería, la nefasta mezcla española tan extendida y con nuestros escritores a la cabeza, incluidos muchos jóvenes deprimentemente anticuados, malolientes de puro rancios, las tradiciones abyectas resultan fáciles de seguir, se hacen tenaces. En lo segundo no podía acompañarlo, adaptarme: no estaba al alcance de mis concesiones, aquella cursilería suya.

—Pero qué polvo ni qué polvo, estás obsesionado con mojar, De la Garza. Olvídate de eso. A ti todo te da lo mismo, ¿no? Podría ser tu tía, y está aquí con su marido de guardia, te lo he advertido. Por qué no te vas de putas un rato, anda, tu sueldo te dará para eso. A ella es que ni, vamos, ni se le ha pasado por la cabeza. Y encima vas y le sueltas unos zurriagazos, no creo que quiera ni despedirse.

—Bah —contestó con displicencia—, ha sido sin querer, y ya me voy a quitar la peineta esta, para el baile no funciona, es un poco incordio. —Se acarició la redecilla con toda la mano de arriba abajo, como si escurriera una bayeta—. Y ni lo habrá notado, hombre, con la cara inflada a *bottox* como la lleva. Y qué dices, tío, la tenía ya entregada. Sólo me faltaba cuadrarla y hala: estocada hasta la empuñadura, hasta las corvas. Tocar pelo y a tomar por saco. —Insinuó la postura de entrar a matar con la espada. Empezaba con sus incongruencias en ristra, señal de que se recuperaba. Me pregunté qué creería que significaba 'corvas', pero a él no iba a preguntárselo.

—¿*Bottox?* —Fue entonces cuando oí el neologismo por vez primera—. ¿Qué es eso? ¿Y qué palabra es? *Bottox.* —La dije de nuevo para acostumbrarme, uno suele hacerlo con las que no conoce. De la Garza había llamado peineta a sus cuerdecillas colgantes, en su vida debía de haber visto una de aquéllas. Entre eso y sus enigmáticas corvas no era esperable que me ofreciera una etimología. Insistía en la comparación taurina, con ademán y todo, eso sí que era propio de nuestros particulares fascistas en el sentido coloquial del término, o en el analógico. No el gesto en sí, desde luego (hasta yo soy capaz de imitarlo, lo mismo que el de una verónica o un derechazo; todo a solas, bien entendido), sino la engreída asociación (digamos) de las labores de seducción de mujeres con la lidia de un toro bravo ante espectadores. Quizá a la postre sí era el suyo un espíritu fascista, por analogía.

—Ah no sabes. —Y lo dijo en un tono pueril de perdonavidas, como si mi ignorancia fuera la prueba de su mundanidad superior (no se la discutía, patanes mundanos los hay a millares y van en aumento) y de su permanente instalación en lo chic que le importaba tanto (por mí podía morar en ese terreno hasta el mismísimo último día, yo no pensaba disputárselo, ni tan siquiera hollarlo)—. Ah no sabes —repitió. Estaba encantado de poder aleccionarme en algo, es un decir—. Se lo inyectan a lo bestia las tías con pasta, y bueno, ya también algunos tíos. Tu amigo seguramente, sin ir más lejos, me pega que se lo meta en los pómulos, en la barbilla, en la frente, y en las sienes, contra las patas de gallo. Ese Reresby tiene la piel muy compacta y sin arrugas, se debe clavar la hipodérmica cada pocos meses, la italiana dejará pasar sólo semanas, qué sé yo. Si se lo permiten.

Era verdad que Tupra tenía una piel inquietantemente lustrosa y tersa para sus años probables, de un bonito color acervezado o incluso a veces amelocotonado, pero nunca me había parecido que fuera gracias a ningún artificio ni tratamiento, o bien es que no solía ocurrírseme que los varones recurrieran a eso, no aún por aquel entonces. Quién sabía, sin embargo. Me estaba quedando anticuado en algunos aspectos: yo ignoraba la existencia de aquel *bottox* y sin duda de otros productos, era sólo un ejemplo. Bueno, todavía seguía ignorándola, Rafita no era el más indicado para explicar bien nada.

—¿La hipodérmica? ¿Se lo inyectan, quieres decir inyecciones en toda regla, con aguja y todo? Qué es, ¿una cosa líquida, claro? Contra las arrugas. —Lo último fue una afirmación, también a modo de acostumbramiento. Me resultaba inconcebible, que nadie se hiciera clavar una aguja en la frente o en la barbilla (lo de las sienes no era creíble) sin verse obligado a ello por imperiosos motivos, y además, aquella palabra... Si de algo tengo sentido es de las lenguas y las etimologías, supongo que me acostumbré a estar alerta y a deducirlas cuando enseñaba en Oxford y los estudiantes (por lo general

malintencionados, chinchosos) me las preguntaban
constantemente de los vocablos más peregrinos, tenía que improvisar a menudo, inventármelas sobre
la marcha, cómo puede uno saber en mitad de una
clase de dónde vienen 'papirotazo' o 'moflete', o cómo se originaron 'coscorrón', 'esgrima' o 'vericueto'.
Ahora no pude evitar la sospecha de que *bottox* fuera una contracción (tranquilizadora y de camuflaje,
además de cómoda y práctica) de '*botulin toxin*' en
inglés, es decir, de la toxina botulínica tan peligro-
sa y temida y que, según me había contado Wheeler, el SOE había traído ex profeso de América en
plena Guerra para impregnar con ella y emponzo-
ñar las balas que le dispararon a Heydrich en el atentado de 1942 en Praga, y que fue lo que a la postre
le causó la muerte a la que tanto se resistía, su voluntad no se le iba. 'Es demasiada coincidencia para
que no sea eso. *Bot-tox*', pensé. 'Y si lo es, qué locura,
inocularse veneno para no envejecer, o bueno, para
aparentarlo, habrá de ser en cantidades muy medidas, mínimas. Pero qué fácil sería que se le fuera la
mano al practicante, en la dosis. Y qué antigua ya
esa palabra, "practicante", era normal en mi infancia'—. ¿*Bottox* no significará la toxina botulínica,
espero? —le pregunté a De la Garza. Al ver su cara
de brutalidad ignorante ya supe que no tenía ni idea,
pero no esperaba tanta memez como la que ence-
rró su respuesta, así que dudé si era fingida o si es
que le había aumentado con la semiborrachera y el
reciente zarandeo de la música bestia. No era tan
cabestro, pese a todo, como para sufrir tal confusión indeliberadamente.

     —Esto no tiene nada que ver con la buli-
mia, tío —me contestó el muy mendrugo—. Ni

con la bulimia ni con la anorexia. —Había apoyado una mano en una de las extrañas barras cilíndricas del lavabo espacioso y limpio; en la única fija, de hecho, para su suerte: sin duda le venía bien para no vencerse mientras aguardaba su prometida raya.

—No bulímica, hombre. Botulínica. Del botulismo, ya sabes. —Seguía mirándome con expresión muy ignara—. El botulismo, esa enfermedad que se coge al comer alimentos en mal estado, o conservas mal envasadas, ¿no has oído hablar de eso? —Me sabía esa etimología, así que se la solté, no digo que no fuera por devolverle su anterior tono de aleccionamiento—: Carne, o pescado, no sé si también fruta; pero pasaba sobre todo con los embutidos, y de ahí el nombre: 'botulus' significa en latín 'embutido'.

—No sé de qué me hablas, ni puta idea, lo que es no me lo preguntes, ni de dónde lo sacan. Pero no me pega que en esto entren ni salgan los chorizos ni las butifarras, oye. Esto va de una sustancia que se la inyectan y creo que les paraliza los nervios y entonces apenas si hacen gestos, se les van las arrugas mientras les dura el efecto y no les sale ninguna nueva, bueno, ahí donde se lo pinchen, claro. Pero vamos, es así, yo conozco a varias: ¿que una tía tiene la frente hecha un pergamino? Pues inyección al canto y a presumir de lisa como si fuera de mármol, una estatua. ¿Que tiene como un acordeón las mejillas? Pues les suelta unas dosis de paralís y a exhibirlas bien frescas y tersas. Lo único malo es que, al quedárseles paralizados los nervios, se les insensibiliza toda la zona, por eso la italiana ni se habrá enterado de que le daba con esto —se tocó la redecilla como si fuera una crin—, y también se les queda una expresión rara, como de piradas. No pueden mover bien nada, así que se las ve muy lozanas y prietas pero también muy tiesas, a lo muñecona, con cara un poco de bobas y locas. No sé si te has fijado en esta actriz, la ex-mujer del otro que está con la nuestra, joder, se me ha ido cómo se llama, esa con cara de alta, a mí me da que esos ojos tan fijos que se le han puesto son por el *bottox*, y como puntiagudos, ¿no? ¿No la ves como grillada de cara? Se lo debe meter en los pómulos y en las patas de gallo, a litros, es como si no pudiera ni cerrar los ojos, lo mismo duerme con ellos abiertos. Y como esta Flavia, joder. Según el ángulo parece un duende.

Allí estaba de pie dándome una charla absurda, sobreponiéndose a su leve mareo sin gran esfuerzo, con su aspecto pretendidamente fantasioso y moderno pero en realidad sólo irrisorio, todo él era un chafarrinón, una figura de farsa, había anunciado que se iba a quitar la peineta y aún no había hecho ni amago, y su rígida chaqueta gigante, los cordones de los zapatos sueltos. No pude evitar sonreírme, y me cruzó un hilo de lástima. De la Garza era inaguantable desde cualquier punto de vista, lo que se llama un plasta, y de los que avergüenzan; pero no era antipático, como no suelen serlo los de su estilo, he visto a muchos desde la infancia, son risueños y aun cariñosos formalmente, resultan desconsiderados y obscenos porque van siempre a lo suyo y se les nota incluso en la adulación o en el servilismo; pero en el fondo no soportan caer mal a nadie, ni a quienes ellos detestan, aspiran a ser queridos hasta por quienes dañan y en general creen lograrlo, no tienen capacidad ninguna para darse cuenta de que fastidian, para percatarse de que es-

tán de sobra, son engreídos y eso no lo conciben,
viven en una ufanía permanente de sí mismos, no
pillarán una indirecta nunca ni casi tampoco las más
rudas directas, y así se hace trabajoso ahuyentarlos.
Y luego, lo del acordeón, y los puntiagudos ojos de
la diva del cine, y las facciones de duende de la señora Manoia (era cierto que, siendo muy gratas, se
aparecían en algún momento picudas, hieráticas),
todo eso me hizo algo de gracia, también me llevó
a pensar que en su sandez había fallas, en la práctica es difícil encontrar a una persona que carezca totalmente de aciertos, sobre todo verbales —o digamos de singularidades—, a la gente se le ocurren
siempre imágenes o expresiones o comparaciones
chuscas, en el mejor sentido o en el más apreciable,
que hacen sonreír o reír aunque sea por lo equivo-
cadas, o por lo groseras, o por lo inconvenientes,
pocas cosas tan cómicas como los patinazos y las
meteduras de pata, qué más da si son con uno. Quizá por eso todo el mundo habla tanto y cuesta tanto guardar silencio, porque en casi cualquier habla
acaba por asomar algo de gracia, no es sólo callar lo
que salva, a veces es lo contrario y de hecho esa es
la general creencia, una estela de *Las mil y una noches,* su heredada idea entre los hombres de que nunca hay que perder la palabra ni que terminar el cuento, rajar sin fin y no parar nunca, pero ni siquiera para
contar historias ni para persuadir con razones o con
cizañas, a menudo nada de eso hace falta, puede ser
suficiente con entretener el oído ajeno como si se
vertiera en él música o se lo arrullara, y así evitar que
se nos marche. Y eso puede bastar, para salvarse.

De pronto me apeteció oírle más, a De la Garza, más cháchara y más disparates y más símiles chuscos (tal vez yo echaba en falta mi lengua más de lo que me reconocía), pese a que su lado patriotero le surgía siempre como un estigma, sin él proponérselo necesariamente: 'con la nuestra', había dicho, ese temible sentido de la pertenencia. Pensé si me estaría pasando con él (salvando largas distancias) algo semejante a lo que le pasaba a Tupra conmigo: yo lo divertía, se sentía a gusto en nuestras sesiones de conjetura y examen, en nuestras conversaciones o tan sólo oyéndome ('Qué más', me reclamaba. 'Qué más se te ocurre. Dime lo que piensas y qué más has visto'), acaso le sonaba agradable el acento canadiense que me había atribuido la noche que nos conocimos, o de la Columbia Británica más precisamente, él había estado en todas partes. Es todo cuestión de verle de repente a alguien la gracia, incluso a quien lo saca a uno de quicio, eso es posible y también peligroso, verle al ser más detestado una pizca de impensada gracia (la solución de la mayoría —la precaución mejor dicho— es no admitir ni el mero atisbo, y fingirse ciego). Tupra me la veía sin duda, y casi desde el principio; era inesperado y más extraño que yo le descubriera alguna a Rafita al cabo de dos encuentros y de tanto chincharme, luego aún podía ser un espejismo que no me durara nada.

En cuanto al *bottox*, sí debía de ser lo que yo había inferido, porque la toxina botulínica producía en efecto parálisis muscular, atacaba el sistema nervioso, uno acababa por no poder hablar ni tragar (ah, una enfermedad para suprimir el habla), más tarde ni respirar y moría así, por asfixia, eso recordaba de las advertencias familiares durante mi infancia, cuando aún se temía cualquier abolladura en una lata, o que al abrirlas se escaparan gases, o el más mínimo olor impropio que desprendieran cerradas, las conservas no eran ya novedad en modo alguno pero tampoco estaban tan extendidas y las abuelas desconfiaban, las madres ya no o sólo un poco, por el ascendiente; en toda mi vida había sabido de nadie aquejado de botulismo en España (o acaso en atrasadísimas zonas rurales), pero se me había quedado una frase de la aprensión reinante, jamás se borra lo que impresiona de niño, una frase de mi abuela materna, creo, lo que al niño impresiona lo recuerda ya siempre el adulto que lo sustituye, hasta el último día, y era de esas amenazas que uno toma entonces al pie de la letra, aterrado por la instantaneidad atribuida al veneno, deslumbrado por el prestigio de lo fulminante y extremo, que permite fantasear sin límites y en las dos trincheras, como víctima y como asesino: 'Bajo ningún concepto debéis siquiera probar el contenido de una lata o una conserva dudosas, y lo son la mayoría', habríamos oído los cuatro prevenir a las criadas; 'porque si está malo, esa toxina es tan fuerte que a veces puede ser mortal el simple contacto con la punta de la lengua'.

Uno se imaginaba algo tan normal y tan nimio como una cuchara cuyo borde o punta se lleva a la lengua la mujer que revuelve el guiso, para comprobar si le falta sal o si está aún tibio o ya caliente, y lo hace con toda tranquilidad, mientras canturrea o tararea o aun silba (aunque silbaban sólo los hombres por aquel entonces, o bien chicas tan jóvenes que todavía eran casi niñas), quizá sin mirar hacia la cazuela o la olla sino a la vez que curiosea por la ventana y echa una ojeada al patio en el que otras señoras u otras criadas sacuden alfombras colgadas de los alféizares o ponen pinzas a la ropa húmeda (siempre una al menos entre los dientes), o se las ve más adentro quitando el polvo con perezoso plumero o subidas a un taburete desenroscando la bombilla del techo, que se ha fundido. Al oír la advertencia, también dirigida a nosotros para el futuro ('Así que ni rozarlo nunca, el contenido sospechoso, por si acaso. Hasta que haya hervido'), uno se imaginaba esa cuchara impregnada tocando la lengua o los labios y al instante a la mujer fulminada como por un rayo o un disparo, tirada en el suelo de la cocina sin vida mientras su guiso seguía haciéndose, y temía por su madre entonces cuando era ella quien cocinaba, porque al oír la palabra 'mortal' no se le ocurría a uno pensar en algo aplazado o lento, imperceptible en el acto y cuyos efectos aparecían más tarde, sino en una especie de descarga eléctrica espectacular, matadora, un fogonazo, los niños sólo conciben lo inmediato o lo muy rápido, si algo es fatal lo es ahora mismo y jamás a largo ni a medio plazo, como lo es el zarpazo de un tigre o la estocada de un mosquetero en la frente o la flecha de un moro en nuestro corazón, jugábamos a esas ficciones, los peligros son inminentes o en realidad no son peligros, 'Cuán largo me lo fiáis', esa es la divisa del niño para cuanto no llega en seguida o no sucede hoy ni en la mera prolongación de hoy que es mañana; claro que en él no hay ironía, ni adopta el lema esas palabras, sino las más infantiles de 'Para eso aún falta mucho', las más de las veces como reiterada pregunta ante cualquier espera o demora: '¿Aún falta mucho para llegar?', '¿Aún falta mucho para el verano?', '¿Para Reyes?', '¿Para mi cumpleaños?', '¿Para que la película empiece?', '¿Y para mañana?', seguida a los cinco minutos de la impaciencia que niega o consume el tiempo, '¿Ya es mañana?'. 'No, hijo, aún no es mañana, aún es hoy, que tarda en irse.' '¿Y para que regrese a casa y a Madrid con los niños, aún falta mucho para volver con Luisa?' O la que se acentúa en la edad adulta y nos va insistiendo sin formularse nunca tan nítidamente: 'Y para mi muerte, ¿cuánto aún falta?'.

Por eso le pregunté a ella, cuando la llamé a los dos días de aquella noche de los Manoia y Reresby y De la Garza; antes de que me colgara irritada le inquirí acerca del *bottox* por si ella sabía, Luisa tenía montones de amigas y conocidas y algunas eran tías con pasta, según la expresión del agregado, me parecía increíble y sarcástico que al cabo del tiempo pudiera existir una solución o una medida de aquella toxina que fue tan temida y con la que se untaban las peores balas, las destinadas a los poquísimos verdugos nazis a los que intentó tumbarse, que se utilizara ahora en beneficio de los pudientes y para su capricho y lujo, para retrasar sus arrugas o eliminarlas durante unos meses, con la misma base de parálisis muscular o anestesiados o dañados nervios —lo que quisiera que fuese o ambas cosas o consecuencia una de otra—, la misma base que antaño traía vértigos e inmovilidad creciente y falta de coordinación y visión doble, y perturbaciones intestinales graves y luego afasia y luego asfixia, y la paralización de todo y mataba. Sí, todo es ridículo y subjetivo y parcial hasta extremos insoportables, porque todo encierra su contrario, se depende excesivamente del momento y el lugar y la virulencia y la dosis, según cuáles sean éstas hay enfermedad o hay vacuna, o hay muerte o embellecimiento, al igual que todo amor lleva en su seno su hartazgo y su saciedad todo deseo y su empacho todo anhelo, y así las mismas personas en las mismas posición y sitio se aman y no se aguantan en diferentes periodos, hoy, mañana; y lo que en ellas era afianzada costumbre se vuelve paulatinamente o de pronto —tanto da, eso es lo de menos— inaceptable e improcedente, y el tacto o roce tan descontado entre ambas se convierte en osadía u ofensa, lo que gustaba y hacía gracia del otro se detesta y estomaga ahora y se maldice y revienta, y las palabras ayer ansiadas envenenarían hoy el aire y provocarían náuseas y no quieren más oírse bajo ningún concepto, y las dichas un millar de veces se intenta que ya no cuenten (borrar, suprimir, cancelar, y haber callado ya antes, a eso es a lo que aspira el mundo, lo sepa o no, esté o no al tanto). Y hasta para llamar a casa hay que encontrar un motivo, para presentarlo o adelantarlo.

'¿Tú has oído hablar de un producto de belleza, un injerto artificial o no sé, dicen que es una inyección, eso cuesta creerlo, lo llaman *bottox*?' Con esa pregunta de penúltimo instante traté además de distraer o abortar su incipiente aspereza, su seriedad repentina después de sus risas, su mosqueo por mis otras o demasiadas preguntas sobre la ausencia de bragas y una mancha de sangre que quizá yo había soñado, o a la que tras borrarla entera, a conciencia, del todo, incluido su adherido y resistente cerco, ya podía por fin decírsele lo que a tantísimos hechos y objetos y a tantísimos muertos, o ni siquiera se molesta nadie en decirles esto: 'Puesto que de ti no hay rastro, no tuviste lugar, no has ocurrido. No cruzaste el mundo ni pisaste la tierra, no exististe. Ya no te veo, luego nunca te he visto. Puesto que ya no eres, nunca has sido'. Era posible que eso mismo me dijera a mí Luisa con su pensamiento, cuando estuviera a solas, o dormida; aunque hablara conmigo de vez en cuando, y hubiera el permanente rastro de nuestros dos hijos, y yo aún no me hubiera muerto. Solamente estaba *in another country*, expulsado del tiempo de ella que envuelve y arrebata a los niños y es ya muy otro que el mío, fuera del suyo que avanza ahora sin incorporarme, sin dejarme ser partícipe ni tan siquiera testigo, mientras yo no sé bien qué hacer con el mío, que avanza igualmente sin incorporarme o al que aún no he sabido subirme (quizá ya nunca me ponga al día), y en el que sin embargo transcurre esta vida paralela o teórica en Inglaterra que no contará mucho cuando termine y se cierre como los paréntesis, y a la que entonces también podrá decirse: 'Ya no avanzas. Te has convertido en pintura helada o en memoria helada o en un sueño acabado, y ya ni siquiera te veo desde la adversa distancia. Ya no eres, luego nunca has sido'.

Luisa no me contestó en seguida, se quedó callada, como si hubiera visto mi segunda consulta como lo que sólo era en muy mínimo grado (una maniobra de diversión, un recurso para evitar responder a su pregunta en serio), o como si le pareciera tan impropia de mí como la primera y contribuyera por tanto a su perplejidad o a su intriga.

'¿El *bottox*? Sí', repitió la palabra al cabo de unos segundos. '¿Pero a qué te estás dedicando, Jaime? Bragas, menstruaciones, ahora esto. No irás a cambiarte de sexo, espero. No sé yo cómo se lo tomarían los niños, pero me parece que les daría miedo. A mí me lo da, desde luego.'

'Muy graciosa', le dije, y algo de gracia sí me había hecho, o quizá celebraba que el humor le hubiera vuelto, cuando Luisa gastaba bromas significaba que se sentía amistosa, y además las suyas no eran agresivas, a lo sumo ácidas como esta, y las soltaba siempre con amabilidad o con reconocible afecto, risueñamente y sin buscar el daño. La había divertido su propia salida idiota, porque la oí reír de nuevo y no pudo resistirse a proseguir un poco la guasa.

'¿Cómo habríamos de llamarte, imagínate? Sería un poco confuso todo. Piénsatelo bien, por favor, Jaime, antes de dar el paso; irreversible, supongo. Piensa en los inconvenientes, y en las situaciones embarazosas. Acuérdate de aquel tesorero de un *college* del que nos contó una vez Wheeler. Era muy formal, y sus colegas no sabían de pronto si tratarlo de "señor" o "señora", y los de más confianza se pasaron meses llamando Arthur a una matrona con faldas, seguían viendo la misma cara de Arthur de siempre, sólo que con los labios pintados en sustitución del bigote y enmarcada por una melenita corta y desarreglada, se la cuidaba fatal por lo visto, decían que no tenía costumbre.' Al oírla rememorar el relato se me cruzó una vez más la imagen de Rosa Klebb, la desaseada, haragana y 'ate-

rradora mujer de SMERSH', discípula del implacable Beria e infiltrada por éste en el POUM como mano derecha y amante de Nin, del que también pudo ser la asesina, según Fleming todo ello; o fue más bien la de Lotte Lenya en su interpretación del papel: intentando patear a Connery con pinchos envenenados, quién sabía si con la misma toxina. O no, habría de ser otra más rauda, si aspiraba a matarlo con sus zapatos mortíferos, a puntapiés. 'Lo que no debe de ser nada fácil es que se te suavicen los rasgos, por hormonado que vayas, ¿no?, y extirpado. No sé, tú verás, pero tú además eres de complexión atlética y tienes la barba bastante cerrada, serías una mujer imponente, temible, no se te colaría ni una señora en el mercado.' Y volvió a reír, ya a carcajadas.

Tuve que morderme el labio para no acompañarla, pese a que me dio un poco de grima mi descripción como mujer; y aun así se me escapó algún sonido delator.

'Sí, me acuerdo del *bursar* Vesey', alcancé a decir cuando me contuve del todo. 'De hecho lo conocía de vista de mi época de Oxford. Como Arthur, desde luego, no como Guinevere. Tengo que preguntarle a Peter qué se ha hecho de él, o de ella. Debe ser ya bastante anciano, y no es lo mismo la ancianidad como hombre que como mujer. Vosotras volvéis a llevar ventaja a partir de cierta edad.' Y cuando Luisa se hubo aplacado, volví a mi consulta: 'Entonces sí sabes del *bottox*. ¿Es verdad lo que me han contado, lo de las inyecciones?'. Me era tan conocido aquello: era lo habitual, que ella se desviara de las cuestiones cuando charlaba conmigo e intercalaba sus bromas. Y a diferencia de mí o de Wheeler, y también de Tupra, no solía volver por sí sola.

'Sí, he oído hablar de ello, a más de una. Al parecer había hasta reuniones para inyectárselo, cuando apareció y aún no lo ofrecían aquí las clínicas de belleza, o lo que sean. Los centros estéticos o como se llamen.'

'¿Reuniones?' Ahora fui yo quien repitió una palabra, la que me resultó más desconcertante.

'Sí, no sé, se lo oí contar una vez a María Olmo. Una cosa de señoras ricas, más o menos; se reunían a merendar o lo que fuese, aparecía un practicante contratado entre todas y se lo iba inyectando a cada una según sus necesidades. Bueno, a las que quisieran, claro, y hubieran contribuido, supongo, a comprar la partida, que era lo caro. El practicante lo debía de aportar la anfitriona.' Pensé: 'Sólo le llevo unos años, por eso para ella es también natural la palabra "practicante". Pero tendría que ser uno especializado', eso supuse; no quise interrumpirla para preguntárselo. 'Era el gran aliciente, se corrió que los resultados eran espectaculares, aunque no sé si luego no les pareció para tanto. Ahora creo que ya lo tienen muchos centros de aquí, pero al principio, hará un año o más, lo traían de no sé dónde, de fuera, como un encargo. Ahora me imagino que cada una se lo hará aplicar ya por su cuenta.'

'De América', murmuré, pensando en Heydrich y en el Coronel Spooner del SOE, el organizador de su atentado. 'Lo traerían de América.'

'Pues no, me suena más bien que era de ahí, de Inglaterra; o de Alemania.' Ella no tenía por qué saber en qué pensaba yo, ni había estado presente cuando Wheeler me había hablado de Lidice y del odio espacial, el odio al lugar que también habían padecido Madrid y Londres durante años de bombardeos y asedio; y el de Madrid aún perdura, la detestan y han detestado todos sus gobernantes sin falta. Ella no estaba ya nunca presente, allí donde yo lo estaba. Antes sí, muchas veces; por eso conocíamos ambos la historia del transexual tesorero.

'¿Y eso por qué? ¿No estaba autorizado, como la melatonina? Era la melatonina, ¿no?, lo que no se permitió en Europa. ¿Estaba prohibido, o algo?'

'No que yo sepa. Simplemente debió de tardar en llegar un poco. En cuanto la gente se entera de que hay algo nuevo, se pone muy impaciente, y luego además presume de adelantada cuando se hace con ello. Bueno, ya sabes, esa clase de bobos que pierden los nervios si no van todos los años a Nueva York y lo cuentan, cada vez hay más de esos catetos, yo ya no soporto un relato más de esa ciudad. Y bueno, si oyen que allí o en Londres andan inyectándose en plan caballo un producto nuevo y rejuvenecedor, pues corren todos a comprarse ya las agujas, por lo menos eso.'

'¿Pero realmente se ponen inyecciones en la frente, y en los pómulos, y en la barbilla, en las sienes?' Eso en sí me impresionaba, la aguja clavándose en tales zonas y el líquido penetrando lento, pero más aún —es decir, me espantaba— si el *bottox* era en efecto lo que yo temía. Y así, mi tono hubo de ser de estupefacción y escándalo, porque noté que Luisa me lo rebajaba a propósito, con su respuesta, aunque sin ánimo de aleccionarme, eso no entraba en su estilo.

'Pues sí, y en otros sitios peores, tengo entendido. En los párpados, y en las ojeras, seguramente en los labios y desde luego encima de ellos, esas arruguitas verticales son la gran pesadilla de no pocas amigas, junto con el cuello. Y sí, también a mí me parece un poco espeluznante, pero debo de estar más acostumbrada que tú a todos estos injertos e inoculaciones. Y a las carnicerías varias. Cada vez sé de más mujeres que van a sus sesiones periódicas de corte y confección como quien se pasa por la peluquería. Y no creas, hay bastantes hombres ya aficionados, y no sólo solteros presumidos y divorciados hundidos, ya sé de más de un marido. Bueno, si he de fiarme de lo que me cuentan, y uno no debe.' Dijo esto con tanta soltura que me llevó a pensar: 'Ni se le pasa por la cabeza incluirme entre los divorciados hundidos, menos mal, no le inspiro lástima o aún no, y a mí tampoco me gusta jugar a la baja, como hacen tantos novios y maridos. Claro que divorciados no lo estamos todavía. Pero todo se andará, supongo, cuando lo quiera ella'. No veía fácil que partiera de mí esa iniciativa. Nunca se sabe. No la hice partícipe de mis pensamientos. 'Pero vamos. Mira a ese caricato de Berlusconi, a estas alturas debe de ser todo él de látex, ¿tú lo has visto?, parece un *ninot* de barraca. Quizá él sí debería cambiar de sexo, a ver si así mejoraba algo, o se rehumanizaba, una abuela.' Y volvió a reírse, y yo sabía que iba a hacerlo desde que la palabra 'caricato' le acudió a la lengua: nos conocíamos demasiado para dejar de conocernos. Ahora corría el peligro de irse por aquellas ramas y seguir, por ejemplo, imaginándose a otros políticos convertidos en señoronas; así que la reconduje:

'¿Y exactamente qué es, el *bottox*? ¿Tú lo sabes?'

'Me lo dijeron en su momento, pero no presté mucha atención. Una toxina, creo; o una antitoxina; la verdad es que no me acuerdo nada.'

'¿La toxina botulínica? ¿Puede ser? La del botulismo. No sé si sabes que eso se utilizaba como veneno antiguamente.' Y le mencioné mi etimología intuida.

No pareció alterarse. A través de sus conocidas, y de alguna amiga insegura, sí debía de estar en verdad acostumbrada a los más sanguinarios y ponzoñosos remedios contra el envejecimiento.

'No me acuerdo. Puede ser. Tampoco me extrañaría, la mitad de esos especialistas estéticos son unos irresponsables, si es que no unos criminales. María me contó que dejó de ir a uno que la adelgazaba a lo bestia cuando un día entraron juntos en una farmacia, él dijo haberse olvidado el recetario en casa y para convencer a la farmacéutica de que era médico no se le ocurrió otra cosa que regresar un momento al coche y traerle un fonendoscopio que llevaba en el asiento de atrás, por allí suelto. Te imaginas, "Mire, tengo un fonendo, soy médico", y se lo agitaba en la cara. María dedujo que ni colegiado ni titulado ni nada de nada, por mucha clínica que tuviera montada, se quedó de hielo. Así que bueno, me lo creo todo.'

'¿Tú podrías averiguármelo, si es eso, la toxina botulínica?'

'Supongo. María lo sabrá seguro, o Isabel Uña, también anda con historias de estas, puedo preguntarles. Pero, ¿qué te traes tú con el *bottox*? ¿Estás pensando en ponértelo como un Berlusconi, o es tu amiga descuidada? A ti no te hace ninguna falta, aún no tienes ni media arruga, una cosa intolerable, lo tuyo.' No había perdido de vista mi primera consulta sobre la sangre caída, aún pensaba que alguien podía haberme manchado el suelo, alguien ocasional o no tanto. La perspectiva de que Luisa fuera a hacerme una pequeña averiguación me alegró el ánimo ingenuo. Era algo en común al cabo de mucho tiempo, algo nuevo (no los niños ni el dinero ni asuntos prácticos), aunque se tratase de una minucia. Y habríamos de volver a llamarnos pronto por eso, ella a mí o yo a ella, para que me diera la información conseguida. Nos quedaba una cuestión pendiente, y ahora eso era novedoso.

'Gracias, tú también estás muy tersa', le contesté con no más humor que galantería, y añadí: 'No, es por pura curiosidad. Me han hablado aquí de ello, y me gustaría saber si es la misma sustancia que en su día mató a un dirigente nazi importante, en el 42, Wheeler me habló del caso. ¿Qué efecto causa, eso lo sabes? El proceso'.

'Creo que paraliza los músculos de la zona inyectada y así la alisa y le da turgencia, no me preguntes por qué ni cómo. Por lo visto se quedan un poco inexpresivas las que se lo ponen, aunque yo no se lo he notado ni a María ni a Isabel, que son las que conozco que lo han probado. Claro que a lo mejor no coincidió que las viera cuando estaban bajo su efecto, creo que dura unos meses y se lo renuevan tras una pausa, que tienden a ir acortando. Bueno, un poco rígidas sí que las he visto, ahora que caigo, y como más tirantes, más compactas... No sé, esta obsesión', y sonó más pensativa; 'ya no es sólo la gente rica, ni sólo mujeres, ya te he dicho. Acabaremos todos en eso. Tú no sabes lo que se hace la gente hoy en día, lo que se mete y se saca, lo que se pincha y se raja y a lo que se somete. Se te pondrían los pelos de punta, si conocieras el detalle. Pero ya lo verás, acabaremos todos en eso, y aún nos reprobarán, a los que no nos prestemos, "Cómo es que vas así", nos dirán, "con esa carne fláccida, y esos pliegues, y esas bolsas; con esos surcos, o con esas grasas, o esos pellejos, cómo vas tan descuidada". Ya hay quienes lo comparan con ir al dentista, "¿Acaso no nos arreglamos un diente mellado, que hace tan feo, y nos colocamos fundas? Pues lo mismo el resto". Como si envejecer fuera un defecto, o una lacra consentida, una negligencia. Como si se pudiera elegir, y uno fuera culpable de su envejecimiento. O bien pobre, claro, sin medios para disimularlo. Parecer viejo acabará denotando eso, que uno es un paria, ya lo verás. Será otra separación, otra diferencia, por si no hubiera bastantes. Será como si anduviera uno con las ropas raídas. Ojalá no lleguemos a ver eso.'

Y entonces se quedó callada, como si estuviera considerando de pronto su propio caso. Nunca le había visto la menor veleidad o tentación al respecto: oía contar a sus conocidas y amigas más angustiadas por el paso del tiempo, reía con benevolencia ante sus extravagancias y experimentos, le daban lo mismo, o los daba por bien empleados si ellas se ponían así contentas con su supuesto mejor aspecto, aunque fuera tan de prestado y tan falso, o tan comprado; tan monstruoso a veces. Aquello nunca había ido con ella. Pero Luisa ya no era tan joven, y nunca había mencionado mi falta de arrugas —cosa de mi familia; estaba a la altura de Tupra— como un reproche comparativo, ni siquiera en el tono de broma en que lo había hecho ahora. 'Tal vez se empieza a preocupar, por efecto o influjo de los demás', pensé. 'No tendría motivos reales, no la última vez que yo la he visto; aunque mi criterio le serviría de poco si se ha inventado motivos (de eso nadie está a salvo) o alguien se los ha instilado (tampoco de eso se está a salvo), piensa que yo la miro con ojos demasiado buenos.'

'¿No estarás pensando tú en recurrir a esas cosas?', le pregunté. 'A ti sí que no te hacen falta.'

Rió un momento, así salió de su breve silencio cavilatorio.

'Si no me hacen falta hoy, será mañana, ni siquiera pasado mañana', dijo. 'Pero en todo caso no podría permitírmelas, seré de los parias y de los raídos.' Y volvió a reírse, decir esto le había hecho gracia. 'Aunque estás mandando mucho dinero desde que tienes ese trabajo del que no cuentas nada', añadió. 'Quiero darte las gracias, Deza, ahora mismo estamos ya a un paso del lujo. No hace falta tanto.' Era como si quisiera hacerse perdonar, por aceptarlo; por eso me llamó Deza y no Jaime, no quería sacarme nada ni estaba de mal humor por mi causa.

'Ya me las das tras cada transferencia. Es lo justo, tienes a los niños, yo estoy ganando bien ahora y tampoco tengo muchos gastos. Ya lo reduciré, si me aumentan.'

'Ya, pero podrías ahorrar. Preguntan que cuándo vienes.'

'No sé si será muy pronto. He de acompañar a mi jefe en un viaje, pero aún no sabemos cuándo, si dentro de una semana o de un mes o más tarde, hasta entonces estoy atado. A ver si después puedo, algún fin de semana con *bank holiday*.' Así llaman en Inglaterra a los festivos, los hacen caer todos en lunes, Navidad y Año Nuevo aparte. 'Pero ya ahorro, me alcanza. Y me compro buenos libros de viejo, mejores y más caros que nunca.'

'Pues conserva ese trabajo. A ver si alguna vez me cuentas algo, de eso que haces.' No creía que le interesara de veras, era una forma de mostrarse amable. No había manifestado curiosidad al respecto, en otras conversaciones. O es que eran siempre más cortas.

'Apenas hay qué contar', dije, y aquí mentí, sobre todo pensando en dos noches antes. 'Traducir de diplomacia y negocios es rutinario, aunque haya gente interesante por medio, de vez en cuando. Pero no lo conservaré si me canso, ya lo sabes.'

Aguardó un par de segundos y respondió:

'Sí, ya lo sé. Y a mí me parece bien eso, también lo sabes.'

La vi sonreír al decirlo, con los ojos de la mente despiertos. Estaba en otra ciudad, en otro país. Pero yo la vi muy bien desde Londres.

Le di las gracias, las buenas noches, nos despedimos, colgué. Pero no con el pensamiento. Alcé la vista, me levanté del sillón, me acerqué a la ventana de guillotina y la subí de golpe para airear la habitación, había estado fumando mientras hablaba. No llovía, no hacía ningún frío o eso me pareció en el primer instante, podría haber sido una noche de primavera temprana de no ser porque no era muy tarde, ni siquiera para Inglaterra, y sin embargo había ya anochecido unas cuantas horas antes, fuera se veía la pálida oscuridad de la Square o plaza, apenas alumbrada por esas farolas blancas que imitan la siempre ahorrativa iluminación de la luna, y las luces encendidas del hotel elegante, algo más lejos, y de las habitadas casas que albergan familias o bien hombres y mujeres solos, cada uno encerrado en su protector recuadro amarillo, lo mismo que yo para quien me observara. También me pareció oír una música muy débil, tanto que cualquier movimiento mío la tapaba o la ahogaba, así que me estuve quieto —otro cigarrillo en la mano— y traté de escucharla e identificarla sin éxito, llegaba tan tenuemente que no distinguía su clase ni tan siquiera su ritmo. Miré entonces, como de costumbre, por encima y más allá de los árboles y de la estatua y la plaza y hasta el otro extremo, en busca de mi vecino despreocupado y danzante.

Allí estaba como casi siempre, y la noche debía de ser en efecto tibia, porque también él mantenía abiertos dos de sus ventanales, dos de cuatro, y era probable que la música procediera de su salón alargado y desprovisto de muebles, como una pista libre de obstáculos; al no ser tarde habría prescindido por una vez de sus auriculares o su artilugio inalámbrico, y esta vez la pieza no sonaría en su cabeza tan sólo —y en los deductivos oídos de mi mente, al contemplarlo en su baile—, sino en toda la casa y fuera, hasta morir como sombra o hilo raído en donde yo me encontraba, ante mi ventana. No estaba solo sino con sus dos parejas ya por mí registradas, las dos mujeres que en alguna ocasión había visto, por separado si mal no recordaba: la blanca con pantalones prietos que no se había quedado a dormir, que yo supiera (se había montado en una bicicleta y se había alejado en la noche con pedaleo brioso), y la negra o mulata de la falda con vuelo ligero que no pareció salir luego a la calle. Ahora ambas llevaban faldas bastante breves y estrechas (a mitad del muslo, más o menos, quizá no muy cómodas para la danza), y ninguno de los tres todavía bailaba, no propiamente, más bien era como si dirimieran o decidieran los pasos exactos que iban a dar, seguramente al unísono de aquella música que casi no me alcanzaba, y que así nunca reconocería.

'Las ha juntado', pensé; 'tal vez se está profesionalizando y quiere ensayar con ellas lo que llaman una *"routine"* en América, es decir, los movimientos y pasos ya no improvisados sino acordados y coordinados, qué manía de arruinar vocablos la de ese país y esta época, todo es cada vez más usurpado, impreciso, más oblicuo e impostado y con frecuencia incomprensible, las palabras como los usos y como las reacciones; pero puede que sólo una de ellas sea amante suya y no tenga nada de raro que se reúnan para bailar a trío, o incluso que ninguna lo sea, y en cambio si ambas lo fueran sí sería algo extraño, supongo, pese a la artificial lenidad de estos tiempos en los que según muchas personas nada tiene nunca demasiada importancia, ni siquiera las acciones violentas, que se perdonan tan fácilmente o ante las que jamás faltan imbéciles con autoridad moral imbécil —o es frailuna—, dispuestos a indagar con infinita paciencia en sus nada misteriosas causas y que en todo caso las comprenden, como si estuvieran por encima de ellas (en la punta de la lengua les baila, los tienta permanentemente la vieja frase de los curas, por laicos que se pretendan: "Pero, ¿por qué eres así, hijo mío?"), hasta que los baja de la atalaya alguien que les da de hostias a ellos y entonces ya no comprenden, yo mismo, yo podría ser violento en algunas circunstancias aparte de por defenderme, pero sé que por causas ruines y siempre sin ningún misterio, por frustración o por envidia o revancha o por el trastorno del mezquino miedo, así que es preferible evitarlas, sin más, las circunstancias: yo no podría reunirme con un novio o amante de Luisa para una impensable actividad de los tres juntos, no de momento, quién sabe si dentro de varios años, cuando ya ni un centímetro de piel me escociera y si él además fuera un gran tipo, lo cual dudo; ni ella tampoco, yo creo, con una novia o amante mía que alguna vez existirá sin remedio, y eso que ella y yo no somos eso ni actualmente somos nada, qué seremos o ya vamos siendo, quizá tan sólo pasado, el uno del otro un pasado tan extenso y duradero que nos pareció no ir nunca a serlo. Ella no debe de estar muy distraída estos días, aunque se la oyera contenta al principio y también al final de la charla, si puede preocuparla un poco su edad futura inmediata', pensé. '"Si no me hacen falta hoy, será mañana, ni siquiera pasado mañana", ha dicho de los venenosos mejunjes y de los plásticos sanguinolentos, y eso no es muy distinto de lo que pensará Flavia Manoia al despertar cada mañana del último sueño angustioso, ya diurno, según Reresby o Tupra, que me la describió de antemano, como al marido, condicionando ya así hábilmente mi posterior percepción de ambos: "Anoche todavía sí, pero, ¿y hoy? Soy una jornada más vieja", piensa la señora Manoia al abrir los desmaquillados ojos, y entonces, durante unos minutos, le da pereza someterse a otra prueba y quiere volver a cerrarlos. Cómo me cuesta imaginarme a Luisa con semejantes aprensiones, estoy acostumbrado a que sea joven. O en realidad no me cuesta tanto, si no me engaño: tampoco a mí me son desconocidas, supongo. Esa clase de temor no es sólo de las mujeres, sino probablemente de todos después de un revés tardío o a partir del primer fuerte cansancio, yo mismo creo sentirlo a diario, ese temor o su aviso, más aún en este tiempo extranjero en el que ando desparejado y un poco solo aquí en Londres, no mucho como cree Wheeler, sólo un poco y sólo a ratos; pero ellas se lo reconocen, lo afrontan sin ennoblecerlo ni buscarle trascendencia, mientras que los hombres, la mayoría, nos lo formulamos con deliberada crudeza que por lo tanto es algo falsa, nuestro pensamiento más definitivo y más triste, pero a cambio logramos no vernos frívolos ni asustados por la soledad —que es lo accesorio— ni por la pérdida del enamoramiento —que es lo sustancial, pero también lo insignificante—. Así que más bien nos preguntamos, para no ruborizarnos: "Y para mi muerte, ¿cuánto aún falta?".'

Agucé el oído porque me pareció que la música llegaba ahora más clara, habrían subido el volumen, y al mirar de nuevo mirando —ya no absorto—, vi que habían dado por fin comienzo los tres a su discutido baile. Era elegante, no brincaban ni correteaban sino que avanzaban a pasos cortos y no sé si decir sinuosos y en efecto sincronizados, los mismos al mismo tiempo, el movimiento era de pies y caderas, y de la cabeza que afirmaba el ritmo, los brazos acompañando sólo leve y escasamente, un poco doblados y un poco extendidos a la altura de los costados, como si cada par de sus manos sostuviera un periódico abierto. Iban desplazándose por la tarima, y con celeridad, el trío, pero la impresión que daban con sus pasos ceñidos era de mantener su posición cada uno, como si sus respectivas porciones o adjudicados tramos de suelo se movieran con ellos, y cada uno pisara siempre las mismas tablas; me dije —o es que lo oía ya más, en la distancia— que tenían que estar bailando a algún son de Henry Mancini, podía ser el célebre *Peter Gunn*, nadie se acuerda ya de que ese tema nació para una serie de televisión antigua de detectives, no sé si se vio nunca en España, creo que era aún de los cincuenta (es decir, casi prehistórica) y desde luego en blanco y negro, pero en todo caso su música no ha envejecido y ha pasado a convertirse en un clásico del baile moderno elegante, si se tiene noción del elegante modo de interpretarlo, y aquellos tres sí la tenían. O podía ser, si no, el arranque de la banda sonora de *Sed de mal*, o *Touch of Evil* en inglés, una película de Orson Welles de esos mismos años en la que hacía de mexicano nada menos que Charlton Heston, era asombroso que se lo creyera uno por mucho bigote que luciera del primer plano al último, y se lo creía. Pero esa música es menos famosa, así que me decidí por *Gunn*. Hay piezas fundamentales que viajan conmigo si soy previsor (no lo fui al irme de Madrid, salí con poco) o que no tardo en volver a comprarme si me quedo en un país cierto tiempo, y entre ellas son fijas tres o cuatro de Mancini porque alegran cualquier día tétrico casi infaliblemente, de modo que busqué y saqué el disco, programé en repetición el primer corte como debían de haber hecho los tres de enfrente (dura apenas dos minutos y ellos lo bailaban largo), y lo puse a sonar en mi casa, al igual que otras melodías otras veces cuando creía adivinar lo que mi bailarín danzaba, en parte por mi diversión, en parte por evitarle el ridículo asegurado de agitarse y moverse y dar saltos absurdos ante un espectador que no oye lo que los provoca, no oye nada, aunque a él sin duda le diera lo mismo o ignorara que lo tenía. Pero uno debe mostrar aún más respeto del convencional, hacia quien no puede solicitarlo.

‘Esa preocupación de Luisa tal vez signifique’, pensé, ‘que no ha salido mucho últimamente ni ha recibido visitas estimulantes; que no está entretenida, y eso a su vez —puede scr—, que no me ha sustituido aún del todo, de lo contrario contaría con alguna distracción o pequeña ilusión más o menos cotidiana, aunque sólo consistiese en un rato de conversación telefónica con alguien concreto al término de la jornada, si verse no les fuera fácil por cualquier motivo, qué sé yo, la mujer o los niños de él, los niños nuestros. Ya me doy cuenta de que esta es una deducción sin base, infundada. Pero tal vez sí signifique, eso al menos, que aún nadie ha entrado en su vida hasta el punto de introducirse también en la casa, quiero decir no a diario o no con la suficiente frecuencia como para que ella ya lo espere, o para que no se sorprenda si él se presenta sin más aviso que llamar desde abajo y decir "Luisa, soy yo, estoy aquí, ábreme", como si "yo" fuera su inequívoco nombre, y para que además ella se alegre si él decide aparecer así, al llegar la noche o al caer la tarde. No, no debe de haber entrado todavía el hombre adulador, sibilino, aplicado y aun esforzado al principio, el que quiere ayudar con la cena y bajar la basura y acostar a los niños para tornarse —cómo decir— doméstico, y así irse instalando y quedarse, limitándose a ocupar un hueco y procurando no alterar nada de lo que allí ha encontrado dispuesto. Ni el irresponsable y festivo, el inquieto al que en cambio aterra pasar y abandonar el rellano, adentrarse y conocer a mis hijos y aun verlos atravesar fugazmente en pijama desde el quicio de la puerta en el que se apoya mientras espera a que Luisa acabe con sus instrucciones a la canguro y salga de una vez para la farra, el que más bien aspira a sacarla de allí poco a poco, noche a noche a desgajarla o por la costumbre a arrancarla, para que así pueda seguirlo a él sin ataduras y en todo, y a todas partes. Ni ha entrado tampoco el apasionado falso, el oculto tirano débil que irá más bien a separarla de todo lo externo con sus dramatizaciones y sus malas artes, a encerrarla y a confinarla a él, sólo a él como final horizonte, el que juega a la baja para poseer y dominar luego a la alta, el que se justifica siempre en su sentimiento tan fuerte o en su sufrimiento intenso y en eso es como casi todo el mundo, creen tantas personas que sentir muy vivamente y no digamos padecer, y atormentarse, las hace ya buenas y merecedoras y les otorga derechos, y que han de ser compensadas por ello incesante e indefinidamente, hasta por quienes no inspiraron su sentimiento ni causaron su sufrimiento ni tuvieron que ver en uno ni en otro, para esas personas la tierra entera les está siempre en deuda, y nunca se paran a pensar que el sentimiento se elige o que en él se consiente, eso como mínimo, y que casi nunca viene impuesto, o el destino no se mezcla; que uno es tan responsable de él como lo es de sus enamoramientos, en contra de la general creencia que declara y repite la vieja falacia a través de los siglos incansablemente: "Es más fuerte que yo, no está en mi mano evitarlo"; y que exclamar "Es que yo te quiero tanto" como explicación de los actos, como coartada o disculpa, debería ser contestado sin falta con la frase que pocos se atreven a soltar aunque sea la justa cuando el querer no es correspondido y quizá también cuando lo es, "Y a mí qué me cuentas, eso es sólo asunto tuyo". Y que además a veces —sí, eso es cierto— hasta la desdicha se inventa. No, nadie está obligado a ocuparse del amor que otro le tiene ni aún menos de su abatimiento o despecho, y sin embargo reclamamos atención, comprensión, piedad y aun impunidad por algo que sólo incumbe al que lo experimenta, "Hay que entenderlo", decimos, "lo está pasando muy mal y por eso maltrata a todos"; o también "Le han hecho daño, está en guerra con la vida porque está destrozado, y en verdad él no podía vivir sin ella", como si no querer a alguien o dejar de hacerlo fuera algo contra ese alguien, contra el que sí quiere o continúa haciéndolo, una maquinación o una represalia, una decisión para perjudicarlo, cuando justamente jamás es eso. Así que yo no puedo quejarme, y aún menos debo: cuando Luisa me quiso a su lado me beneficié de una gracia que se me renovaba a diario, lo mismo que yo le renovaba a ella otra de valor parecido; y si una mañana no me fue más confirmada, no era cuestión de echarlo en cara ni de verlo como hostilidad voluntaria ni como malquerencia, nada de eso estaba en el ánimo, era espíritu de rendición más bien, y una gran pesadumbre. Ni tampoco de apelar a esas despreciables figuras contemporáneas con las que las entrometidas leyes amparan a los millones de aprovechados que hoy recorren y pueblan todos los senderos y campos: los derechos adquiridos, el tiempo empleado, los acariciados proyectos, la fuerza de la instalación o costumbre, el nivel de vida alcanzado, el futuro con que contábamos y el amor invertido, todo se hace mensurable. Y desde luego los hijos habidos y los contratos firmados. O los no firmados, sino sólo verbales. O los ni siquiera verbales, sino sólo implícitos, los abusivos contratos implícitos que según nuestro pusilánime mundo prepara y redacta a nuestras espaldas el mero paso del tiempo y además los rubrica por su cuenta y arbitrio, como si el tiempo pudiera ser nunca acumulativo y no empezara a contar desde cero con cada amanecer, y aun a cada instante...'

De repente me sentí ligero, quizá por primera vez desde que dos noches antes me había levantado de la mesa de Manoia y Tupra en la discoteca para cumplir la encomienda de éste y emprender la búsqueda de De la Garza y Flavia, me había puesto en pie y había apartado mi silla con una sensación instantánea de peso sobrevenido, de malestar y ominosidad, la punzada del alfiler en el pecho y el presagio de una malandanza, todo ello emanando de Tupra mucho más que de mí mismo, como si él me hubiera transferido con su sola orden la respiración contenida o falso ahogo de quien se apresta a asestar un golpe, o hubiera arrojado plomo sobre mi alma despierta y la hubiera sumido así en el sueño, desde entonces no me había abandonado esa gravedad presentida y después sentida, esa carga, o incluso se me había ido incrementando hora tras hora, hasta el punto de preguntarme sin pausa, durante aquellas cuarenta y ocho transcurridas tan lentamente (o ni llegaban a tantas), si debía renunciar y marcharme, descabalgarme, salirme de aquel trabajo en el fondo tan atractivo y cómodo en el edificio sin nombre y para el grupo sin nombre que más de sesenta años antes habían creado Sir Stewart Menzies o Ve-Ve Vivian o Cowgill o Hollis, o aun el célebre traidor Kim Philby o hasta el mismísimo y leal Winston Churchill, poco debía de quedar ya de ellos y del metal o la intención o el temple con que lo concibieron (no, es la engañosa palabra 'mettle' la que en el intruso inglés ronda mi mente); o tal vez sí pervivieran ese metal y ese temple sin haberse degradado, y sencillamente ocurriera que el grupo ya fuera en su fundación tan drástico e inclemente como desde anteayer parecía o yo intuía que era desde hacía sólo dos noches: acaso era que también todos ellos, el grupo original completo, incluidos en él Peter Wheeler y su hermano menor Toby Rylands, llevaban sus probabilidades en el interior de sus venas y era sólo cuestión de tiempo, de tentaciones y circunstancias que las condujeran por fin a su cumplimiento. Tal vez esas circunstancias y tentaciones, tal vez ese indeseado tiempo, habían llegado ahora, hacía poco y cuando la mayoría vivía ya sólo en sus discípulos y herederos (Tupra lo era de Rylands), en los recientes años huecos de la disgregación y la abulia, o la compaginación y el desconcierto, que habían traído a los particulares particulares, años de orfandad y recreo, como los había llamado la joven Pérez Nuix al relatármelos y describírmelos la noche de lluvia eterna en que me visitó con su perro, tras haberme seguido oculta durante demasiado rato. Llegaban cuando yo estaba por medio, eso era todo. O perseveraban. Un puro azar, culpa de nadie; mía no, eso seguro, en modo alguno. Quizá cuanto había ocurrido, cuanto yo había visto y oído, en la discoteca, en casa de Tupra más tarde, en la realidad y en pantalla, no era aún motivo para sustraerse, ni para largarse.

Comprendí que me sentía ligero gracias a la música en parte, ese *Peter Gunn* que para todo sirve y nunca falla, y al instante me percaté de que era también —o más aún— gracias al baile en que me había deslizado sin proponérmelo, sin duda en imitación instintiva, maquinal, casi inconsciente, de los tres individuos despreocupados del otro extremo de la plaza: los pies se mueven solos a veces, o como dice mi lengua con exactitud metafórica, cobran vida, se le van a uno, sin que uno se dé apenas cuenta. Me había puesto a bailar, era increíble, yo mismo, a solas en casa como si ya no fuera yo sino mi vecino ágil y atlético de huesudas facciones y esmerado bigote, un caso claro de contagio visual y auditivo, de mímesis, favorecido además por mis musarañas. Me descubrí (es un decir) avanzando por mi salón, más exiguo que el de enfrente y con muebles, a pasos cortos y rápidos y no sé si sinuosos, con movimiento loco de pies y caderas y de mi cabeza que afirmaba el ritmo, mis brazos acompañando sólo leve y escasamente, un poco doblados y un poco extendidos a la altura de los costados, y entre mis manos un periódico abierto que por supuesto no leía, lo había cogido como elemento de equilibrio en mi baile, eso supuse. Y entonces me entró vergüenza, porque al volver a mirar de veras a los bailarines originales, al mirar mirando y ya no absorto en mis pensamientos, hube de deducir que ellos habrían oído a su vez mi música en alguna mínima pausa de la suya —abierta mi ventana como dos de sus ventanales—, y me habrían localizado sin dificultad, al rastrear su procedencia; y, claro está, les divertía verme (el alguacil alguacilado, el cazador cazado, el espía espiado, el danzarín danzado); porque ahora no sólo bailábamos absurda y descompensadamente los cuatro según su coreografía, sino que había habido otro contagio, y este era de mí hacia ellos: les debía de haber parecido ingeniosa o imaginativa mi idea, así que los tres sostenían entre sus manos sendos periódicos desplegados, era como si bailaran con sus páginas, cada uno un agarrado.

Me paré en seguida, noté que el rostro se me acaloraba, no lo verían por suerte, gracias a la distancia, de momento no utilizaban prismáticos como yo sí hacía de vez en cuando, al espiar su salón danzante. Ellos se pararon también en el acto, se asomaron a sus ventanales y me hicieron señas, me saludaron agitando los brazos, de hecho me hicieron gestos inconfundibles de que me trasladara y me uniera, de que fuera a su piso y no bailara ya a solas, sino allí en un jovial cuarteto. Eso me dio aún más vergüenza: solté mi guillotina de golpe, retrocedí, apagué la luz, bajé el volumen de mi música. Me hice invisible, inaudible. De ahora en adelante ya no podría observarlos con la misma tranquilidad, o más bien observarlo a él, que las más de las veces estaba solo, eso era un inconveniente. Pero también me hizo sonreír aquello, y le vi una ventaja: pensé que si algún día o noche me eran tan desolados que ni siquiera las piezas de Mancini infalibles y otras que me producen el mismo efecto lograban levantarme el ánimo, tenía abierta la posibilidad de intentar buscar compañía y baile al otro lado de la Square o plaza, en aquella casa desenfadada y alegre cuyo ocupante se resistía además a mis deducciones y conjeturas, inhibía mis facultades interpretativas o se sustraía a ellas, algo tan infrecuente que le confería leve misterio. Esa perspectiva de una visita hipotética, ese asidero posible o futuro me llevó a sentirme aún más ligero. Cogí mis prismáticos del hipódromo y miré desde atrás, desde dentro, a resguardo de los ojos de ellos, se me antojó que habían cambiado de acompañamiento por cómo se movían ahora (habían vuelto a lo suyo, tras mi eclipse y mi espantada), así que quité la pieza de mi tocadiscos y fui a sustituirla por una de *Sed de mal* llamada *'Background for Murder'*, nada sombría pese a lo que significa el título, 'Fondo para asesinato'. Pero me equivoqué al programarla a oscuras o a la sola luz ahorrativa de las farolas lunares, y en su lugar empezó a sonar otra imprevista y totalmente distinta, ya no era jazz sino una pianola, 'Tana's Theme' su nombre, lo vi luego en la contraportada del disco, una música que yo mal recordaba en esa banda sonora y en esa película (la película más olvidada, debía comprarme un reproductor de DVD sin tardanza, apenas veía cine allí en Londres), aunque poco a poco, a través de las notas tan parecidas a las de un organillo, se me fue abriendo paso en la niebla la figura de una Marlene Dietrich con el pelo negro, madura, vestida de echadora de cartas o algo por el estilo, interpretando asimismo un papel —aún más inverosímilmente, pero también uno se lo creía— de mexicana o no sé, quizá de zíngara apátrida en la ciudad fronteriza, la tal Tana del tema.

Era una música melancólica y poco bailable a solas, música de despedida, y nada tenía que ver —de hecho era incongruente— con las zancadas y saltos que daban mis vecinos ahora allá a lo lejos, aunque yo los viera de cerca con mis cristales. Dejé sonar la melodía, sin embargo, me quedé escuchándola, los organillos me traen a la memoria siempre mi tiempo de infancia, eran frecuentes en Madrid en aquel tiempo, hoy aún se ve alguno pero ya no es lo mismo, no son parte natural del paisaje sino un reclamo para turistas, ahora son intencionados; y al oír ese organillo que quedó programado por accidente en mi tocadiscos, y que se repetía con su parsimonia una y otra vez, tranquilamente (como si fuera una pianola de veras, cuyo teclado se mueve solo y parece tocado por dedos fantasmas), se me fueron representando imágenes de mis calles de entonces, la de Génova y la de Covarrubias y la de Miguel Ángel, la imagen de cuatro niños caminando por esas calles con una criada vieja o con mi joven madre viva (ambas también ya fantasmas), mis hermanos y yo, los tres chicos y la niña, ella cogida de mi mano, a mi lado, ella la más pequeña y yo el siguiente desde abajo, sin duda eso nos había unido.

'Parece raro que se trate de la misma vida', pensé. 'Parece raro que yo sea el mismo, aquel niño con sus tres hermanos y este hombre aquí sentado en penumbra, con hijos propios lejanos a los que ya no ve nunca, un poco solo aquí en Londres.' '¿Cómo puedo yo ser el mismo?', se había preguntado Wheeler en el jardín de su casa a la vera del río, justo antes del almuerzo, aquel domingo. ¿Cómo aquel anciano —se dijo, me dijo— podía ser el que estuvo casado con una chica muy joven que se quedó para siempre en eso, porque así de joven había muerto? Peter había preferido dejar para otro día el relato ('Cómo murió su mujer, de qué murió', fue mi pregunta), seguramente para uno que jamás llegaría o no en la tierra sino en el Juicio con suerte, si por fin se celebraba: era evidente que le costaba hablar de ello, o no quería. Yo aún sí me reconocía, en cambio, en el que se casó con Luisa, al regreso de la estancia inglesa que ahora había de llamar primera estancia, la boda no fue mucho más tarde. Habían pasado años, pero no tantísimos, y a diferencia de lo que le había ocurrido a Wheeler con su mujer Val o Valerie, Luisa sí me había acompañado casi todos los días en mi lento envejecimiento, al menos así había sido hasta mi expulsión y destierro. Comprendí que mi ligereza de aquella noche se debía también, más que a la música o al impremeditado baile, al conjunto de mi conversación con ella y sobre todo a la parte última, con aquella

sospecha mía optimista, sin fundamento acaso, de
que aún nadie había entrado en su vida, no del todo,
ni por tanto se había introducido en mi casa para
apoyar la cabeza en mi almohada y ocupar todos
mis sitios.

'Quizá deba conservarlo un tiempo más, este empleo, pese a todo, pese a Pérez Nuix, pese a
Tupra', pensé cuando empecé a adormecerme, sentado en mi sillón de nuevo, los prismáticos sobre
los muslos, vestido, casi a oscuras, apaciguado por el
organillo o pianola que tocaba su melodía en adio-
ses interminables (adiós, gracias; adiós, donaires;
adiós risas y adiós agravios), convencido de que por
fin tendría una noche sin insomnio ni sobresaltos,
sin las pesadillas que nos aplastan ni tanto plomo
sobre mi alma. 'Ella me lo ha aconsejado, que lo
conserve, aunque de este trabajo ella no sabe nada,
en verdad nada de nada. No ha sido por lo mensurable, eso no iba en serio, de hecho le mando más
de lo necesario, eso ha dicho, su honradez es la acostumbrada, no ha cambiado por verse sola. Pero está
bien que estén a un paso del lujo, también ha dicho
eso, a mí me gusta hacerlo posible, aunque habrá
exagerado, y es gracias a este trabajo del que aún hay
por venir, siempre queda, un poco más y por qué
no seguir, un minuto, la lanza, un segundo, la fiebre,
y otro segundo, el sueño (pero luego siempre vienen el dolor y la espada, y se harán días y semanas
y meses y tal vez años). Lo que ocurrió anteanoche,
lo que vi y oí entonces, empieza ya a enturbiárseme
esta otra noche y se difuminará sin duda con el
transcurrir de los días y el caso omiso, nuestra capacidad para omitir es enorme, como la de negación provisional y transitorio olvido, y acabará qui-

zá siendo como la mancha de sangre en lo alto de la escalera, que ya no puedo jurar haber visto porque al limpiarla del todo di paso a la duda, por contradictorio que sea esto: si sé que la borré, cómo puedo dudar de ella; y sin embargo así sucede, uno borra o tacha y ya no es, lo borrado o tachado; y al no ser, cómo estar seguro de que alguna vez fue o nunca ha sido; cuando algo desaparece sin cerco ni rastro, o se pierde alguien sin dejar su cadáver, entonces cabe dudar de su absoluta existencia, aun de la pasada y atestiguada. Cabe dudar por tanto de la de mi tío Alfonso, del que sólo halló mi madre su foto de muerto que yo guardo ahora, pero no su cuerpo. Cabe dudar de la de Andrés Nin por tanto, que no se sabe dónde yace enterrado ni si fue enterrado (acaso en un jardincillo interior del palacio de El Pardo, y allí se conmovieron sus huesos durante treinta y seis años, al notar unas pisadas enemigas ociosas sobre su tumba anónima o más bien ignorada). Cabe dudar de la de Valerie Wheeler, que para mí aún no tiene muerte ni vida si nadie me las ha contado, es sólo un nombre y podría serlo inventado y quizá mejor que así fuera (y quizá por eso su viudo eterno me había hecho la advertencia: "En realidad no debería uno contar nunca nada"). Lo que ocurrió, en lo que participé anteanoche en este país que para mí volverá a ser "el otro" algún día, se hará cada vez más brumoso, irreal, sobre todo si no se repite ni yo lo cuento ni insisto, llegará entonces a ser recordado como un mal sueño a lo sumo, y tras todos los sueños siempre puede decirse: "Oh no, yo no quise, no era mi intención, no tuve parte y fui ajeno, yo no elegí, qué voy a hacerle, si aparecieron esa asquerosidad o esa violencia que yo mismo causo, o que no he impedido...". Eso piensa el iluso y eso pensamos todos y quién no lo ha hecho, de vez en cuando. Pero mientras dura la ilusión ya nos vale, y no es cuestión de cercenarla antes de hora, sino mejor darle entero su tiempo, para ser creída.'

De pronto —o no fue así, sino que tardé en darme cuenta— vi que estaban apagadas las luces de enfrente, las de los bailarines, sus ventanales cerrados. Habían puesto fin a la sesión en algún momento, mientras yo cabeceaba o me adormilaba al son del 'Tema de Tana', esa pianola no pararía hasta que yo la obligara con mi mando a distancia, o no acabaría nunca de despedirse (adiós, regocijados amigos; que yo me voy muriendo; no os veré más, ni me veréis vosotros; y adiós ardor, adiós recuerdos). No había estado atento a la calle, no me había acercado a la ventana de nuevo para vigilar quién salía, cuál de las dos mujeres, si una o ambas o si ninguna, cabía asomarse ahora y buscar una bici allí estacionada, pero que no la hubiera carecería de significado, su dueña podía no haberla sacado esa noche, haber venido en autobús, metro o taxi, lo que se da una vez no tiene por qué repetirse, aunque tengamos la propensión idiota a creer lo contrario, sobre todo si lo que se da nos complace; como tampoco significaría nada que sí la hubiera, una bici, podía ser de cualquier persona. En realidad no me importaba en absoluto, no iba a asomarme a otear la plaza, sólo me importaba un poco quién salía o no de mi casa, es decir de la de Luisa y los niños en el Madrid lejano, o quién entraba o no en ella, y se quedaba; y eso me era imposible verlo, los ojos de la mente no servían, no dan para tanto. 'No es asunto mío, debo hacerme de una vez a la idea', pensé. 'Como no lo es tampoco en qué emplee Luisa mi innecesario dinero, el que le envío de sobra sin que me lo pida, ella sabe lo que supone pedir, para las dos partes de las peticiones, así que ahora que no estamos juntos prefiere aguardar y evitárselo: como si cae en la tentación de sus conocidas y amigas y decide no correr el riesgo de acabar siendo una paria o una descuidada, no esperar a mañana ni a pasado mañana para hacerse un tratamiento de lo que quiera si quiere, someterse a sajaduras e implantes o inflarse a grimosas inyecciones de *bottox* como la señora Manoia si eso la contenta, aunque no la veo por esa senda, no aún, no a la que yo dejé atrás y he conocido, todavía no será muy distinta, para traicionarse el rostro; en todo caso yo debería conservar este empleo, seguir ganando lo que gano ahora y aún más, para sufragárselo o para cubrirles cualquier otra necesidad o emergencia más serias, aunque a mí ya no me toque intentar protegerla ni intentar contentarla, pero cómo se quita uno esa tendencia, o es costumbre; cómo se anula eso, en el pensamiento.'

Suprimí con el botón del mando el organillo o pianola, ya era hora, me había excedido, me había expuesto demasiado a las evocaciones, sin aburrirme de oír lo mismo. Pensé que si me quedaba dormido del todo así, en el sillón, vestido, me despertaría en mitad de la noche oprimido por los sueños plomizos, anquilosado, sintiéndome sucio, con frío. Pero no tuve la decisión suficiente para levantarme y trasladarme a la alcoba y tenderme, por lo menos eso. Y pensé ya sin música, en completo silencio, ahora sí se había hecho tarde, no para Madrid sino para Londres y era allí donde estaba, un habitante más de aquella isla grande que era patria para algunos como Bertram Tupra y para mí no lo era, sólo ese otro país en el que no hay persianas ni apenas cortinas ni contraventanas, y así se cuela la luna en todas sus habitaciones si está despejado el cielo, o las farolas lunares si está cubierto, como si allí hubiera que mantener siempre un ojo abierto al adormecerse: 'Debo hacerme a la idea de que a mí no me toca nada y de que además no soy nada, en aquella casa, en aquellas sábanas que ya no existen porque se rasgaron para hacer tiras o paños antes de que estuvieran viejas y adelgazadas, en aquella almohada. Sólo soy una sombra, un vestigio, o ni siquiera. Un susurro afásico, un olor disipado y fiebre bajada, un rasguño sin costra, que se desprendió hace tiempo. Soy como la tierra bajo la hierba o aún más allá, como la invisible tierra bajo la tierra ya hundida, un muerto por el que no hubo duelo porque no dejó atrás su cadáver, un fantasma cuya carne se va ahuyentando y sólo un nombre para los que vengan luego, que no sabrán si es inventado. Seré el cerco de una mancha que se resiste a irse en vano, porque se rasca y se frota sobre la madera a conciencia, y se la limpia a fondo; o como el rastro de sangre que se borra con mucho esfuerzo pero por fin desaparece y se pierde, y así ya nunca hubo rastro ni la sangre fue vertida. Soy como nieve sobre los hombros, resbaladiza y mansa, y la nieve siempre para. Nada más. O bueno, sí: "Déjalo convertirse en nada, y que lo que fue no haya sido". Seré eso, lo que fue que ya no ha sido. Es decir, seré tiempo, lo que jamás se ha visto, y lo que nunca puede ver nadie'.

IV Sueño

'Aparte de eso, a mí me parece que es el tiempo la única dimensión en que pueden hablarse y comunicarse los vivos y los muertos, la única que tienen en común', esa era la cita exacta, como comprobé en Madrid más adelante, que de manera aproximada yo había musitado ante Wheeler en su jardín junto al río, justo después de que él hubiera dicho: 'El hablar, la lengua, es lo que comparten todos, hasta las víctimas con sus verdugos, los amos con sus esclavos y los hombres con sus dioses. Los únicos que no lo comparten, Jacobo, son los vivos con los muertos'. Nunca la he comprendido bien, esa cita, y Wheeler, que acaso habría podido con su saber más largo, no me la escuchó o no me quiso hacer caso, o tomó por mías y desdeñó esas frases que no eran mías sino de otro más respetable, eran de un muerto cuando habló de vivo, las había escrito en 1967 y había muerto en 1993, pero ahora estaba tan muerto como el poeta Marlowe, aunque éste le llevara una ventaja en la muerte de justo cuatrocientos años, lo apuñalaron en 1593, a aquel hijo de zapatero nacido en Canterbury (la ciudad del Deán bandido Hewlett Johnson por cuya extravagante e indirecta causa pudieron fusilar a mi padre mucho antes de mi nacimiento), y que había estudiado en Bene't's College, de Cambridge, en ese precisamente, llamado después Corpus Christi.

Tal vez no hablar más iguala, tal vez el callar definitivo nivela en seguida y asemeja y une con fuerte y desconocido vínculo a los ya silenciosos de todos los tiempos, al primero y al último que al instante ya será penúltimo, y el tiempo entero se comprime y no se divide ni se distingue ni se distancia porque deja de tener sentido una vez que se acaba —una vez acabado para cada uno el suyo—, por mucho que los que se quedan lo sigan contando, el propio y también el del abandono de los que se fueron, como si algún día pudieran éstos remediar su marcha y no estar ya más ausentes. 'Hace veintiséis años que murió mi madre', decimos, o 'Va a hacer uno que murió tu hijo'.

Hablaba más o menos de eso quien escribió esas líneas cuando las escribió, era un compatriota mío, o más aún, un hombre de mi ciudad odiada por tantos y que además vivió su asedio, un madrileño. Visitaba en un viaje a Lisboa el cementerio frondoso de Os Prazeres, con sus avenidas formadas por hileras de minúsculos panteones, un mundo reducido y feérico de raras casitas bajas y grises, puntiagudas y ornamentales, calladas, pulcras y arcanas —habitadas y deshabitadas—, y se iba fijando en los saloncillos escuetos que a través de una puerta cristalera pueden verse parcialmente en el interior de muchos de esos sepulcros, con 'unas sillas, o dos pequeños sillones tapizados frente a un velador cubierto por un mantón de encaje donde hay un libro abierto, de lecturas piadosas, la fotografía del difunto en un marco de plata, un búcaro con unas flores inmarchitables y, en ocasiones, un cenicero'. En uno de esos saloncitos, 'que quieren ser acogedores', el viajero vio un par de zapatos, unos calcetines y un poco de ropa sucia asomando por debajo de uno de los ataúdes; en otro, unos vasos; y en otro, creía, un juego de naipes. 'A mi parecer', escribió mi paisano al respecto, 'semejante *décor* no tiene otro objeto que infundir un carácter familiar, habitual y confortable a la visita a los muertos, para que ésta no sea muy distinta de la que se hace a los vivos.' Es decir, no vio tal costumbre·emparentada con la de los antiguos egipcios, que procuraban que no le faltara al difunto, en su eterno aislamiento decretado y sellado, nada de lo que hubiera disfrutado y apreciado en vida —al difunto importante al menos—, sino que la asociaba, 'más que al deseo de hacer grata y casera la permanencia del muerto en la estancia, a la necesidad del vivo de sentirse cálidamente acogido en aquel lugar'. Y añadía, no pudiendo dejar de ver la grave ironía: 'Se imagina uno que allí son los vivos los que buscan la compañía de los muertos, que, como sugería Comte, no sólo son los más, sino también los más influyentes y animados'.

Pero lo que estremeció a ese viajero fue la 'composición perfecta' que en una de aquellas cámaras sepulcrales observó 'con cierta indiscreción': además de la pequeña alfombra, los dos silloncitos y el velador con la fotografía de familia, el crucifijo y unas flores artificiales, descubrió 'un reloj despertador, de aquellos que se veían en las cocinas del tiempo de nuestros padres, redondo, con su campana en casquete esférico y dos pequeñas bolas por patas'. Todos, él y sus acompañantes, aplicaron naturalmente el oído a la puerta para percibir 'un tic-tac tan descomunal que era respecto al tic-tac normal lo que el grito es a la voz'. Y fueron esa visión y ese compás sonoro los que desencadenaron su reflexión que culminaba en la cita que yo nunca he comprendido bien y por eso recuerdo y me da que pensar. '¿Era', se preguntaba, 'que, como los enterrados vivos de Edgar Poe, trataba de hacer saber al mundo de los vivos el macabro olvido que lo dejó allí? ¿O era que para hacer llegar la medida del tiempo a aquellos sordos que lo rodeaban, necesitaba ese timbre exagerado?' Y a continuación entraba en la materia fundamental, en la verdadera cuestión suscitada por aquel anticuado reloj, en apariencia el más inútil y superfluo despertador: '¿Y qué medía, a la postre? Me pregunto yo', se preguntaba el hombre de mi ciudad; sí, era esa la interrogación principal, 'si sería el tiempo que llevaban muertos; o era —la cuenta hacia abajo, como ahora se lleva— el tiempo que faltaba para el juicio final. Si eran las horas de soledad, ¿contaba las ya pasadas o las que quedaban por pasar? Jamás reloj alguno —y tan humilde— me pareció mejor situado, mayor motivo de meditación. Pensé, con cierta sorpresa, que un culto que ha puesto tal acento sobre ese tiempo precario de la espera, no se ha preocupado —hasta aquel que colocó ese reloj— de conceder al alma el alivio que supone la medida de su congoja; pues si el alma espera la resurrección de la carne, ¿qué mejor que el reloj para proporcionarle el cómputo no tanto del tiempo que todavía ha de esperar, sino del que ha esperado ya?'. Y era aquí donde se insertaban o aparecían las enigmáticas frases: 'Aparte de eso, a mí me parece que es el tiempo la única dimensión...', ya las he dicho, en su literalidad. Les seguía aún algo más, pero no servía para elucidarlas y en realidad eso no importa mucho, tampoco a Shakespeare se lo comprende a menudo o no cabalmente, y sin embargo abre diez senderos o bocacalles por los que adentrarse y llegar muy lejos cada vez que da metáfora oscura o ambigüedad deslumbrante (los abre si uno sigue mirando y pensando más allá de lo necesario, como nos recomendaba mi padre, y se insiste a sí mismo y se dice 'Y qué más', allí donde diría uno que ya no puede haber nada); 'en ese sentido', apostillaba el viajero, 'ese inquietante reloj despertador es el único *deus ex machina* que permite la celebración del misterio, en ese saloncito confortable y atufado, del diálogo entre el vivo y el muerto'. Y no había ya más comentarios, o bueno, sí: como es preceptivo tras estas incursiones en el tiempo fantasma o en el tiempo muerto, el viajero volvía un momento al vivo antes de despedir su texto y recordaba cómo, 'ya saliendo', le había hecho estas dos preguntas a uno de sus acompañantes (alguien con nombre de personaje de Edgar Poe, por cierto, un tal Valdemar, nada menos): '¿Y si suena por las noches? ¿Y si se rebullen los que allí duermen?'.

Cabía ahora hacérselas también respecto a él, mi paisano, muerto veintiséis años más tarde de aquella visita o de aquel escrito, aunque él no estuviera enterrado en el reducido mundo frondoso de Los Placeres, sino en el cementerio limpio de nuestra ciudad natal, según tenía entendido, llamado de La Almudena, donde también está mi madre desde hace veintiséis años distintos, es decir, suyos, de ella. Y cabía también preguntarse sobre todos ellos: ¿y si en vez de permanecer silenciosos hablan entre sí durante la espera, y el fuerte y desconocido vínculo que los nivela y asemeja y une no es el del definitivo callar sino el del contarse indefinidamente,

a lo largo de ese inacabable tiempo que el tozudo
reloj mide y mide con su descomunal tic-tac, y sin
que suene nunca su exagerado timbre? Tiempo de
sobra para relatarse unos a otros cuanto cada sueño
particular recuerda —más que cada conciencia—,
cuanto hicieron y les sucedió y dijeron, una vez y
otra hasta saberse de memoria todos la historia de
los demás, esto es, cada uno la de todos y todos la
de cada uno. Tiempo suficiente para que cada hombre que pisó la tierra desde su origen y cada mujer
que cruzó el mundo hagan conocer al resto su cuento entero, de principio a fin, y el fin consiste en lo
que los llevó a la tumba o los expulsó de los vivos,
para sumarlos a esta otra compañía más nutrida e influyente, más animada y tal vez más dicharachera y
bromista, sin duda más ociosa y ligera, con menos
ansias y responsabilidades. Tiempo, incluso, para
aportar datos e inventar historias sobre seres que jamás han existido y referir hechos que nunca han acontecido, ficciones y fabulaciones y juegos con los que
entretener tanta espera, sin caer en las repeticiones.
Y así estaríamos otra vez como de costumbre, sin saber qué es cierto, o más bien qué ha sucedido.

Y cabría preguntarse, entonces, cómo hablarían entre sí los muertos de muerte violenta con
los muertos que los hubieran matado o con los que
hubieran dado la orden de quitarlos de en medio
—acaso nunca se habrían visto—, una vez nivela-
dos todos y asemejados, aunque sólo en eso y en
realidad eso no es nada, el haber muerto, luego también los difuntos se distinguirían, nunca menos que
los vivos. Y cabría preguntarse qué versión conta-
rían, no ya al Juez que aún no aparece y al que no se
miente, y que quizá se retrasa tanto porque no lo

hay ni lo hubo y ni siquiera va a haberlo, no lo traerá la sugestión colectiva, ni la insistencia (o puede
ser que no se atreva a enfrentarse con tan inmensa
multitud quejosa, si es que no agraviada o aún peor
—burlona—, y así se aplace a sí mismo hasta mañana, siempre mañana, ese mal trago al que se comprometió por soberbia, y lo rehúya infinitamente
con invencibles temor o pereza); sino qué versión
el uno al otro y los dos al resto, sacrificado y verdugo o instigador y víctima, a sabiendas de que el
tiempo de ahora, si así pudiera llamárselo y hace
rato que lo vengo haciendo, sería demasiado largo,
largo insoportablemente, para que lo que no fue
como fue, fuera creído.

Me dio tiempo a contestarle sólo una frase o dos, me dio tiempo a sonreírme y a que me cruzara un hilo de lástima, también a que sus comentarios sobre el hieratismo y agudización de los rasgos que el *bottox* provocaba en algunas caras, de divas o terrenales, me hicieran algo de gracia y me llevaran a pensar que había inesperadas fallas en la sandez global de De la Garza; e incluso a que me apeteciera de pronto oírle un poco más, más cháchara y más disparates y más símiles chuscos, y aun a preguntarme rápidamente si me estaría pasando con él (salvando largas distancias) algo semejante a lo que le pasaba a Tupra conmigo: yo lo divertía, se sentía a gusto en nuestras sesiones de conjetura y examen, en nuestras conversaciones o tan sólo oyéndome ('Qué más', me reclamaba. 'Qué más se te ocurre. Dime lo que piensas y qué más has visto').

Todo eso no duró nada, o es que fue simultáneo y por eso me dio tiempo a todo, o bien lo recuperé y recapitulé más tarde, en la pausa de la duermevela o en la persistencia de mi desasosiego, ya en la cama, una vez acabada aquella noche tan extensa y errónea y desagradable. De la Garza me había ilustrado a su modo sobre aquel producto antes venenoso y posiblemente ahora inocuo, y había soltado algunas impertinencias cómicas sobre sus usuarias o adictas de expresión alucinada, lo último que había dicho era esto: '¿No la ves como grillada de cara?', refiriéndose a quien había llamado 'la ex-mujer del otro que está con la nuestra', yo le había entendido perfectamente, inconveniente o ventaja del compatriotismo, una mujer alta que además tiene cara de alta, eso ya sí es más problema, tener ese tipo de cara, siendo alta o siendo baja. 'Se lo debe meter en los pómulos y en las patas de gallo, a litros, es como si no pudiera ni cerrar los ojos, lo mismo duerme con ellos abiertos. Y como esta Flavia, joder. Según el ángulo parece un duende.' Allí estaba, hecho un carnaval y con los cordones sueltos que encima eran largos, sería fácil que se le mojaran en un cuarto de baño aunque aquel se utilizara poco, siempre húmedos sus suelos. Era milagroso que todavía no hubiera sufrido un siniestro, sobre todo durante su último y como poseído baile, el que le habíamos interrumpido para salvar a la señora Manoia de sus castigos pseudocapilares; y para salvarlo también a él de algo peor, según dijo Tupra más tarde, en su casa.

—Tal vez los duendes duerman con los ojos abiertos, todos ellos. —Sólo se me ocurrió contestarle eso, como preparación de la broma o pulla; la risa me amenazaba, y no quería que él pudiera tomársela como un indulto ni un homenaje (tan engreído el agregado), así que le busqué, le improvisé otro cauce—: Tú deberías saberlo, con tu huevo de conocimientos sobre la literatura fantástica universal, incluida la medieval, Rafael. —Y fingí reírme por mi salida, en realidad me reía por sus observaciones salvajes. Sin embargo introduje otro elemento en seguida, para disipar el posible efecto hiriente de mi sarcasmo (luego fueron más bien cuatro o cinco las frases que me dio tiempo a decirle)—: Ojo, se te han desatado los cordones. —Y señalé hacia sus pies con el índice.

De la Garza miró hacia abajo sin cambiar de postura; ahora que se había repuesto del mareo, o del frenesí o el vértigo, debía de parecerle aproximadamente chic permanecer así, medio apoyado y medio agarrado a una extraña barra metálica cilíndrica, aunque fuese en un espacio prosaico y sin espectadores (a mí no podía considerarme impresionable). Se miró los zapatos de lejos, con un inexplicable gesto de conmiseración, como si no fueran los suyos sino los de otro —los míos—, y a continuación no hizo el inmediato movimiento esperable, de agacharse para atárselos. Tenía capacidad para sorprender, como todos los imbéciles mayúsculos, y por supuesto para irritar de nuevo en un solo segundo, y borrar de golpe mi risa abierta, mi sonrisa interior, mi condescendencia incipiente y mi delgado hilo de lástima.

—Anda, átamelos tú, que todavía estoy un poco borracho para ponerme en cuclillas, a ver si viene de una puta vez tu puto amigo con su puto chalequito y la puta raya que me habéis prometido. Y casi que me hagas doble nudo, venga, por si acaso. Qué te cuesta.

Quizá lo peor fue el estrambote, aquel 'Qué te cuesta'. Su puerilidad me sacó de quicio, su señoritismo. La mera idea de que yo pudiera tirarme al suelo de un cuarto de baño, por limpio que estuviera o lujoso que fuera, y anudarle los cordones a un inmenso capullo, artificialmente malhablado y que me metía en líos sin la menor ganancia (cuatro veces 'puto' o 'puta' son demasiadas en la misma frase, y sonarán falsas siempre)...; sólo que se le ocurriera, y lo sugiriera como algo natural, sin verle pegas ni el cariz insólito, algo factible...; que lo expresara además como antojo o casi como una orden, y ya me habían dado en aquel local chic e idiota unas cuantas, quien me pagaba y podía dármelas, o no podía, o hasta cierto punto...; y encima sin estar él impedido ni tullido ni nada, sólo que en aquel momento le daba bronca agacharse... Hay personas que no tienen límite y sorprenden siempre, por avisado que vaya uno, son personas imposibles. No sé qué le habría respondido o qué habría hecho o le habría hecho, no lo sé porque a tanto no me dio tiempo; aunque tal vez, pasados los segundos de estupefacción iniciales, quién sabe, me habría reído más todavía, por su desfachatez descabellada. Pero no me dio tiempo porque entró Tupra entonces, o Reresby aquella noche. Creo que cuando entró yo había vuelto a pensar, como mucho, el pensamiento único y breve y simple que ya me había llenado la mente al descubrir a la flagelante nuca en medio de la pista rápida: 'Es que le daría de tortas y no acabaría', debí de llegar a pensar eso cuando se abrió la puerta.

Habrían pasado los siete minutos anunciados por Tupra o tal vez diez o quizá doce, eran varias las cosas de las que se habría encargado, recomponer y adecentar a Flavia, conducirla hasta su marido, explicarle algo a él acaso, disculparse de nuevo por volver a ausentarse y dejarlos solos a ambos, a mí me tenía en otra zona ocupado, a lo mejor se quedaba él ahora con el agregado —pero en qué hablarían— y me enviaba a mí a la mesa a atenderlos. Vi en seguida, sin embargo —su figura apareció entera, como si dijéramos a la vez frente y espalda—, que traía su abrigo, no puesto sino echado sobre los hombros como un italiano o un español fantoche o acaso un eslavo pudiente, y que llevaba otro colgando del brazo, eran dos los abrigos, el suyo claro y otro oscuro, se me ocurrió que éste era el mío y así pensé que nos íbamos, que se había encargado también de recogerlos antes de acudir a nuestra improvisada y absurda cita en aquel lavabo de inválidos, para no entretenernos luego en el guardarropa, a la salida (*'Don't linger or delay'*, quizá esa era la divisa de Reresby).

—¿Nos vamos? —le pregunté.

No me contestó inmediatamente, no tardó tampoco. Le vi sacar algo de un bolsillo y atrancar la puerta con ello, un papel muy doblado, una cuña de madera, un cartón, no distinguí lo que era en primera instancia, lo hizo en un amén, como si hubiera trabado mil puertas desde la infancia. Nadie podría abrir aquella mientras él no la liberara, vi cómo lo comprobaba empujando y tirando con fuerza, fueron dos movimientos seguidos y rápidos, noté una firmeza y seguridad especiales en cada uno de los que hacía, y hasta economía, en todos ellos.

—No, todavía no se va nadie —dijo entonces.

Parecía distraído, o más bien aún ocupado, su actitud era de trabajo. Dejó el abrigo oscuro tumbado sobre una de las barras metálicas, una baja a la altura de nuestras caderas, y el suyo, en cambio, lo colgó de pie de otra más alta, se lo quitó de encima como si fuera una capa, aunque la prenda carecía de vuelo, me pareció algo pesada y tiesa, como las muy sucias de los mendigos y las almidonadas. Pero ya nadie pone almidón, y a un abrigo menos.

El suyo, además, era manifiestamente caro, flamante, de esos que subrayan la respetabilidad de su dueño y quizá en exceso la subrayan, casi como para recelar de ella.

—Ya era hora —se atrevió De la Garza a quejarse. Y añadió con su espantoso acento en la lengua de Tupra, dirigiéndose a él por tanto (era una provocación, era incendiario que se hubiera fijado en el chaleco de éste y lo escarneciera, dado cómo iba él de extremado, quiero decir de afrentoso al ojo)—: *It was high time, you know.* —En su boca resultaban reconocibles sólo las frases hechas, precisamente de tan cocidas y hechas, y era de los que añadían *'you know'* a todo, eso delata mucho a los que de verdad no saben; por lo demás, bien yo estaba enterado, era incapaz de conversar en inglés, aquel mastuerzo, se perdía a la primera subordinada oída si no antes, y a él nadie podía entenderle que no fuera compatriota suyo, serlo era mi desgracia y no sólo en ese aspecto. Era como si ya se hubiera olvidado de por qué estaba allí en realidad, de que lo habíamos separado de Flavia para evitar que le dejara la cara como un santo sudario, de que estaba en deuda con nosotros y nos había ofendido, por así decir, en tanto que acompañantes y guardianes de ella, yo se la había presentado. Es la suerte de los ufanos, jamás se sienten responsables ni padecen mala conciencia porque son del todo inconscientes e irresponsables, los desconcierta y no se explican cualquier castigo o desaire aunque se los hayan buscado con inquebrantable ahínco, ellos nunca están en falta, y a menudo convencen a los demás, como por contagio, de ese convencimiento espontáneo suyo y acaban así librándose. No estaba seguro de que fuera a pasar eso esta vez. Pensé que a Tupra le sentaría mal aquel tono exigente, a De la Garza se le había ofrecido una raya, ni siquiera directamente sino por persona interpuesta (por compatriota y por casi intérprete), y en su feliz mentalidad de fatuo eso era suficiente para permitirse reclamarla siete minutos después, o diez o doce, era como pedir cuentas respecto de un favor o un regalo.

La sensación de peso que me había sobrevenido al levantarme de la mesa y encaminarme hacia los lavabos me aumentó en aquel instante; no la había perdido desde entonces, pero ahora se me acentuó, se me hizo más oprimente, la traen varias combinaciones, la de sobresalto y prisa, la de hastío ante la represalia fría que nos es forzoso llevar a cabo, la de mansedumbre invencible en una situación de amenaza. Esta tercera mezcla no podía darse aún en Rafita, él no sentía amenaza. En mí se daba ahora, en cambio, más la segunda que la primera, ya no había sobresalto ni prisa como al ponerme en pie y apartar la silla para ir en su busca y la de Flavia, sino un presentimiento (no llegaba a presciencia) de represalia ya cernida, a duras penas evitable, como si la flecha estuviera en el arco y éste, aunque con hastío, se hubiera tensado al máximo, bostezante el brazo. Todo aquello seguía emanando de Tupra pese a ser yo quien lo soportara: el malestar, la ominosidad, la punzada del alfiler y el presagio de una malandanza. Sí, Reresby tenía que ser de los que no avisaban o sólo cuando ya era inútil, cómo decir, cuando la advertencia es sólo parte de la acción punitiva que ya se cumple.

—Te va a compensar la espera —dijo con afabilidad, aún no mandaba recado, no verbal al menos. No sé si le entendió el agregado, pero tanto daba, porque al mismo tiempo Tupra se metió dos dedos en el bolsillo pectoral de su criticable chaleco y sacó una papelina bien doblada. Con esos mismos dedos, corazón e índice, se la alcanzó a De la Garza; o no, él no dio un paso, y tampoco extendió el brazo, así que se la mostró solamente, manteniéndola en alto así pinzada, como un adulto que le retiene un segundo a un crío el premio que éste ha ganado, para que fuera el diplomático sin diplomacia quien se acercara a cogerla; y Reresby lo invitó a hacerlo—: *Help yourself*—añadió, y esto lo entiende cualquier negado que haya pisado Inglaterra, 'Sírvete'—. No abuses. Tiene que durar toda la noche. —Aún sonaba distraído, como quien cumple trámites o anda todavía en preparativos. Y aunque el inglés no lo indica, entendí que lo tuteaba.

'Así que era verdad, sí que lleva', pensé sin ninguna extrañeza: no tenía nada de particular, en efecto, que un hombre como él dispusiera con facilidad de uno o dos gramos y aun de más, incluso podían provenir de la policía, un decomiso; y ni siquiera tenían que ser para consumo propio, su posesión sólo con vistas a lo que ahora había hecho, utilizar la sustancia como señuelo o como gratificación simbólica, ofrecerla para conseguir algo a cambio. 'Comendador la empleaba en su día como un buen cebo para cazar tías', recordé de improviso, 'se subían a su coche o se iban con él a su casa y en uno u otro sitio acababa tirándoselas, con frecuencia, no siempre, aunque ellas no lo tuvieran previsto en primera instancia, al montarse en el automóvil. Ese era su léxico, y siendo tan distintos coincide en parte con el de este imbécil, también

fue el mío a veces en otros tiempos más jóvenes y subjetivos y aún puede serlo en ocasiones sueltas —ningún habla se olvida, soy capaz de recuperar cuantas
conozco—, cuando una mujer se presta a ser tía o
sólo está dispuesta a ser eso y a que se la tire uno sin
ambages previos ni posterior y súbito afecto, o ella
a uno, da lo mismo, rara es la que no ha conocido
una noche en su vida en la que sólo le apeteciera interpretar el papel de cruda carne embrutecida, de
saqueadora o de despojo, ese matiz es indiferente,
hasta Luisa vivió en su juventud más de una, aunque yo ignore el detalle, y hoy podría volver a pro-
barlas como lo he hecho yo aquí algunas veces, quién
sabe si Luisa esta misma noche, sin ir más lejos; y
Pérez Nuix debe admitirlas, no está en edad de ha-
berles puesto todavía término, es decir fin temporal
o aparente, porque nada es descartado nunca definitivamente. Con su señuelo Tupra ha conseguido
que yo me traiga a este *cunt* a un lavabo de minusválidos, y que lo haya aguantado aquí diez o doce
minutos sin que rechistara, ya tiene mérito. Así que
de momento ha logrado lo que más le urgía, neutralizarlo, que no complique más las cosas con la señora Manoia y que su Arturo no se preocupe ni sobre
todo se encolerice, lo principal es sin duda eso.' Pero
ahora le ofrecía la papelina, me pregunté qué más
le interesaba sacar a cambio, para entregársela, quizá iba a sobornarlo con ella (le diría después: 'Anda,
quédatela') para que desapareciera del todo, para que
de aquel lavabo se fuera derecho a la calle sin hacer
escalas, pero eso no sería posible, tendría que recoger o avisar a sus jaraneros amigos, a menos que ya
se hubieran largado sin esperarlo, al verlo tan desa-
forado. Reresby también había dicho: 'A este *moron*

hay que anularlo', lo cual significaba, *sensu stricto*, convertirlo en nada, y algo parecido a aniquilarlo.

De la Garza se la cogió de la mano, la papelina bien doblada, tal vez sin estrenar aún, se veía abultada. Ni siquiera dijo *'Thank you'*, sólo comprobó con el canto de su enjoyado puño que la puerta estaba cerrada, esto es, bien atrancada, y entonces se dispuso a prepararse la raya al lado de los varios grifos, sobre la parte plana de mármol negro que circundaba la loza cóncava. Pero cambió de opinión nada más sacar su cartera (quizá no se fiaba de la cuña de Tupra a pesar de todo, no acababa de verla como candado seguro), y se metió en uno de los gabinetes con ella y con la papelina en la mano; claro está que no cerró la portezuela, eso lo habríamos visto como un agravio, o como posible intención de abusar, al servirse. En mi primera visita acelerada no me había fijado mucho —casi mera inspección ocular en busca de los fugitivos—, y había pasado por alto las tres o cuatro barras que había a la altura de nuestras caderas además de las más altas, a la de nuestros hombros; sobre una de aquéllas reposaba mi abrigo, si es que era el mío; tampoco había reparado en lo amplios que eran esos gabinetes, sólo dos pero casi como salitas, todo allí era espacioso, sin duda para facilitarles los movimientos a los discapacitados y permitir a las sillas de ruedas todo tipo de virajes (hasta en seco); igualmente generosa era la iluminación, magnífica, a buen seguro para evitarles tropiezos, todo estaba impoluto y nuevo, reluciente y hasta acogedor, sin uno solo de los elementos sórdidos frecuentes en los lavabos públicos. En verdad era admirable que lo respetaran los capacitados británicos, que no lo invadieran con total desahogo y lo enfangaran y pusieran perdido, según es norma entre los varones y optativo entre las mujeres. Bueno, ahora estábamos allí tres aún capacitados, no sólo haciendo uso indebido y semidelictivo sino impidiendo la entrada a cualquier legítimo minusválido que pudiera necesitarlo, era una coincidencia improbable; pero dos de los tres intrusos éramos españoles, y con nosotros ya se sabe, o con la mayoría: basta con que se nos prohíba algo para que nos precipitemos a contravenir las órdenes, y aun las indicaciones y los ruegos. La idea original, sin embargo, había sido del inglés del trío, la de reunirnos allí o profanar aquel sitio, por mucho que su apellido fuera finlandés o checo, turco o ruso; era un inglés cabal y quizá patriota, y además respondía por Reresby en aquel lugar, aquella noche. La verdad es que me costaba acordarme, cuando llevaba cambiado el nombre: yo pensaba siempre en Tupra y era eso lo que me venía a la lengua, ni siquiera Bertram o Bertie después de que me invitara a tratarlo con esa mayor confianza, e insistiera.

De la Garza bajó la tapa superior del retrete y puso la papelina y la cartera sobre la cisterna a la espalda de aquél, pero se detuvo en seguida, cayó en la cuenta de que era blanca, de modo que las trasladó a la tapa, que era de baquelita o algo similar, azul oscuro, pulida y lisa, y se arrodilló delante, casi apoyando las nalgas sobre los talones ('Ah, no le importa ahora a este macaco', pensé con resquemor; 'hace un momento no quería ni agacharse para atarse los cordones y pretendía que yo le hiciera nudos, y ahora se hinca de rodillas para prepararse y meterse una raya, ojalá se los pise luego y se estrelle; con su cuello haría un nudo'). Se echó hacia atrás su redecilla para que no lo importunara, con un golpe de nuca, como si fuera una melena, le quedó colgando a un lado; sacó de su cartera una tarjeta, vi que era una *platinum*, debía de disponer de buen dinero en sus cuentas habitualmente, o administraría fondos de la Embajada, partidas, esa Visa no se la conceden a todo el mundo. Abrió la papelina con cuidado y no mucha soltura, sería un consumidor ocasional; con una punta de la tarjeta espolvoreó una pequeña cantidad de coca directamente sobre la tapa, al no haber nada a mano que le pudiera hacer de patena o bandeja, el polvo blanco se distinguía con toda nitidez sobre ella, a diferencia de lo que habría ocurrido sobre la loza de la cisterna. Con el plástico rígido lo fue alineando hasta formar una raya, no abusó, incluso devolvió un poco de lo ya sacado a su envoltorio, que a continuación apartó como con repentino sentido de la propiedad ajena, doblado pero sin cerrar del todo. La Visa no la manejaba con demasiada destreza, reagrupaba y perfilaba la línea, yo lo observaba perplejo desde el umbral del gabinete y Tupra se quedó fuera, a mi espalda o eso supuse, a él no lo miraba, sólo a Rafita de hinojos (aunque no fuera ducho la operación era breve, o solía serlo). No me pareció muy gruesa ni muy larga, la raya, comparada con las que les había visto a Comendador y a su círculo en tiempos, y bueno, también a otras personas menos nocturnas en diferentes fiestas y en algún otro lavabo (sobre todo a finales de los ochenta y en los noventa esto último, pero no sólo), incluyendo a un ministro, a un potentado, al presidente de un club de fútbol, a un juez de severa fama y hasta a sus respectivas y muy ataviadas mujeres de variables crianza, nociones y edad, tanto en Inglaterra como en España, así como a un par de actrices y a un par de obispos (por separado: uno católico y otro anglicano, pero ambos de incógnito), a una multimillonaria del Opus Dei o de los Legionarios de Cristo, no recuerdo, y más recientemente a Dick Dearlove al término de su cena-*cum*-celebridades y a algunas de esas celebridades-*ad*-cena; y en los Estados Unidos, en una ocasión, a un jefe del Pentágono, aunque esto no puedo contarlo, quiero decir quién ni dónde ni las circunstancias; pero fue un mero azar que yo estuviera delante, y además eso acaeció más tarde y entonces aún no lo había visto (creo que lo que me libró de una detención allí fue haber contemplado eso, o lo que la invalidó al instante, más aún que el recitado incompleto de *la fórmula Miranda* por parte del detective que nos hizo esposar a mí y a ese jefe y a dos mujeres y a otros dos individuos, 'Tiene derecho a guardar silencio...': lo cierto es que de no haberlo guardado podía haber puesto en un buen aprieto a aquel altísimo cargo con tanta tropa a su mando).

De la Garza se palpó los pantalones y la chaqueta gigante (los faldones barriendo el suelo) y me miró sin enfocarme ni volver la cabeza del todo; temí que fuera a pedirme un billete, era capaz, o a Tupra. 'Si te vas a meter un billete en la nariz, que sea uno tuyo, capullo', me adelanté a pensar con involuntaria rima. Pero por fin se echó mano a un bolsillo y sacó uno de cinco libras que enrolló rápidamente —más diestro en eso—, para improvisarse el canuto por el que inhalar el polvillo reminiscente de talco. 'Eso es', pensé, 'aquí huele un poco a talco.

Qué limpios los discapacitados', aunque cada vez más dudaba de que en aquella discoteca hubiera entrado ninguno en mucho tiempo, quizá estaba por estrenar aquel cuarto de baño, una mejora reciente. 'O bien no es coca, sino talco, lo que Tupra le ha endilgado', se me ocurrió también pensar esto. Vi a De la Garza inclinar la cabeza y estirar el cuello hacia adelante, iba ya a esnifar su raya, o por la fosa nasal izquierda la mitad de ella, se tapaba con el índice la derecha. 'Parece un condenado antiguo a muerte', pensé, 'que ofrece su nuca vencida, su cuello desnudo al hacha o a la guillotina, la tapa del retrete como tocón o tajo, y si la tuviera abierta la taza haría de cesto para que la cabeza cayera dentro lo mismo que un vómito, en el agua azul, y no rodara.'

Entonces oí la voz de Tupra que me decía con autoridad:

—Apártate, Jack. —Y a la vez me cogió por el hombro, con fuerza pero sin brusquedad, y me sacó de allí, me quitó de en medio, quiero decir del umbral del gabinete que casi era como un saloncito, tal vez tenía el mismo tamaño que los de los panteones minúsculos en el cementerio de Os Prazeres, someramente decorados y pretendidamente acogedores, habitados y deshabitados. *'Stand clear, Jack'*, fueron sus palabras, o quizá *'Clear off'* o *'Step aside'*, o *'Out of my way, Jack'*, resulta difícil recordar con exactitud lo que luego queda en nada por lo mucho más que viene luego, en todo caso lo capté, cualquiera que fuera la frase, ese fue el sentido y además la acompañaba el gesto de la mano firme sobre el hombro que se dejó arrastrar, con buena voluntad podía entenderse 'Hazte a un lado', con mala 'Fuera de aquí, Jack, quítate de en medio, no te metas ni se te ocurra impedirlo', pero el tono fue más de lo primero, fue suave para ser una orden que no admitía desobediencia ni remoloneo, ninguna dilación en su cumplimiento ni resistencia o cuestionamiento o protesta ni tan siquiera la manifestación del espanto, porque es imposible objetar u oponerse a quien lleva una espada en la mano y la levanta para abatirla, asestar un golpe, dar un tajo, sin que uno haya visto aparecer el arma ni sepa de dónde ha salido, un filo primitivo, un mango medieval, un puño homérico, una punta arcaica, el arma blanca más innecesaria o más reñida con estos tiempos, más aún que una flecha y más que una lanza, un anacronismo, una gratuidad, una extravagancia, una incongruencia tan extrema que provoca pánico sólo verla, no ya miedo cerval sino atávico, como si uno recuperara al instante la noción de que es la espada lo que más ha matado a lo largo de casi todos los siglos —lo que ha matado de cerca y viéndosele la cara al muerto, sin que el asesino o el justiciero o el justo se desprendan ni se separen de ella mientras hacen su estrago y la clavan y cortan y despedazan, todo con el mismo hierro que nunca arrojan sino que conservan y empuñan con cada vez más fuerza mientras atraviesan, mutilan, ensartan y hasta desmembran, nunca saco de harina sino siempre saco de carne que cede y se abre bajo esta piel nuestra que no resiste nada, no sirve y todo la hiere, hasta una uña la rasga, un cuchillo la raja y la desgarra una lanza, y una espada la rompe con el mero roce de su paso en el aire—; de que es lo más peligroso y tenaz y temible, porque a diferencia de lo arrojadizo puede repetir el golpe y coser a sablazos y no acabarlos, uno y otro y otro y cada uno peor, más sañudo, no es una flecha o una lanza que alcanzan y a las que no tienen por qué seguir otras que también acierten y se hinquen en el mismo cuerpo, pueden ser una y basta, y quizá hagan una sola brecha o un solo destrozo que puedan curarse si no van untadas con ningún mal veneno, mientras que la espada entra y sale y entra y taja con insistencia, es capaz de matar al sano y rematar al herido y descuartizar al muerto indefinidamente, hasta la extenuación o caída del que la sostenga, que jamás va a soltarla ni va a perderla, si no es a su vez muerto o se le arranca el brazo; y por eso el gesto de desenvainarla ya obligaba y no era en vano, más valía dejarlo a medias como amenaza o duda o ademán de alerta o recado visual de estar en guardia, porque una vez la hoja entera en el aire, una vez la punta desembarazada y mirando, eso era ya anuncio seguro de la irremediable sangre.

No había visto desenvainar a Tupra si es que había allí alguna vaina, de pronto tenía en la mano ya desnudo el acero como por ensalmo, una hoja no muy larga, bestial y afiladísima en todo caso, bastante menos de un metro sin lugar a dudas, un mango no medieval aunque todos lo parezcan en primera instancia excepto los que son de cazoleta o '*a tazza*', quizá era más bien renacentista, me pareció una espada lansquenete entonces y más tarde, al recordarla en mi duermevela o mi insomnio una vez de vuelta en casa, no es que sea experto yo en esas armas, pero en mis días docentes hube de traducir en Oxford, entre tanto pasaje presuntuoso y rancio de nulas aplicaciones prácticas, uno de Sir Richard Francis Burton —para los libreros de viejo nada más 'Captain Burton'—, sobre los diferentes tipos de espada, un pasaje además ilustrado, y se me quedaron ese nombre y la correspondiente imagen así como algunos otros ('a la Papenheim', por ejemplo), aquella de los lansquenetes era conocida asimismo con un sobrenombre alemán, '*Katzbalger*' o algo por el estilo, algo que significaba 'destripagatos', modesto cometido ese y con escaso riesgo, o directamente ventajoso y bajo, al fin y al cabo los lansquenetes eran mercenarios germanos de infantería, de los que mi país no se privó sin embargo en los imperiales tercios, acaso la traducción absurda había sido del español al inglés y no a la inversa, *El cerco de Viena por Carlos V*, de qué si no me sonaba ese título del infinito Lope de Vega, de qué si no me sabía de memoria yo estos versos (aunque tal vez, no era imposible, de habérselos oído recitar a mi padre, tan aficionado a eso, tanto como Wheeler o más, eran casi coetáneos): 'Voyme, español rayo y fuego y victorioso te dejo. Ya os dejo, campos amenos, de España me voy temblando; que estos hombres, de ira llenos, son como rayos sin truenos que despedazan callando'. Muy patriótico y presumido y muy logrado el pasaje, en boca de un invasor que huye, no era el caso en aquel cerco para desbaratar y poner fin a otro, el de los otomanos a Viena al mando de Solimán el Magnífico, allí debieron de hervir las 'destripagatos' en manos de los lansquenetes a sueldo, más desalmados que furibundos, aparecen en grabados de Durero y Altdorfer, y en ellos se ven asimismo sus armas, esa espada no larga portada en horizontal, unos setenta centímetros cruzados por encima del vientre, o llevan picas a veces, no muy distintas de las de Breda en Velázquez, sólo habría faltado que Tupra hubiera blandido también una de éstas para infundirnos más pavor, desde luego a mí pero sobre todo a su víctima, De la Garza contra quien levantó la espada, Reresby la sostenía con una mano cuando me apartó para pasar y me echó a un lado, pero la empuñó con ambas para alzarla y soltar el tajo. Vi cómo se le subía el chaleco arrastrado por sus dos brazos en alto, tomó todo el impulso posible, se le vio la camisa a rayas finísimas, elegantes, pálidas, sobre el cinturón, por debajo.

'Lo va a matar', pensé, 'le va a cortar la cabeza, el cuello, no, no puede ser, no va a hacerlo, sí, va a decapitarlo aquí mismo, a separarle la cabeza del tronco y yo ya no puedo evitarlo porque la hoja va a bajar y es de dos filos, no cabe que le dé sólo un golpe con el canto, aunque fuera fuerte, para asustarlo, para escarmentarlo, porque no hay tal canto sino doble filo que va a segar en todo caso, De la Garza estará muerto en seguida y ahora habremos de esperar tiempo infinito hasta volver a verlo entero, de una pieza, hasta el día en que por decoro se juntarán las dos partes en que ya va a convertirse, para acudir a Juicio aseado y no como un monstruo de feria, con la cabeza sobre los hombros y no bajo el brazo como si fuera un balón o un globo terráqueo, y allí gritar: "Morí en Inglaterra, en un cuarto de baño público, en un lavabo para minusválidos de la vieja ciudad de Londres. Me mató este hombre con una espada y de mí hizo dos trozos, y este otro estuvo presente, lo vio, no movió un dedo. Fue en otro país y el que me mató estaba en el suyo, pero para mí era un extranjero porque eso era él a mi tierra; en cambio el que asistió y no hizo nada hablaba mi lengua y ambos éramos de esa misma tierra, más al sur, no tan lejana, aunque hubiera mar por medio. Aún ignoro por qué fui asesinado, nada grave había hecho, ni para ellos constituía peligro. Tenía media vida o más por delante, probablemente habría llegado a ministro, o a embajador en Washington por lo menos. No lo vi venir, me quedé sin vida, me quedé sin nada. Fueron como un rayo sin trueno: el uno despedazó, y el otro anduvo callando". Pero quizá De la Garza no pueda hablar de esa manera ni siquiera el último día, en él cada hombre y cada mujer seguirán siendo los que fueron siempre, el bruto no se hará delicado ni el lacónico elocuente, el malo no se hará bueno ni el salvaje civilizado, el cruel compasivo ni leal el traicionero. Así que lo más probable es que Rafita haga la denuncia a su modo pretencioso y zafio, y chille al Juez esta queja: "La palmé en Inglaterra con una violencia de cojones, oye, vino este tío y me rebanó el pescuezo sobre la tapa de un retrete público para lisiados, ¿puedes creértelo? Un hijo de la gran puta y de la Gran Bretaña, un cacho cabrón de cuidado. Fui un pardillo de la hostia, ni me lo olí, vaya mierda, iba bien bebido y bailado y más mareado, ipecacuana no me hacía falta, estaba a lo mío y ni me enteraba, pero juro que yo no le había hecho nada, le dio por ahí en plan psicópata, en plan enigma inexplicable, sacó no sé de dónde una espada y el muy bestia me guillotinó de un tajo, se debió de creer Conan el Bárbaro de pronto, o El Cid, o Gladiator, yo qué sé, el muy grillado, un tío con chalequito, hay que joderse, encima eso, de repente va y tira de estoque y su fantasía me cuesta el cuello, la gran putada de mi vida, menuda gracia, como que la vida se me terminó allí mismo. Y el otro ahí mirando como una estatua con cara de pasmo, un tío de Madrid, no te jode, un paisano, uno del foro, y ni siquiera intentó pararle el brazo, bueno, los dos, porque el muy cabrón agarró la tizona con ambas manos para atizarme con toda su fuerza, toma literatura medieval y universal, y casi mejor así, no te creas, un corte limpio, imagínate que se me hubiera quedado la cosa a medias, colgando, y yo aún medio vivo viéndolo y dándome cuenta de que me mataban por nada. Morí en Londres, allí morí en noche de farra, sin llegar a corrérmela entera, no me dio tiempo a apurarla, me tendieron una trampa. Lo último que hice fue arrodillarme, fue la leche, nada menos. Y luego se me acabó ya todo". Sí, no hay nada que hacer', pensé, 'va a matarlo. Lo más rápido de todo es la voz, ya sólo puedo gritarle.'

—¡Tupra!

Grité su nombre, a más no me daba tiempo, ni siquiera a añadir '¡Qué haces!', o '¡Estás loco!', o '¡Detente!' como en las novelas antiguas y en los tebeos, o cualquiera de esas exclamaciones inútiles ante lo que no es inminente sino que en realidad ha comenzado, ya está en marcha y es flecha volando. De la Garza ladeó la cabeza una fracción de segundo —rodaría como globo terráqueo—, de la misma manera en que lo había hecho poco antes, cuando había estado a punto de pedirme un billete para metérselo por la nariz enrollado, es decir, sin volver del todo la vista, sin enfocar, sin poder ver más que una ráfaga turbia de lo que tenía encima o lo sobrevolaba, pero sin duda sí vio cernirse el acero, de refilón, de reojo, reconociendo la hoja y el filo y sin reconocerse su reconocimiento, sin dar crédito y a la vez dándolo, porque el peligro real de muerte se percibe siempre y en él se cree inmediatamente, aunque al final se quede sólo en susto de muerte. Como cuando se prolonga en el sueño una situación de amenaza con riesgo de aniquilación, o una duradera secuencia de persecución y alcance y más persecución y alcance, y la conciencia dormida sucumbe al pánico y al fatalismo y a la vez comprende que algo no va del todo y que la fatalidad no es tan segura, porque el sueño aún continúa sin cesación ni vacío ni resolverse, y no acaba de caer el golpe que hace ya rato inició su caída: *it delays and lingers and dallies and loiters*, el golpe, el sablazo, el sueño, se entretiene y espera y todo es plomo sobre mi alma, se congela y gana tiempo mientras la conciencia pugna por despertarse y salvarnos, por disipar la mala visión o quebrarla, y ahuyentar o zanjar el impedido llanto que ansía brotar pero no alcanza.

Le vi la expresión de muerto, de quien se da por muerto y se sabe muerto; pero al estar aún vivo la imagen fue de infinito miedo y de forcejeo, esto último sólo mental, quizá un deseo; de pueril e indisimulado espanto, la boca debió de secársele instantáneamente, tanto como la palidez le cubrió el rostro como si le hubieran dado un brochazo raudo de pintura blanca sucia o cenicienta o de color enfermo, o le hubieran arrojado harina o acaso talco, fue algo parecido a las nubes veloces cuando ensombrecen los campos y recorre a los rebaños un escalofrío, o como la mano que extiende la plaga o la que cierra los párpados de los difuntos. El labio superior se le levantó, casi se le dobló, fue un rictus, le dejó al descubierto la encía seca y en ella se le enganchó la parte interior del labio al faltar toda saliva, ya no podría volver a bajarlo, así contraído hasta el fin de los tiempos en una cara atormentada separada del cuerpo, sí bajó la cabeza nada más avistar la ráfaga turbia de metal en alto, encima de él y de mí, allí arriba, un doble filo, dos manos, un mango, la aplastó contra la tapa como si quisiera que cediera ésta y desapareciera, y encogió el cuello instintivamente, hundió la cabeza entre los hombros como con un espasmo, ese gesto debieron de hacerlo sin querer o queriendo todos los guillotinados de doscientos años y los que padecieron el hacha a lo largo de los cien siglos, aun los culpables conformes y los resignados en su inocencia, ese gesto han debido de hacerlo hasta las gallinas y los pavos.

Descendió la espada a gran velocidad, con gran fuerza, bastaría aquel tajo para cortar limpiamente y aun llegar a la tapa y astillarla o rajarla, pero Tupra detuvo en seco la hoja en el aire, a un centímetro o dos de la nuca, la carne, los cartílagos y la sangre, tenía control sobre su impulso, sabía medirlo, quiso frenarlo. 'No lo ha hecho, no ha decapitado', llegué a pensar con alivio y sin tantas palabras, pero no me duró un instante, porque en seguida la alzó de nuevo cumpliendo con lo propio y temible de las armas que no se sueltan ni arrojan y que también son de repetición por tanto, luego pueden abatirse una vez y otra, pueden amagar primero y segar después o atravesar sin remedio, un fallo o un arrepentimiento brusco no equivalen a un respiro, a un momentáneo indulto ni a una efímera tregua, como sí lo serían la lanza lanzada que yerra el blanco o la flecha que se desvía y se pierde camino al cielo o bien cae plana al suelo, se necesitan unos segundos para sacar otra del carcaj y colocarla en el arco y recuperar el pulso para mejor apuntar y volver a tensar la vara curva sin que se resienta el músculo, durante esa mínima pausa uno puede ponerse a cubierto o empezar a correr zigzagueando, en la esperanza de que apenas le queden ya venablos al nervioso arquero que nos ha ojeado, tres, dos, uno, ninguno. Cada movimiento de Tupra seguía siendo o era resuelto, no improvisado, debía de haberlos conocido o calculado todos antes de entrar en aquel lavabo, incluso en el momento de ordenarme en la pista que me llevara allí al agregado

y que esperáramos los dos su venida con la prometida raya, había sido cumplidor en eso, la había traído, si es que no era talco el polvillo ahora esparcido,
volado por la cabeza esquiva de De la Garza, ilusa-
mente, pues no tenía dónde huir, dónde esconderse. Pero si Reresby conocía sus pasos yo no, y menos
aún De la Garza, así que no supe cómo interpretar
la media sonrisa —o no llegó, fue sólo un cuarto, o
ni siquiera, y nada más que su expresión burlona—
que creí ver en sus labios carnosos un poco africanos o más bien hindúes o eran eslavos, cuando detuvo la espada y volvió a levantarla y así volvió a parecer que iba a matarlo, aún más que la primera vez
me pareció que iba a hacerlo, porque cuando una
oportunidad se ha gastado queda una menos para
salvarse, y las posibilidades se han reducido. Eso es
todo, y no al contrario.
　　—*Tupra, don't!* —Esta vez sí me dio tiempo a añadir una sílaba, habrían sido cuatro en mi
lengua, '¡No lo hagas!', o habría bastado con decir
'¡Tupra, no!', lo vi capaz y lo vi incapaz, ambas cosas, lo cual significaba, pensé mucho más tarde en
la cama, que en esta ocasión no iba a hacerlo pero
que sí poseía la frialdad para hacerlo —o era la crueldad, o era sólo el metal, o el temple, el carácter, o la
indiferencia, o era algo consustancial a 'lo suyo'—
y que quizá lo había hecho ya con anterioridad, en
su juventud y en el pasado lejano, o en su edad adulta y hacía nada, acaso hacía meses, semanas o días
y yo sin saberlo ni imaginármelo; posiblemente
en otros países y rindiendo siempre servicio al suyo aunque fuera antes que nada tras el beneficio
propio; en sitios remotos en los que un tajo es necesario a veces para sofocar o avivar incendios ma-

yúsculos y taponar o abrir grandes boquetes, para remediar o provocar desaguisados prebélicos y calmar o azuzar insurrectos, engañándolos invariablemente. Y qué era un tajo al lado de esparcir brotes de cólera, y de malaria, y peste, como había hecho Wheeler tiempo atrás o eso decía, o al lado de una sola insidia que prende y contagia, que se convierte en imparable fuego y calcinación de todo o en epidemia y eliminación de cuantos están en medio o tan sólo cerca y aun en las lindes, de cuantos no pueden irse ni refugiarse, no hay dónde huir tantas veces ni dónde esconderse, y ni siquiera hay ala propia para meter debajo la cabeza.

De la Garza había recurrido a ambas, los dos brazos sobre la nuca inútiles como un paraguas bajo la tempestad marina, y había cerrado los ojos, los tenía apretados y le temblaban o palpitaban —quizá le corrían enloquecidas las pupilas bajo los párpados—, debía de haberse dado cuenta de la situación aunque no mirara, la espada había descendido brutalmente pero se había parado antes de alcanzar su cuello y ahora volvía a su posición en alto, acaso para rectificar un milímetro y asegurar la trayectoria, buscarle perpendicularidad a la hoja o apuntar con más tino, la amenaza no sólo permanecía sino que era aún mayor (aunque de haberse cumplido a la primera no habría habido ya más, ni más de nada). De la Garza prefirió no mirar de nuevo hacia ningún lado, ni siquiera sin enfocar, ni con el rabillo del ojo, ya no quiso ver otra ráfaga turbia ni más del mundo, su última imagen era un retrete con la tapa bajada y se parecen todos, su cartera encima y su Visa cortante, se supo aún más muerto y por más muerto aún se dio, había dispuesto de unos segundos de conciencia o vida para asustarse más y comprender que de verdad le ocurría lo que le estaba ocurriendo, que hasta allí había llegado, inesperada e insensatamente, sin causa alguna que él conociera para tamaña exageración, para aquel alto, o era término. Pensé que si le hubieran dado unos instantes más habría sido capaz de dormirse de golpe, allí con la cabeza apoyada, aplastada contra la baquelita aunque como almohada fuera disuasoria y plana, es la única forma de escapar del dolor y descansar de la desesperación a veces, una modalidad de narcolepsia, así lo llaman, pero quién no conoce ese sueño súbito y extemporáneo, impropio, quién no se ha dormido o no ha querido dormirse en medio del miedo o en mitad del llanto, lo mismo que cuando se sienta uno en el sillón del dentista, o camino del quirófano trata de anticiparse a la cuidadosa labor del anestesista, el irresistible sueño como negación última y fuga, soñar lo que pasa lo convertirá en ficticio.

Tupra sacudió la espada con tanto brío que sonó como un latigazo en el aire, y esta segunda vez hizo lo mismo con su gran dominio, la detuvo en seco sin que la hoja llegara a entrar en contacto con cuerpo alguno animado ni inanimado, con materia ni carne ni con piel ni objeto, todo siguió intacto, la cabeza, la tabla, la loza, el cuello, todavía no cortó ni partió, no despedazó ni segó, no rajó nada. Entonces mantuvo el filo un momento muy cerca del cogote encogido, como si quisiera que De la Garza notara bien su presencia —soplo de acero— y aun se familiarizara con ella antes del golpe definitivo, de la misma manera que al cabo de un rato notamos a nuestra espalda una respiración agitada o unos ojos intensos que nos quieren mal o bien, poco importa eso si son voraces como sierras o hachas o penetrantes como navajas. Como si quisiera que se diera cuenta de que estaba vivo e iba a estar muerto al siguiente instante, en cualquiera de ellos —uno, dos, tres y cuatro; pero aún no; luego cinco—, y el agregado debió de pensar, si es que aún pensaba y no soñaba en el sueño hundido: 'Que no lo haga, por favor, que dude y siga dudando pero que decida no hacerlo, que levante esa arma absurda y ya no vuelva a bajarla, qué se creerá, un sarraceno, un vikingo, un mau-mau, un bucanero, que me la aparte, que se la enfunde y la guarde, qué sentido tiene, y que Deza haga algo, de una puta vez que haga algo, que se la quite, que lo tumbe o que lo convenza, no puede dejar que pase esto, no pasará, no va a pasarme, a mí no, sigo pensando luego no ha pasado, no transcurre ya el tiempo pero yo sigo pensando, así que no todo mi tiempo se me ha parado'.

Algo muy parecido debió de recorrer mi mente, quizá también suplicante y adormecida —*numbed*—, quizá por la incredulidad, o entorpecida, aunque yo sólo fuera testigo o cómplice involuntario —pero de qué: aún de nada— y no estuviera mi cuello en jaque. Intentar arrebatarle una espada a quien amenaza con ella sólo se le ocurriría a un insensato, podía volverse contra mí el doble filo, la lansquenete o 'destripagatos', y ser mi cabeza la que corriera peligro y aun acabara rodando por aquel cuarto de baño, si bien no había en Tupra el menor signo de enajenación o desquiciamiento, era el mismo de siempre, atento a la maniobra, sereno, alerta, algo metódico, levemente burlón, incluso levemente simpático en el acto posible de matar a alguien, que es el acto peor e indeciblemente antipático. Era improbable que me soltara a mí un tajo, yo iba con él, trabajaba con él, habíamos venido juntos y nos iríamos juntos, era hombre leal, allí estaba mi abrigo, él había ido a recogérmelo y me lo había traído, por qué no se dejaba de truculencias y nos largábamos de una vez de aquel sitio infecto, yo no quería ver sangre ni a De la Garza descabezado, sin pescuezo, como un pollo, qué haríamos con el cadáver y qué dirían en la Embajada, se abriría una investigación en España, al fin y al cabo era un diplomático pese al indescriptible aspecto, y New Scotland Yard abriría la suya, habíamos sido vistos con él en la pista, sobre todo yo, y la señora Manoia. Lo supe con seguridad entonces: Tupra no lo mataría, porque no iba a meterla a ella en semejante lío. A menos que no quedara cadáver, porque nos lo lleváramos. Cómo.

—*Are you mad or what? Don't do it!* —Esta vez sí me dio tiempo a decir algo más, no gran cosa, a decirle eso, '¿Te has vuelto loco? ¡No lo hagas!', el tipo de frases superfluas, ineficaces, pobres, que acuden a nuestra lengua ante lo brutal inesperado, mero contrapunto oral a lo que prescinde ya de todo verbo y es sólo acción violenta, apuñalamiento, paliza, homicidio, asesinato o suicidio, son frases supersticiosas, son como interjecciones, a mí me salieron esas pese a no apreciar en Tupra rasgo alguno de locura, él sabía bien lo que hacía y no hacía, en su actitud no vi cólera ni tan siquiera enfado, a lo sumo fastidio, impaciencia, hartazgo, sin duda reproche aplazado: de esto último me tocaría a mí parte, era seguro, yo había sido el nexo con De la Garza aquella noche; a mí me lo había endosado Wheeler, pero eso pertenecía a otro día y sólo lo de hoy cuenta siempre. Más bien se trataba de la aplicación de un escarmiento, o el cobro de una deuda, un castigo que ejecutaba o iba a ejecutar en tibio con aquella espada intempestiva, seguía sin saber de dónde había salido ni por qué recurría él a un arma tan desusada y poco práctica —ocupa mucho, casi un engorro—, desconcertante en nuestros días. Lo primero lo supe en seguida; lo segundo no hasta más tarde, cuando estuvimos ya fuera.

Levantó la lansquenete, la alejó de la nuca rozada, ese era un momento malo y bueno, podía preludiar el descenso final, el mortífero, ser la nueva toma de impulso para el golpeo y la decapitación ya amagados, o bien significar la renuncia, la retirada y la cancelación del susto, la decisión de no hacer uso y de dejar toda cabeza unida todavía a su tronco. Apoyó la parte plana sobre su hombro derecho, como si fuera el fusil de un centinela o de un soldado en el desfile. Fue un gesto de ponderación, meditativo. Miró hacia abajo verticalmente, hacia De la Garza arrodillado, que no se movía más allá de unos estremecimientos involuntarios y desagradables como espasmos, debía de contener el aliento con el corazón desenfrenado, no querría hacer nada para inclinar la balanza, no decir, no mirar, no existir, como esos insectos que se quedan quietos ante el peligro, creyendo poder desaparecer de la vista y aun del olfato, mudar de color abruptamente y confundirse con la piedra o la hoja sobre las que los enemigos los pillaron posados. Entonces Tupra bajó la mano izquierda, cogió la redecilla de De la Garza y estiró de ella con fuerza, en mala hora se la había puesto. Éste notó el tirón y apretó más los ojos como si quisiera saltárselos y encogió aún más el cuello, pero carecía de caparazón, no le era posible esconderlo.

—¿Que no haga qué, Jack? —Eso me dijo Reresby sin mirarme, aún miraba al bulto a sus pies, a su merced, de rodillas ante un retrete—. ¿Quién te ha dicho lo que yo voy a hacer, no voy a hacer? Yo no te lo he anunciado, Jack. Dime, ¿qué es exactamente lo que no quieres que haga? —Y a continuación sí alzó los ojos. Me miró de frente como solía mirarlo todo, enfocando con nitidez y a la altura adecuada, que es la del hombre. Y después bajó la espada.

Le cortó la redecilla de un tajo, habrían bastado una cuchilla, unas tijeras, una navaja suiza para hacer eso, menos filo del que necesitaba un torero para cortarse la coleta cuando se retiraba en la plaza, aunque habría resultado más lento y no habría causado impresión al amenazado ni al testigo, ni habría sonado como sonó el sablazo, no fue como antes, como látigo o fusta en el aire, sino como un leve cachete plano o una tenue palma clara o hasta un escupitajo sobre baldosa lanzado, en todo caso fue audible, lo bastante para que De la Garza se llevara automáticamente las manos a los oídos en otro movimiento de protección imaginaria, no debió de pensar que si podía hacer ese gesto es que estaba vivo, sin duda tardó un poco más de la cuenta en decirse que había sobrevivido también a la tercera aproximación, paso o ronda de la tremenda hoja, que ésta no le había cercenado ni abierto ninguna parte del cuerpo, o quizá es que no se fiaba —y hacía bien, si así era— y aún aguardaba el siguiente golpe, y el otro, y uno más, del arma que se retiene y no se arroja; desde luego el segundo lo esperé yo unos segundos, menos que él, porque vi lo que él no vio todavía: el mínimo tiempo que tardó Tupra en alejarse unos pasos, quedarse con la mano libre y volver sobre ellos, De la Garza permaneció de piedra, como una extraña estatua implorante y angustiada, o más bien rendida, resignada al sacrificio, espantada, con los ojos cerrados y los oídos tapados, y así me recordó a Peter Wheeler —pero sólo en eso— cuando éste se cubrió de igual modo contra el estruendo del helicóptero que le pareció un Sikorsky H-5 y contra los vientos que levantaba, aquella mañana de domingo en su jardín junto al río, aquel día en que me habló más de Tupra y de su grupo sin nombre al que él había pertenecido y yo pertenecía ahora, por esa pertenencia tácita estaba yo allí aquella noche, en el cuarto de baño luminoso y limpio, formando parte del terror de un hombre.

El que esa noche era Reresby se apartó, en una mano su espada y en la otra la redecilla cobrada como un escuálido trofeo, mucho menos que una cabellera, mero andrajo sudado; salió del gabinete guiñándome un ojo —pero no fue un guiño tranquilizador, lo entendí como si anunciara: 'Hasta aquí el preámbulo'— y se acercó a su abrigo colgado, ya no tan rígido en su caída, y entonces deduje que por la parte del forro, en la espalda, tenía un bolsillo interior muy largo y dentro de él una vaina, porque por allí metió la lansquenete y su deslizamiento sonó metálico, y de no haber habido funda la punta habría rajado el fondo de ese bolsillo estrecho y tan largo, setenta centímetros por lo menos para la hoja de la *Katzbalger* y acaso el mango asomaba para facilitar su saque, no pude verlo a las claras, pero por fuerza no cabía otra deducción posible. Respiré muy hondo —o fue más que eso— al ver desaparecer aquel hierro mortal, de momento. Que lo hubiera envainado no significaba necesariamente que no recurriera a él de nuevo —seguía allí a mano—, y podía obedecer a una precaución muy propia de Tupra, no dejar un arma así al alcance del enemigo, inadecuada esta palabra, el pobre agregado fantoche no combatía, ni siquiera se resistía; pero si Reresby se hubiera limitado a cruzar la espada sobre la cisterna o a depositarla en el suelo, nadie le habría garantizado que en un arranque de desesperación y pánico De la Garza no se hubiera tirado a ella y la hubiera empuñado, y entonces qué, las tornas vueltas, dos filos, fácil de manejar, poco pesada, siempre hay peligro en el ser más insignificante y débil, en el más cobarde y en el más vencido, y a ninguno puede subestimárselo nunca ni darle oportunidad de rehacerse ni de sobreponerse, de sacar fuerzas de flaqueza ni de hacer acopio de valor suicida, esa era una enseñanza de Tupra y por eso entendió bien un día —le gustó, la anotó mentalmente— esa expresión española que nos define tanto y que yo le descubrí y traduje: 'Quedarse uno tuerto por dejar al otro ciego', temía esa actitud como a la peste. Fue de agradecer que no se le ocurriera pedirme a mí que se la sostuviera, la 'destripagatos', no me habría hecho gracia encontrármela en la mano, esto es, empuñarla, aunque la habría cogido y blandido, claro está, ya puestos. O quizá es que no se fiaba tampoco del uso que yo pudiera darle, de que en un giro de los acontecimientos no acabara volviéndola contra quien no debía, nunca supe del todo si conté con su confianza, eso en realidad nunca se sabe, con respecto a nadie. Ni nadie debería ganarse la nuestra, enteramente.

Así que volvió sobre sus pasos hasta la cabina, con unos guantes puestos que sacó del abrigo, de los bolsillos convencionales —guantes negros, de piel, normales, buenos—, y pasó otra vez a mi lado con la redecilla o despojo en la mano y la derecha libre, su aire seguía siendo resuelto y pragmático y desapasionado, como si lo que tocaba en cada momento estuviera programado y además perteneciera a un programa ya probado. También ahora me guiñó el ojo, y no fue tranquilizador tampoco, eran guiños que no implicaban sonrisa sino mero anuncio o aviso rayanos en órdenes o instrucciones, esta vez lo entendí como 'Vamos a ello, no será largo y estaremos listos'; y por eso me salió decirle:

—Tupra, ya basta, déjalo estar, qué vas a hacer ahora, está medio muerto del susto. —Pero mi tono fue de menor alarma que cuando había gritado su nombre y apenas más, porque mi alarma era también mucho menor, una vez quitado de en medio el filo; tan grande era de hecho mi alivio, y tanto me habían remitido de golpe la angustia y el horror y el peso, que casi cualquier cosa que viniera ahora se me antojaba leve, bienvenida, poca. Qué sé yo, unas bofetadas, unos puñetazos, hasta alguna patada (en la boca incluida): en comparación con mis certidumbres de hacía un instante casi me parecían regalos del cielo, y a decir verdad no me veía muy dispuesto a impedirlos; o sólo con la voz, supongo. Era eso, sí: me sentía agradecido de que fuera a pegarle, como me imaginaba que haría, por las enfundadas manos. Nada más que a pegarle. No a cortarlo en dos ni a hacerlo trizas ni a desmembrarlo, qué enorme suerte, qué alegría.

—Será un minuto. Y recuerda quién soy, ya van tres veces.

No comprendí el sentido de esta última frase y además no me dio tiempo a pensármelo, ni tampoco a reflexionar sobre mi preocupante sentimiento de gratitud y mi anómala sensación de menos carga si es que no fue de cuasi criminal ligereza, porque en seguida Tupra se aplicó a la tarea: con diligencia recogió la papelina de la tapa del retrete, le ajustó la pestaña y la devolvió al bolsillo de su chaleco —de su variada colección no olvidaré aquel concreto, color verde sandía intenso—; luego pilló la Visa con los mismos dos dedos, la guardó en la cartera de De la Garza de donde había salido y se llevó ésta a otro bolsillo, de su chaqueta, junto con el billete hecho canuto. Lo que quedaba de raya, cocaína o talco, lo barrió de un manotazo, voló el polvillo, cayó al suelo, Rafita ni siquiera había llegado a aspirarla, nunca disfrutó aquella sustancia, tras preparársela. A continuación Tupra le echó la redecilla al cuello y tiró hacia atrás, y al instante se puso en cuarentena mi alivio —'Lo va a estrangular, lo va a ahorcar', pensé, 'no, no puede ser, no va a hacerlo'—, antes de darme cuenta de que no era ese el propósito —no se la enrolló, no apretó ni le dio vuelta—, sino obligarlo a alzar la cabeza, el agregado continuaba tan pegado a la tapa que le faltaba poco para abrazar la taza; y se habría abrazado, yo creo, de no haber preferido mantener las manos sobre los oídos, había elegido no ver ni oír nada en la ilusa esperanza de no enterarse así mucho de lo que le hacían, cuando el sentido del tacto iba a informarle, el dolor y el daño se lo dirían.

Una vez que lo separó lo bastante, Tupra abrió las dos tapas del retrete y con mucha violencia le hundió la cabeza en el interior de la taza, el impulso fue tan fuerte que hasta los pies fueron levantados del suelo, vi agitarse en el aire los cordones sueltos de De la Garza, ni él ni yo habíamos llegado a anudarlos. No temí, inicialmente, que el agua depositada en el fondo pudiera ahogarlo, porque el tobogán se estrechaba como es la norma y no cabría allí entera su ancha cara de crecida luna, que sin embargo se daba brutales golpes contra la loza —y se le quedaba algo atorada— cada vez que Tupra volvía a empujársela tras retirársela un poco, y además éste tiró de la cadena tres o cuatro veces seguidas, el chorro del agua azul era tan potente y tan prolongado que de nuevo me invadió brevemente la suprema alarma —'Lo va a ahogar, le inundará los pulmones', pensé, 'no, no puede ser, no va a hacerlo'—, y se me ocurrió que en todo caso bastaban dos dedos de líquido, un charco, para sumergir boca y nariz y así conseguir que alguien ya nunca más respirara; y que la momentánea subida del nivel del agua, con cada descarga, le traería a Rafita una segura sensación de ahogo, o de atragantamiento al menos; y eso que era el lavabo de los discapacitados: con suerte no habría resto de olores fétidos, con aún mayor suerte no se habría estrenado.

'No quiero ver a Tupra como a *Sir Death*, el Caballero Muerte', pensé, 'con sus fríos brazos de disciplinado sargento, brioso y atareado siempre; pero así empiezo ya a verlo, por la insistencia de sus capacidades y por el variado despliegue de sus amenazas, decapitación, estrangulamiento, ahogamiento, ya van tres, cuántas más quedan, con cuál va a quedarse a la postre si con alguna se queda, cuál escogerá para culminar su obra o su quehacer de experto, cuál será ya cumplimiento y hecho y ya no amago ni tentativa.' No lo hundía en el agua durante mucho rato, a De la Garza, luego tampoco parecía ser esa la forma definitiva, aunque en cual-

quier momento podía cambiar de idea y tan sólo le
haría falta dejar pasar los segundos, unos cuantos
más, unos pocos, esos que tan de prisa transcurren
habitualmente que ni reparamos en ellos habitualmente, sobras del tiempo, sólo había que dejarlos
pasar con la cara de mi compatriota pegada al agua
—nariz y boca, eso bastaba—, y así vida o muerte
a menudo dependen de los desdeñables segundos
que se desperdician o de centímetros tan escasos que
muchas veces se regalan, o se conceden al rival de balde —los que renunció a recorrer la espada—. 'Dos
esbirros me sumergieron cabeza abajo y me ahoga-
ron en una tinaja de tu nauseabundo vino, pobre de
mí, pobre Clarence, agarrado por las piernas, que
quedaron fuera e intentaron patalear ridículamente hasta la borrachera última de mi garganta, traicionado y humillado y muerto por la infatigable
astucia de tu lengua negra y deforme.' Pero aquello
no era vino en barril estancado sino agua azulada
que caía a chorros, y él no era George, Duque de
Clarence, sino el tarado idiota de De la Garza, y no
éramos nosotros dos esbirros y aún menos de rey
asesino. O quizá yo sí lo era de Tupra o Reresby, recibía pequeñas órdenes del primero a diario, y las
del segundo, aquella noche, eran más grandes y de
una índole no prevista, distinta de la consentida por
la remuneración de mi trabajo, me habían sacado
de mis cometidos o habían forzado mi compromiso, bien que nunca escritos ni estipulados, nunca
muy claros. O acaso sí éramos esbirros ambos aunque yo lo ignorara, del Estado, de la Corona, del
MI6, del Ejército, del Foreign Office, del Home
Office o de la Armada, podía yo estar al servicio de
un país extranjero sin darme del todo cuenta, en mi

sueño de extranjería, y tal vez de una manera en la que jamás habría aceptado estarlo al del mío. O podíamos ser esbirros de Arturo Manoia (según Pérez Nuix nuestros patronos eran variables, en aquellos días), y estar allí machacando a Rafita por exigencia suya y para resarcirlo, no sabía cómo se había tomado el retorno de su mujer a la mesa con la mejilla cruzada por el *sfregio* o chirlo, ella había salido a divertirse y bailar y regresaba con una marca, seguro que eso a Manoia no le habría hecho ninguna gracia. No cabía confiar en el maquillaje.

De pronto sonó una musiquilla ratonil, raquítica, como de teléfono portátil al que están llamando, tardé un poco en reconocer —no era sencillo— los acordes más sobados de un famoso y españolísimo pasodoble, debía de ser el archimanido 'Suspiros de España' al que tanto recurren en mi país los novelistas y los cineastas para crear cierta emoción de mala ley y barata (los izquierdistas de letrero en la frente lo aprecian tanto como los criptofascistas), una cosa inaguantable, tenía que ser esa melodía la que hubiera elegido para su móvil la pedantería racial de De la Garza, pobre De la Garza, hacía nada yo había pensado 'Es que le daría de tortas y no acabaría', lo había pensado en la pista y también luego, con lo de los cordones, y acaso alguna otra vez antes; pero eso era un decir, una forma de hablar figurada, en realidad es muy rara la vez en que uno quiere decir literalmente lo que está diciendo y aun lo que está pensando (si es un pensamiento lo bastante formulado), casi todas nuestras frases son de hecho metafóricas en sí mismas, el lenguaje sólo es aproximación, tentativa, rodeo, hasta el que usan los más brutos y los más iletrados, o puede que el más metafórico justamente sea el de ellos, quizá sólo se salven el técnico y el científico, y aun así no siempre (los geólogos son muy coloristas, por ejemplo). Ahora yo veía cómo le daban de golpes —no de tortas, Tupra todavía no lo había agredido ni una vez con sus manos directamente, ni siquiera con los guantes ya puestos, se le estaban mojando, a la basura irían— y estaba muy asustado y conmocionado, no sólo por desconocer hasta dónde le haría daño, si se convertiría del todo ante mi vista en *Sir Death* o en el Sargento Muerte o si se quedaría nada más en *Sir Blow*, no era poco, en el Caballero Golpe, o en *Sir Wound*, el Herida, o en *Sir Thrashing* —en todo caso ya era *Sir Punishment*, el Caballero Castigo—, ninguno era agradable de descubrir en un allegado, y lo era aún menos contemplar sus actos; sino porque la infinita costumbre de ver violencia en las pantallas, y de que cada puñetazo y cada patada en ellas suenen como truenos sin rayos o estallidos de dinamita o edificios al desplomarse, nos ha llevado a creer en un carácter algo venial de la violencia, cuando su naturaleza no es venial nunca, y asistir a ella en la realidad, percibir sus emanaciones de cerca, notarla físicamente, palpitante, al lado, oler el inmediato sudor de quien se agita y hace esfuerzo y de quien se encoge y tiene miedo, oír el crujido de un hueso al desencajarse y el chasquido de un pómulo roto y el jirón de la carne al rasgarse, ver trozos y desprendimientos y que nos salpique la sangre, todo eso no es que horrorice, es que pone malo a cualquiera, literalmente enfermo, excepto a los sádicos y a los habituados, a los que conviven con eso a diario o cada poco tiempo, y, claro está, a los encargados de ejercerla profesionalmente. Hube de suponer que Tupra pertenecería a estos últimos, lo había visto tan decidido y ducho, sus movimientos casi rutinarios.

De ello me había hablado una vez mi padre, en una de nuestras conversaciones sobre el pasado o más bien sobre el que era suyo y no mío, el tiempo de la Guerra Civil y del posterior apisonamiento de las personas durante el primer franquismo, el primero que fue tan largo, fue eterno porque tampoco se supo cuándo había acabado y además volvía de tanto en tanto.

'Vuestra generación y las siguientes', me había dicho en esa segunda persona del plural a la que recurría a menudo, tenía bien presente que sus hijos éramos cuatro, y cuando hablaba con uno era cómo si se dirigiera a todos las más de las veces, o como si confiara en que el interlocutor de turno fuera a transmitir más tarde sus palabras a los otros, 'habéis tenido la suerte de vivir poca violencia real, de que eso haya estado ausente de vuestra existencia diaria, de que si os habéis encontrado alguna haya sido la excepción y no demasiado grave, unos palos en una manifestación o una reyerta en un bar, que siempre tiende a impedirse y no se le da vía libre ni suele generalizarse; tal vez un asalto, un atraco. Por fortuna, y ojalá os dure eso siempre, no habéis estado en situaciones en las que no había más remedio que contar con ella. Quiero decir que era segura, que uno sabía que aparecería en algún momento del día y si no de la noche, y que si a lo largo de una jornada por casualidad no la había o uno no se topaba de frente con ella y lo alcanzaba sólo de oídas —de eso sí que no se libraba nadie, de los relatos y los rumores—, podía tener la certeza de que era un regalo que al día siguiente no se repetiría, porque el cálculo de probabilidades no daba para tanto azar benévolo. La amenaza era permanente y también lo era la alerta. Mi habitación quedó destruida una tarde, cayó un obús, le dio de lleno, un gran boquete en la pared y el interior arrasado. Yo estaba fuera, había estado allí un rato antes e iba a regresar al poco. Pero podía haberme caído igual en otro sitio, andando por la calle o yendo en tranvía, en un café, en las dependencias, mientras esperaba a vuestra madre en su portal, en la radio o en un cine. Durante los primeros meses de la Guerra uno veía detenciones por doquier, a empellones y a culatazos a veces, o cacerías en las casas, sacaban y se llevaban a las familias enteras y a quienes estuvieran allí de visita, podía uno cruzarse con una persecución o un tiroteo en la esquina menos pensada, y oía de noche las descargas de los fusilamientos en las afueras, los llamados paseos, o disparos secos y aislados, de los pacos en las azoteas al atardecer o muy de mañana, sobre todo los primeros días (los francotiradores, ya sabes), o si sonaban de madrugada eran tiros a quemarropa en la sien o en la nuca, junto a las cunetas o no siempre allí, a veces hasta lo veía uno si tenía muy mala pata, veía saltar los sesos de alguien arrodillado, no es metafórico, o salir masa encefálica. Lo mejor era seguir, no mirar, alejarse rápido, no podía uno hacer nada, después de verlo, y si lo veía sólo de reojo podía darse con un canto en los dientes. Había verdugos que empezaban al anochecer, les daba pereza alejarse si no tenían coche disponible o andaban cortos de combustible, así que se metían en un callejón con escaso tránsito y allí liquidaban, se impacientaban y no eran

capaces de esperar a que la ciudad medio durmie-
se, porque del todo ya nunca volvió a dormir, durante tres largos años de asedio, hambre y frío ni
tampoco después, a partir del 39 la policía de Franco irrumpía en plena noche en las casas, en los mismos años en que la Gestapo lo hacía en el resto de
Europa, eran primos hermanos. Más organizados,
muchos fusilamientos los llevaban a cabo directamente en los cementerios, después del cierre o los
cerraban al efecto; así que en algunas zonas se siguieron oyendo descargas en mitad de la noche durante bastante tiempo, tiempo de paz proclamada.
No había mucha paz todavía, o sólo para los de ese
bando, ellos sí dormían tranquilos. Nunca me explicaré cómo podían estarlo tanto, con toda aquella matanza. Es más. Había algunos decentes, pero
la mayoría estaban ufanos.'
    Recuerdo que mi padre había hecho una
pausa entonces, o que era pausa lo supe luego. Se
había quedado callado, yo me pregunté si se habría
olvidado de lo que quería hablarme o decirme, no
lo creía, él también solía retomar el hilo, o bastaba
que yo tirara de él un poco para que regresara al tejido. Se quedó mirando al frente en el cual no veía nada, sus ojos azules y limpios se dirigían hacia aquella época, y ésta sí la discernían con nitidez sin duda,
como si tuvieran la capacidad de observarla con unos
prismáticos sobrenaturales, era una mirada muy
semejante a la que le había visto a Peter Wheeler en
ocasiones, o en concreto cuando subí el primer tramo de su escalera para señalarles a él y a la señora
Berry dónde había encontrado la mancha de sangre nocturna que me había afanado en lavar y para
la que ni él ni ella tuvieron explicación alguna. Era

esa mirada que a menudo se les pone a los viejos aunque estén acompañados y hablando animadamente, son ojos mates de dilatado iris que alcanzan muy lejos en dirección al pasado, como si en verdad vieran sus dueños físicamente con ellos, quiero decir ver los recuerdos. No es una mirada ausente ni ida, sino intensa y concentrada, sólo que en algo a muy larga distancia. También la había advertido en los ojos de dos colores del hermano que conservó el apellido, Toby Rylands. Quiero decir cada ojo de uno distinto, uno de color aceite y el otro de ceniza pálida. Uno agudo y casi cruel, de águila o gato, y el otro de perro o caballo, meditativo y recto. Pero cuando miraban así se igualaban, por encima de los colores.

'A mí me tocó ver lo de aquí, lo de Madrid', continuó mi padre, 'y aún oí más de lo que vi, mucho más. No sé qué es peor, si escuchar el relato o presenciar el hecho. Quizá lo segundo resulta más insoportable y espanta más en el instante, pero también es más fácil borrarlo, o enturbiarlo y engañarse luego al respecto, convencerse de que no se vio lo que sí llegó a verse. Pensar que uno anticipó con la vista lo que temió que ocurriera y que al final no sucedió. El relato es en cambio cosa cerrada e inconfundible, y si es escrito puede volverse a él y comprobarse; y si es oral pueden volver a contárselo a uno, y aunque así no sea: las palabras son más inequívocas que los actos, al menos las que uno oye, respecto a los que ve. A veces éstos sólo son vislumbrados, es como una ráfaga de visión, no dura nada, un fogonazo que además ciega los ojos, y eso es posible manipularlo después con la memoria, adecentarlo, que en cambio no nos permite demasiada tergiversación de lo oído, de lo relatado. Claro que relato es mucho decir, y mucho llamarlo, para lo que por ejemplo me alcanzó una mañana en el tranvía, un par de frases dichas al desgaire, a las pocas semanas de estallar la Guerra, las de más furia asesina y un descontrol absoluto, mucha gente cedió e iba llena de ira, y si tenía armas hacía lo que quería, y aprovechaba el pretexto político para ajustar cuentas personales y tomar venganzas exageradas. Bueno, ya lo sabes. Lo mismo en las dos zonas: en la nuestra se le puso algo de coto a eso más tarde, aunque no el suficiente; en la otra, apenas ninguno durante los tres años, ni tampoco luego, con el enemigo ya vencido. Pero tanto me impresionó aquella violencia que me fue referida —en principio no a mí sino a cualquiera que estuviera a tiro, eso es lo tremendo—, que de lo que me acuerdo perfectamente es de por dónde pasaba el tranvía en aquel momento, en el momento en que llegó a mis oídos. Torcíamos desde Alcalá para entrar en Velázquez, y una mujer que iba sentada en la fila de delante señaló con el dedo hacia una casa, un piso alto, y le dijo a la otra con la que viajaba: "Mira, ahí vivían unos ricos que nos los llevamos a todos y les dimos el paseo. Y a un crío pequeño que tenían, lo saqué de la cuna, lo agarré por los pies, di unas cuantas vueltas y lo estampé allí mismo contra la pared. Ni uno dejamos, a la mierda la familia entera". Era una mujer con aspecto algo bruto, pero no más que el de tantas otras mil veces vistas en el mercado, en la iglesia o en un salón, pobres o adineradas, mal o bien vestidas, sucias o limpias, en todos los ambientes y clases se dan bestiajas, yo las he visto igual de bestias comulgando en misa de doce en San Fermín de los Navarros, con abrigos de pieles y joyas caras. Aquella mujer comentó su salvajada con el mismo tono en que podía haber dicho: "Mira, ahí serví una temporada, pero a los pocos meses me largué sin aviso porque eran inaguantables. Los dejé plantados, con un palmo de narices". Con toda naturalidad. Sin darle excesiva importancia. Con la absoluta sensación de impunidad que hubo en aquellos días, le traía sin cuidado quién la oyera. Con orgullo incluso. Con jactancia al menos. Por supuesto con enorme desprecio hacia sus víctimas. Y esperar una nota de remordimiento habría sido del todo iluso, claro, de eso no había ni asomo. Me quedé helado y asqueado y me bajé en cuanto pude, para no seguir viéndola ni correr el riesgo de oírle contar más hazañas, una o dos paradas antes de la que me convenía. No dije nada, en aquellos días era imposible si quería uno salvar el cuello, a uno podían detenerlo por cualquier cosa y darle el paseo, aunque fuera republicano; o como a tu tío Alfonso, que no era nada, un muchacho, y a la chica que iba con él cuando lo cogieron, que todavía era menos nada. La miré de reojo antes de bajarme, una mujer común, de facciones bastas pero no feas, joven, aunque no tanto como para suponerle la frecuente inconsciencia de los pocos años, tal vez tenía ya hijos o los tuvo luego. Si sobrevivió a la Guerra y no fue represaliada (y no lo sería por eso que yo oí que hizo, seguro; si acaso, si se significó en otras cosas más rastreables y reconstruibles al término de la Guerra o si alguien bien situado entonces le tuvo ojeriza y la denunció sin más, o intuitivamente; porque todo lo atroz primero se quedó en el limbo), lo más probable es que haya llevado una existencia normal y que no le haya dedicado mucho pensamiento a aquello. Será una señora como tantas otras, quizá risueña, cordial, simpática, con nietos por los que se desvivirá, y hasta es posible que haya sido una fervorosa franquista durante toda la dictadura, y que nada de eso le haya creado el menor conflicto. Mucha gente con barbaridades y crímenes inhumanos a sus espaldas ha vivido así largos años, tranquilamente; aquí, y en Alemania, en Italia, en Francia, ya sabes que de pronto nadie había sido nazi, ni fascista, ni colaboracionista, y cada uno que lo había sido se convencía a conciencia de no haberlo sido, y además se lo explicaba: "Ah no, lo mío fue diferente", suele ser la frase clave. O bien: "Fue la época, quien no la haya vivido no puede entenderlo". Casi nunca es difícil salvarse ante la propia conciencia si es eso lo que uno quiere a toda costa, o lo que necesita, y aún menos si esa conciencia es compartida, si es parte de una mayor, colectiva o incluso masiva, lo cual facilita decirse: "No fui único, no fui un monstruo, no fui distinto, no me destaqué; porque había que sobrevivir y casi todos hicieron lo mismo, o lo habrían hecho de haber ya nacido". Y a los que son religiosos, precisamente, puede serles más fácil que a nadie, no digamos a los católicos, ahí están los curas para limpiarlos en su territorio sublime, en el más íntimo, y los de aquí, no te quepa duda, estuvieron más dispuestos que nunca a absolver, a relativizar y justificar cualquier canallada o ensañamiento de sus protectores y camaradas, ten en cuenta que ellos también fueron beligerantes, y los alentaron. Y en fin, todo eso ayuda, pero ni siquiera hace falta. Las personas tienen una capacidad increíble para olvidar voluntariamente lo por ellas infligido, para borrar su pasado sangriento no ya ante los otros —ahí la capacidad es infinita, ilimitada—, sino ante sí mismas. Para persuadirse de que las cosas fueron distintas de como fueron, de que ellas no hicieron lo que claro que hicieron, o de que no tuvo lugar lo que sí lo tuvo, y con su imprescindible concurso. La mayoría somos maestros en el arte de adornar nuestras biografías, o de suavizarlas, y en verdad asombra lo sencillo que resulta desterrar pensamientos y sepultar recuerdos, y ver lo pasado sórdido o criminal como un mero sueño de cuya intensa realidad nos zafamos a medida que avanza el día, es decir, a medida que nuestra vida sigue. Y yo, sin embargo, al cabo de tantísimos años, cada vez que paso por la esquina de Alcalá con Velázquez no puedo evitar mirar hacia arriba, un cuarto piso, hacia aquella casa que la mujer señaló con el dedo una mañana de 1936 desde el tranvía, y acordarme de aquel niño pequeño muerto, aunque para mí no tenga rostro ni nombre y nunca haya sabido de él más que eso, un par de frases siniestras que el azar trajo a mi oído.'

Mi padre volvió a quedarse en silencio, y ahora tuve algo que decir durante su pausa. El azul de sus ojos parecía intensificado. Dije, de hecho, lo que ya venía pensando, desde hacía poco:

'Puede que a partir de ahora yo también mire hacia esas casas, aunque no sepa exactamente de cuál se trata, cuando pase por esa esquina. Ahora que te he oído el relato'.

Hizo un ademán con la mano en el aire, o más bien con tres dedos, índice y corazón y el pulgar acompañándolos por mimetismo con leve retraso, como si yo hubiera tocado una cuestión ya muy vieja, hacía tiempo debatida y zanjada. Casi como si la alejara o la desechara, por irremediable.

'Sí, ya lo sé, quizá no se debería contar nunca nada', me contestó. 'Quiero decir nada malo. Cuando empezasteis a nacer, vuestra madre y yo nos lo planteamos: ¿cómo íbamos a contaros lo que había pasado aquí mismo, donde vivíais, tan sólo quince, veinte años antes de que vinierais al mundo, o incluso más en el caso de tu hermana? Aquello no nos parecía contable a unos niños, menos aún explicable, esto no lo era ni para nosotros mismos, que habíamos asistido a ello desde el principio hasta el fin. Para nuestra capacidad de olvido no era mucho tiempo, y además todo permaneció en carne viva más de la cuenta, ya se encargaba el régimen de que así fuera. No se hizo limpieza mental, nunca, ni nada por aplacar los ánimos, su falta de generosidad fue constante y, como todo lo demás, totalitaria, porque se dio en todos los órdenes y en todos los ámbitos de la vida, hasta en lo intangible. Yo le dejé la decisión a ella, a vuestra madre, que estaba más que yo con vosotros; siempre fuisteis más suyos que míos, y por eso me da tanta lástima que haya acabado conociéndoos mucho menos que yo, durante menos años y con edades solamente juveniles, cómo decir, más inacabados de lo que lo estáis ahora, aunque todavía lo estéis bastante y tú el que más, no es por nada. Y a vuestros hijos, que ni siquiera los viera. A mí me pareció siempre bien su criterio. Ella creía que no debíais sentiros nunca amenazados, preocupados personalmente, temerosos por vosotros mismos, por que os pasara algo terrible. Inseguros de vuestra cotidianidad y de vuestro paso. Debíais sentiros en conjunto protegidos y a salvo. Pero tampoco juzgaba prudente ni favorable que ignorarais lo que es el mundo, lo que puede llegar a ser o lo que ha sido. Pensaba que si sabíais poco a poco, sin truculencias ni detalles feos e innecesarios, y sin sentiros por ello directamente en peligro, estaríais prevenidos y mejor preparados y contaríais con más recursos. Y también dependía, claro, de lo que preguntarais. Siempre tuvo mucha aversión a mentiros. Quiero decir cabalmente, a deciros que no era verdad lo que sí lo era. Podía atenuarla o disfrazarla un poco, la verdad, pero no negárosla. No sé yo ahora, hay esa tendencia a encerrar a los niños en una burbuja de felicidad entontecedora y sosiego falso, a no ponerlos en contacto ni siquiera con lo inquietante, y a evitar que conozcan el miedo y hasta que sepan de su existencia, creo que circulan por ahí, que hay quienes les dan a leer o les leen versiones censuradas, amañadas o edulcoradas de los cuentos clásicos de Grimm y de Perrault y Andersen, desprovistas de lo tenebroso y cruel, de lo amenazador y siniestro, a lo mejor hasta de los disgustos y los engaños. Una estupidez descomunal desde mi punto de vista. Padres ñoños. Educadores irresponsables. Yo eso lo consideraría un delito, por desamparo y por omisión de ayuda. Porque a los niños los protege mucho percibir el miedo ajeno, y así concebirlo con serenidad, desde su seguridad de fondo; experimentarlo vicariamente, a través de otros, sobre todo por personajes de ficción interpuestos, como un contagio de corta duración, y además sólo prestado, y no tanto como fingido. Imaginarse algo es empezar a resistirlo, y eso es también aplicable a lo ya sucedido: uno resiste mejor las desgracias si después logra imaginarlas, después de haberlas sufrido. Y claro, el recurso más común de la gente para eso es relatarlas. En fin. No es que yo crea que todo puede ni debe contarse, ni mucho menos. Pero tampoco es admisible falsear en exceso el mundo y lanzar a él idiotas y pánfilos a los que jamás se ha contrariado ni se ha permitido la menor zozobra. A lo largo de mi vida yo he procurado medir lo que podía contarse, antes de contar algo. A quién, cómo y cuándo. Hay que pararse a pensar en qué fase o momento de su vida está el que escucha, y tener presente que lo que uno le cuente lo sabrá ya para siempre. Lo incorporará a su conocimiento como yo incorporé aquella matanza concreta de la que me enteré en un tranvía, y eso que era una más de tantas. Pero no me he deshecho de ese conocimiento, ya ves, como tampoco me deshice nunca de otro relato de la Guerra que, por ejemplo, mira, no se me ocurrió contarle a vuestra madre entonces, aunque ella estuviera curada de espantos y el día que lo escuché yo volviera muy revuelto a casa. Pero para qué, pensé, para qué angustiarla con algo más, ahora que la Guerra ha terminado, ya se me pasará, ya lo olvidaré yo solo sin compartir ni trasladarle la carga. Y se me pasó poco a poco, porque casi todo se pasa. Pero no se me ha olvidado, eso era mucho esperar, cómo podía. El regalo me lo hizo un notorio escritor falangista que luego dejó de ser lo segundo, como casi todos, y en los últimos años de Franco, y no digamos después de su muerte, aún tuvo suficiente cuajo para dárselas de izquierdista veterano, qué te parece, y la gente se lo tragaba. Gente no ignorante, gente de prensa y de política. Así siempre fue celebrado, bajo los dos colores, con la superficialidad ética característica de España.'

Se detuvo un instante, pero esta vez no recordaba con particular intensidad ni viveza, sino que pensaba, o vacilaba, o incluso se mordía la lengua. Se había frenado.

'No puede parecerme nada', aproveché para decirle, 'si no sé de quién se trata ni me cuentas la historia. ¿Qué relato fue ese? ¿Quién era?'

'Acabas de reprocharme que te haya contado lo de aquel tranvía', me contestó, y creí notarlo una pizca ofendido. 'No sé si debo seguir hablando.' Y sonó como si me pidiera permiso. Sonó extraño.

'No exactamente. No era ningún reproche, qué absurdo. Eso sería como reprochar a los historiadores que escriban lo que averiguan o lo que conocen de primera mano. Nos pasamos la vida ampliando el catálogo de horrores habidos, no cesan de descubrirse, de salir a la superficie. Que yo te lo oiga contar a ti no me puede hacer el mismo efecto que te hizo a ti oírselo a aquella mujer. Lo contaba quien lo había hecho, y con alardeo. Y entonces acababa de suceder. Aún estaba sucediendo, aquí y en todas partes, es muy distinto. No te preocupes. Puedes contarme cualquier cosa, ninguna será peor que muchas de las que leo, o que las que vemos en la televisión todos los días. No te me conviertas tú ahora de repente en padre ñoño, a estas alturas. Sólo faltaría eso. Y además, tendría que denunciarte. Acusarte de desamparo y, cómo has dicho, de omisión de ayuda.'

Se rió un poco, le hizo gracia que desarmara sus improvisados reparos con sus propios argumentos y términos, acababa de utilizarlos. Pero no pudo dejar de dedicarme un plural, antes de proseguir: incluirnos a los cuatro hermanos era también una manera de moderar la represión a uno solo.

'Mira que sois majaderos a veces', dijo. Y luego ya volvió a singularizarme. 'Bueno. No te voy a decir quién fue, su nombre. No puedo estar seguro de que si lo sabes tú vayas a callártelo, como he hecho yo siempre. Desde tu punto de vista no tendrías por qué. No te sentirías obligado, ni aunque yo te lo pidiera, y prefiero no arriesgarme, Jacobo. No es por consideración hacia él, porque lo único que le he tenido ha sido desprecio y rencor desde que le oí contar aquello. O bueno, más que eso: asco, y una tremenda aversión. Ansias de venganza supongo que no, más que nada por lo mucho que consumen las ansias de lo que no puede cumplirse, yo era un represaliado y él un vencedor con influencias, imagínate. Pero mira que durante cincuenta años no paró de publicar libros, y de recibir premios y ser jaleado y salir en la prensa y en la televisión, y yo creo que durante la mitad de ellos o más no le leí ni una línea, y pasé rápidamente la página de cualquier periódico en la que apareciera una entrevista con él, o una reseña de una obra suya, no podía soportar ver su cara ni su nombre impreso. Más tarde sí: me entró la curiosidad de ver de qué era capaz, hasta dónde podía llegar en la biografía-ficción que empezó a fabricarse públicamente, sin el menor sonrojo. Y, sobre todo, sucedió que por azar, por trabajo, conocí a su mujer y la traté. Ella era una persona buenísima, y muy alegre, que sin lugar a dudas ignoraba los aspectos más repulsivos de su marido, o los hechos más repulsivos de su actuación en la Guerra. Era bastante más joven que él, diez o doce años, debieron de casarse hacia 1950, él ya un poco tardíamente para la época, con los treinta y cinco cumplidos o más. Y ella no sólo era buenísima, y alegre, y competente, sino que en una ocasión se portó muy bien con nosotros, y con vuestra madre en particular. No viene al caso. Pero yo le guardo una enorme gratitud, y mi consideración ha sido siempre hacia ella, no hacia él.'

'¿Vive aún? ¿Viven aún?', le pregunté.

'No. Él murió hace unos años, y ella lo siguió no mucho después.'

'¿Y entonces?' Lo que quería decir era '¿A qué viene entonces mantener la consideración y el silencio?', y mi padre lo entendió.

'Andan por ahí las hijas, eran dos niñas muy monas, muy graciosas, las vi una vez o dos. Y también eran las hijas de ella, lo son, no sólo del hombre importante. Bueno, importante mientras vivió y pudo defender su sitio, y bien que se valió de todos los medios. Pero han pasado muy pocos años y ya apenas si se habla de él, y su recuerdo menguará todavía más, una figura inflada. Pero yo no les daría un disgusto así a las hijas de ella, a las que quería casi tanto como al marido infame, se desvivía por ellas y sobre todo por él, uno de esos amores fijos que no disminuyen ni se ven cuestionados, ni por el tiempo ni por las infidelidades, están por encima de eso (infidelidades veniales, él también la quería mucho a su modo egoísta y frívolo y no habría podido estar sin ella; hasta en eso tuvo suerte, en morirse antes). No, yo nunca les traería tal vergüenza a sus niñas. Y aunque no hubieran existido. Tampoco se la traería póstumamente a alguien tan afectuoso y compasivo. Me parece que para vuestra generación y las más nuevas no importa mucho el buen o el mal nombre de los muertos, pero para nosotros sí. Por lo demás, seguramente alguien acabará divulgándolo un día, al tratarse de un personaje público, y vete a saber, a lo mejor a todo el mundo le trae sin cuidado entonces y no se ve como ignominia, ni como mancha siquiera, y sus apologistas lo pasan por alto como si fuera algo anecdótico: este país no es sólo superficial, es arbitrario y muy parcial, y cuando otorga a alguien bula rara vez se la retira. Pero no seré yo quien lo cuente, ni se sabrá por una imprudencia mía contigo, no será por descuido mío ni a través de mí. Aunque la mayoría ya habrán muerto, cuando yo se lo oí relatar estábamos presentes cinco, y seguro que no fue esa la única vez que lo soltó tan ancho, así que la historia la conocerán unos cuantos (lo mismo quedamos ya pocos vivos). Pero no me extrañaría nada que sí hubiera sido la última, esa vez, y que a partir de aquel aperitivo procurara callársela, y hasta iniciara el proceso de la minuciosa ocultación posterior. Es muy probable.'

'¿Aperitivo? Qué fue lo que contó', le pregunté sin subrayar el tono interrogativo. Me di cuenta de que ya iba queriendo saberlo, pese a que por lo general no sonsacaba a mi padre así tuviera curiosidades, le dejaba en paz los recuerdos si él no los convocaba por su cuenta y su voluntad. Y también pese a haberle mentido un poco y haberme mentido de paso otro poco a mí, momentáneamente: no era verdad que él pudiera contarme cualquier cosa, quiero decir sin consecuencias para mi ánimo o mi pesadumbre, ni que lo ingrato que relataran sus labios fuera más soportable o menos malo de saber que las peores atrocidades leídas en los libros de Historia o que las contemporáneas vistas en televisión. Lo que él contaba no sólo era tan real y verídico como el cerco de Viena en 1529 o la espantosa caída de Constantinopla ante los turcos infieles en 1453; como la matanza en Gallípoli de los compatriotas de Wheeler y las tres batallas o carnicerías de Ypres durante la Primera Guerra Mundial; como el arrasamiento de la aldea de Lidice y los bombardeos de Hamburgo y Coventry y Colonia y Londres durante la Segunda; sino que además había ocurrido aquí, en las mismas ciudades y calles pacíficas, alegres, hoy prósperas, 'campos amenos' en los que yo había pasado la mayor parte de mi vida y mi infancia casi entera; y no sólo había ocurrido aquí —lo mismo que los fusilamientos del 3 de mayo de 1808, en lo que los ingleses llaman la Guerra

Peninsular, o que el sitio de Numancia entre el año 154 y el 133 antes de Cristo, o que tantos ensañamientos más—, sino que eran cosas que le habían sucedido a él, que habían visto sus ojos azules y volvían ahora a ver (ahora mates y de dilatado iris), o que habían oído sus indefensos oídos y volvían ahora a oír (el estómago revuelto, el pecho oprimido como en los turbios y agitados sueños, plomo sobre su alma todo ello). Lo que me hacía sus experiencias malas más arduas de conocer que casi cualquier desventura o crueldad pasadas, o incluso actuales pero lejanas, era que lo habían afectado personalmente y habían entristecido su biografía, la de alguien tan cercano y que además yo tenía aún delante, aún vivo, aún en presencia, quién sabía por cuánto más tiempo, con la cabeza bien clara aún. No, no se recibe, no se encaja igual la información de primera mano de un desconocido —un cronista, un testigo, un locutor, un historiador— que la de quien uno lleva tratando desde que nació. Uno ve los mismos ojos que vieron, y que descubrieron en un fichero, con desolación, la foto de un muerto joven con un disparo en el oído o en la sien; y oye la misma voz que hubo de advertírselo a la hermana del muerto, o que hubo de callar con horror o con pena o con sofocada cólera cuando los correspondientes oídos oyeron involuntariamente, en un tranvía o en un café, lo que habrían preferido no oír jamás ('Calla, calla y no digas nada. Guarda la lengua, escóndela, muérdela, trágala aunque te queme, como si te la hubiera comido el gato. Calla, y entonces sálvate').

'Yo había ido una mañana a la editorial de Gómez-Antigüedad', me contestó esa voz, 'a ver si me daban alguna traducción para hacer, aunque no las pudiera firmar con mi nombre, u otras tareas anónimas y esporádicas, informes sobre libros extranjeros y cosas así. Se ocupaba ya sobre todo el hijo, Pepito, al que yo conocía levemente del Crucero y de la Facultad, y que fue uno de los raros vencedores que se portó con gran decencia y generosidad, ya lo sabes: nos echó una mano a algunos represaliados que él juzgaba de valía, y además durante los primeros años, cuando más difícil teníamos trabajar en nada, hasta el 45 fue todo muy duro y apenas más suave hasta el 53. Vuestra madre y yo nos habíamos podido casar gracias a sus clases de francés, a una pequeña ayuda de su madrina, que tenía dinero y lo había logrado conservar mal que bien, y a los encargos que la Revista de Occidente me hacía de vez en cuando; pero para salir adelante había que buscar más cosas, y sin cesar, porque las tres cuartas partes de lo que intentaba solían no resultar. O más. Antigüedad me recibió, el hijo, y le expuse mi caso.' ('Cada vez que pedimos estamos expuestos, vendidos', pensé, 'a merced casi absoluta del que concede o niega.') 'Pese a nuestras diferencias políticas, le parecía injusto lo que se había hecho conmigo, y me dio un par de obras para traducir, una del alemán, Schnitzler, y otra del francés, Hazard, me acuerdo bien. Entonces eso era para mí como si me hubiera tocado la lotería. Poder hacer algo remunerado, aunque fuera escasamente. Uno cogía lo que hubiera, con entusiasmo, siempre os he dicho que no hay trabajo malo mientras no haya otro mejor. Estuvo muy cordial, y para celebrar la colaboración me propuso bajar a tomar algo a lo que antiguamente fue el Café Roma, en Serrano, él tenía la editorial muy cerca, en Ayala.'

'Recuerdo bien el Café Roma', le dije, 'por lo menos duró hasta mi primer año de Universidad.'

'Puede ser', contestó, sin querer detenerse ya más. Pensé que más valía que no lo interrumpiera otra vez, había empezado a contar algo que le costaba contar, era mejor que no volviera a pensárselo, o a dudar, como había hecho con mi madre en su día, aquel día en que él lo oyó, y se lo decidió guardar. 'Nada más entrar, lo llamaron de una mesa, unos conocidos o amigos suyos, y nos invitaron a acompañarlos. No sé si me conocían a mí, quiero decir si mi nombre les decía algo cuando les fui presentado, pero yo sí sabía quiénes eran dos de ellos, los otros dos no. Uno era el escritor en cuestión, aún flamante falangista, y el otro un monárquico de los de la infinita paciencia y la ninguna prisa, esto es, tan franquista en aquel momento como el que más. Ambos con sus respectivos carguitos, ya. El escritor, en realidad, sólo empezaba a sonar entonces como tal: había publicado un libro de poesía anticuada o quizá ya dos, muy jaleados por razones obvias, más tarde dejó el verso y se dedicó a la novela, que fue con lo que hizo carrera; escribió algo de teatro pedestre y un ensayo pedestre también. Estos dos parecían haberse reencontrado al cabo de mucho tiempo con los otros, y todavía entonces la gente andaba contándose lo que había sido de ella durante la Guerra, lo que había sufrido o lo que había hecho sufrir. Y este fue el caso. Se intercambiaban experiencias, historias, alguna proeza, alguna penalidad, alguna barbaridad. Gómez-Antigüedad participaba un poco, yo no. Y, en medio de todo ello, el escritor mencionó un nombre para mí bien conocido y bastante apreciado, el de un antiguo compañero de la Universidad. No había sido amiguísimo, era de un curso inferior al mío, pero había tenido buen trato con él, ocasional, y además era un hombre que caía bien: Emilio Marés, andaluz, muy simpático, ingenioso, era presumido con gracia y frívolo con deliberación, se las daba de anarquista pero sin ninguna solemnidad, incluso en sus peroratas había siempre algo de guasa, y además iba como un pincel, de punta en blanco, el tipo de anarquista clásico de novela desde luego no lo daba; un hombre muy grato, permanentemente de buen humor. El inicio de la Guerra lo había pillado en su tierra, para el 18 de julio muchos estudiantes que no eran de Madrid ya se habían ido a sus lugares de origen a pasar el verano con sus familias, él era de un pueblo de Málaga o de Granada, no estoy seguro, en el que su padre era alcalde creo que socialista: de Grazalema, o de Casares, o Manilva, por ahí. Nos habían llegado noticias, en plena Guerra, de que lo habían matado en Málaga los nacionales, supusimos que en la ciudad, que había caído en febrero del 37 con la intervención decisiva de los Camisas Negras italianos, más de diez mil. Imaginamos que habría sido fusilado sin más. Allí la represión fue particularmente feroz, la venganza, porque la ciudad se había resistido durante siete meses y la gente había hecho mucho el bestia, paseos en abundancia, pillaje indiscriminado, quema de iglesias, ajustes personales, como al principio aquí. Luego se contó que los nacionales, una vez tomada la ciudad, el Duque de Sevilla al frente, corrigieron y aumentaron, y que en el plazo de la primera semana pasaron por las armas a unos cuatro mil. Quizá no

fueran tantos, pero es lo mismo: se hartaron de dar
café, ya sabes que ese era el eufemismo de Franco y
los suyos para ordenar las ejecuciones, "Dadles café",
decían, y los detenidos al paredón. En Málaga los
llevaban a la playa, a muchos. Tan salvaje fue la cosa
que los italianos protestaron, se sintieron salpica-
dos por la sangría suelta, hasta el punto de que el
embajador, Cantalupo, habló con Franco y se per-
sonó allí para frenar la situación. En algún sitio leí
que se quedó atónito al ver la furia desatada, y cómo hasta las señoronas ricas, bien católicas ellas, se
dedicaban a profanar las tumbas de republicanos,
en fin.' Mi padre se detuvo y se pasó la mano por la
frente o casi se la estrujó, con cuatro dedos, como si
quisiera arrancarse algo de allí, quizá imágenes, quizá relatos. Tenía ochenta y tantos años. Pero fue una
pausa muy breve y en seguida volvió: 'No recuerdo
exactamente cómo se llegó a aquel episodio, allí en
el antiguo Roma, en la conversación. Pero sí tengo
grabado lo que se refirió a Marés. Creo que uno de
ellos comentó en tono ofendido que muchos republicanos, al rendirse o ser detenidos, "encima se
ponían muy dignos", algo así dijo. Y más o menos
entonces, espoleado por la mención de esa osadía,
el escritor se animó a contar la lección que le habían
dado a uno. Contó que una vez, en Ronda (Ronda
había caído mucho antes que Málaga, en septiembre u octubre del 36), llevaron a tres presos a las
afueras para fusilarlos con la primera luz, y, como
era costumbre, les ordenaron cavar (era costumbre
en ambos bandos, y me temo que en los de cualquier guerra también). Uno de ellos, "un lechugui-
no que se llamaba Emilio Marés", esas fueron sus
palabras, "hijo de un alcalde rojo de por allí", se

negó, y les dijo a sus verdugos: "A mí me podréis matar y me vais a matar. Pero a mí no me toreáis". No estaba dispuesto a hacerles parte del trabajo, vamos. La salida me casó con el personaje que yo conocía, aunque claro, ese día sin su buen humor: un desplante postrero, no debía de quererse ver con una pala en la mano en el momento final, sacando tierra, sudando y manchándose. "Fijaos si se nos puso chulo el tío", prosiguió el escritor; "como si pudiera imponer condiciones. Ya se veía que, por muy rojo que fuera, era un niño de papá, iba de veinticinco alfileres, el señorito. Y encima instó a sus dos compañeros a negarse también. No le hicieron caso, por suerte para ellos. Estaban demasiado asustados y cavaron. Él debió de creer que en todo caso les dispararíamos luego sin más a los tres, delante de la fosa abierta. Uno de nuestra partida, que era de la provincia y le tenía ya echado el ojo desde tiempo atrás, le dio un culatazo en la cara que lo tiró al suelo, y le volvió a ordenar que cavase. Y el tío siguió negándose, y repitió que a él lo matábamos, y a golpes si nos venía en gana, pero que torearlo, no. «Como que me llamo Emilio Marés, a mí no me toreáis», insistió. Se plantó en ese plan, con el nombre por delante y todo, no sé quién se creía. Pues mirad. Nada más os digo que en mala hora se le ocurrió emplear esa expresión, porque, ¿sabéis lo que hicimos?" Y el escritor esperó un poco, como para crear expectativa y buscar un mayor efecto, como si en verdad necesitara oírnos decir "No, ¿qué?", aunque tampoco aguardó lo bastante, porque la pregunta era sólo retórica, teatral. Entonces bajó el índice con energía sin llegar a tocar la mesa, como si puntualizara o subrayara, como si presumiera de la respuesta, y a la vez que hacía ese gesto se la dio y nos la dio: "Lo toreamos", dijo con jactancia. Satisfecho de la lección. Me acuerdo de que se hizo un silencio inmediato, de estupor, de incomprensión. Yo creo que ninguno acabamos de entenderlo bien, o no en el primerísimo instante, porque hasta aquel momento la palabra "torear", claro está, había aparecido tan sólo en su sentido figurado de "burlarse"; y porque era inconcebible también. Con desconcierto y algo ya de aprensión, fue Antigüedad quien le preguntó: "¿Qué quieres decir, que lo toreasteis?". "Eso. Que le tomamos la palabra y lo toreamos, literalmente. Lo lidiamos", contestó el escritor. "La idea fue del malagueño que le tenía ya ganas de antes. «Conque no, ¿eh?», le dijo. «Tú te vas a enterar.» Y cogió la camioneta, se volvió para la ciudad y en menos de media hora estaba de regreso en el campo con todos los trastos. Allí mismo lo banderilleamos, lo picamos un poquito desde el techo de la camioneta haciéndole pasadas lentas, y luego fue su paisano el que se encargó del estoque. Un tipo atravesado, muy cabrón, y se vio que tenía algo de práctica, le entró muy bien a matar, la primera hasta el fondo, cruzada en el corazón. Yo le puse sólo un par de banderillas cortas, en lo alto de la espalda. Vaya si se enteró, el tal Emilio Marés. A los otros dos los tuvimos de público y los obligamos a gritar olés. No los fusilamos hasta rematar la faena, en premio por haber cavado. Así pudieron ver de lo que se habían librado. El malagueño se empeñó en cobrarse una oreja. Un poco pasado de rosca, pero tampoco se lo íbamos a impedir los demás." Eso fue lo que contó durante el aperitivo el famoso y celebrado escritor', añadió mi padre, y su voz sonó abatida nada más acabar la rememoración; 'aunque cuando de verdad fue famoso ya sí que no lo volvió a contar. Tuvo exequias solemnes cuando murió. Creo que hasta un ministro muy democrático ayudó a llevar el ataúd'.

Ahora sí se quedó callado más rato, con la mirada anciana de recordar, como si en verdad hubiera vuelto al desaparecido Café Roma de la calle Serrano, o allí a Ronda donde no había estado, quiero decir no en septiembre del 36, cuando debieron de torear y descabellar a su amigo. Fue el 16 de ese mes, lo comprobé más tarde, cuando cayó esa ciudad 'heroica y fantástica' con su enorme precipicio o tajo, cayó a manos del General Varela de los sempiternos guantes blancos —o quizá era Coronel entonces: dormía con sus medallas puestas, se contaba—, un hombre mucho más sanguinario que el jefe de los Camisas Negras, el italiano Coronel Roatta que avanzó sobre Málaga y se apodó 'Mancini', como mi músico protector, siguiendo la pauta de perder o renunciar al nombre de tantos que pasaron por aquella Guerra; pero no menos, en todo caso, que quien se adueñó y mandó en Málaga una vez tomada, Duque de Sevilla su inoportuno título: ay estos españoles que despedazan siempre, silenciosos unos y locuaces otros; ay 'estos hombres, de ira llenos', tantos son y tantas veces.

Allí en Ronda se había demorado el poeta Rilke un par de meses de veinticuatro años antes, a finales del 12, a comienzos del 13, cuando ni siquiera Wheeler había llegado aún al mundo, en las antípodas y como Peter Rylands. Y hay de él, del poeta, una estatua muy negra de cuerpo entero en el jardín de un hotel desde cuya balconada en alto se ven muy anchos campos amenos, tal vez fue en uno de ellos donde tuvo lugar aquella breve corrida de un hombre uno: aunque improbable, no sería imposible, porque al alba no habría nadie asomado a contemplar los campos, o estaría ocupado el recinto por las victoriosas tropas que no objetarían a la faena, si la divisó algún centinela: tal vez había entre ellas requetés carlistas a los que Varela había adiestrado de pueblo en pueblo en Navarra, con disfraz de cura y sobrenombre chusco, 'Tío Pepe'; y sin duda legionarios y moros, grotesca como 'cruzada' aquella —su término predilecto— de voluntarios católicos fanáticos y mercenarios musulmanes aniquilando juntos, y arrasando el país laico. Ese hotel es el Reina Victoria si no me confundo, que 'el diablo ha sugerido construir aquí a los ingleses', así dijo Rilke, y también se visita la habitación en que se alojó, una especie de museíto o panteón minúsculo, decorado con un retrato y unos pocos muebles, algunos libros viejos, unas notas manuscritas suyas en la lengua alemana de que se valía, quizá un busto (hace años que la vi, no estoy seguro). Puede que allí empezara a concebir estos versos, o mejor será decir estos fragmentos, que son de los que yo me acuerdo: 'Ciertamente es extraño no poder habitar más la tierra, dejar para siempre de practicar unas costumbres apenas aprendidas; no ser más lo que se era, y tener que desprenderse aun del propio nombre. Extraño no seguir deseando los deseos. Extraño ver todo aquello que nos concernía como flotando suelto en el espacio. Y penosa la tarea de estar muerto...'. Quién sabe si Emilio Marés no pensó eso, aun sin las palabras.

'Y qué pasó, qué hiciste, cómo reaccionaste', le pregunté a mi padre, no sólo para sacarlo de su silencio, y de su largo viaje. Me intrigaba saber qué pudo hacer o decir, si es que algo. Por menos de nada lo habrían detenido y devuelto a la cárcel en aquellos años, y fácilmente con suerte mucho peor, lo excepcional fue la que tuvo, y en el 39, nada menos, cuando casi no la había para ningún vencido.

Con cierto esfuerzo regresó de lo lejos. Un suspiro. La mano en la frente, con la alianza que nunca se había quitado. Un carraspeo. Luego enfocó la vista. Me miró y me contestó. Lentamente al principio, como con repentina cautela, acaso la misma que hubo de llevar entonces, en el Café Roma.

'Bueno', dijo. 'Desde que oí el nombre de Marés me temí lo peor, y me puse aún más en guardia. Ya no me gustaba lo más mínimo el derrotero por el que iba la charla. Pero no hice nada mientras fue contando. Ni se me pasó por la cabeza interrumpirlo. Sentía náuseas y cólera según escuchaba, las dos cosas mezcladas, más que con alternancia. Habría querido no estar allí, no enterarme de lo que le habían hecho entre varios a aquel compañero de Facultad que yo estimaba. Lo sabía muerto sin más, eso ya era suficiente, lo bastante malo, pero no era tan amigo como para no irme olvidando y luego acordando y luego olvidando. Y en cambio me di cuenta de que no podía quedarme a medias de aquel relato de espanto, una vez comenzado. Debí de ponerme muy pálido o muy colorado, no lo sé, sentí frío y acaloramiento, también mezclados. Fuera el color que fuese, eso no le llamaría la atención a nadie, no me hacía sospechoso, no me delataba, porque los demás presentes estaban demudados, blancos, pese a ser los cuatro del bando franquista y haber asistido, sin duda, cada uno a sus bestialidades, o incluso haberlas cometido.' Se detuvo un segundo, miró a su alrededor —estábamos en el salón de su casa, a finales del siglo XX o era ya el XXI, a última hora de la mañana: se iba resituando—, y prosiguió más suelto: 'Yo creo que el escritor calculó mal. Se puso a contar casi ufano, con alarde, pero a medida que fue avanzando, y aunque tardó poco en soltarla, debió de notar que su historia no caía bien del todo, que era excesiva, que nos sobrepasaba a todos. Si en el fragor y el encono de la Guerra podía haberle hecho gracia a alguno (es un decir), ahora ya no. Estaba de más relatar tal episodio en torno a una mesa, una mañana de Madrid soleada, delante de unas aceitunas y unas cañas. El silencio que se había hecho cuando dijo "Lo toreamos" y bajó el dedo como una banderilla o una pica o la espada, se quedó ya instalado hasta el final del cuento, y permaneció a su conclusión, inalterable. Y como llegó a resultar violento, y el escritor era allí el de más influencias probablemente, uno de los que yo no conocía antes ni de nombre, el más obsequioso, lo rompió con un chiste de pésimo gusto que no fue capaz de guardarse, o quizá es que, hombre corto, no se le ocurrió nada mejor para llenar el vacío y jalear la anécdota: "¿Y cómo es que no se adjudicó las dos y el rabo? Ya puestos....", le preguntó, refiriéndose al malagueño y a la oreja que se había cobrado. Y el escritor volvió a calcular mal, o el ambiente helado que había dejado su historia lo hizo sentirse, no sé, incómodo, en falso, y eso lleva casi siempre a empeorar las situaciones con cualquier movimiento para arreglarlas, lo mejor es quedarse quieto y callado. Sonrió como si se le hubiera abierto el cielo. Quizá se aferró, quizá pensó todavía que el efecto de su historieta había sido el que él esperaba, sólo que un poco retardado por lo impresionante de la lección, o lo consideraba una hazaña. No era muy inteligente, sólo hábil. Y vanidoso hasta la suela de los zapatos, como suelen serlo cuantos se saben valorados por encima de su talento, por motivos espúreos o por sus empellones y su insistencia. No toleran no quedar bien, o por encima como el aceite, y en ellos es todo tan frágil y falso que los descompone cualquier tibieza, o el más mínimo reparo. Así que respondió, a mitad de camino entre el melindre y la chanza: "Bueno, tampoco quería cargar las tintas. Pero no os diré que al final no lo cortara todo. De cuidado, aquel camarada. Y menudo se puso, saludando con su boina roja en plan montera, y exhibiendo los tres trofeos". Yo no sé si esto último era verdad o si, azuzado por la pregunta del otro, lo improvisó para adornarse; a lo mejor creyó que se había quedado corto y que a eso se debía la frialdad de su público. Pero me daba lo mismo; o casi era peor si se lo había inventado sobre la marcha, para halagarnos según su criterio o para más estremecernos. No aguanté. Ya no aguantaba antes. Pero me cruzó una imprecisa imagen de Marés mutilado después de torturado y muerto, del hombre tan grato que yo conocía. Tan graciosamente presumido, convertido en un despojo animal, más que humano. Me levanté y, dirigiéndome a Gómez-Antigüedad solamente, murmuré: "Tengo que marcharme, ya voy tarde. Me paso por la barra, yo pago esta ronda". Y me acerqué a la barra a pedir esa cuenta. Si hacía esa escala antes de largarme era menos llamativo y cortante que si hubiera cogido la puerta directamente. Me venía fatal pagar nada, imagínate, y era un sitio para mí muy caro, ni siquiera estaba seguro de que me fuera a llegar con lo que llevaba encima; e invitar a aquellos cuatro no sabes lo que me repugnaba. Pero lo daba por bien empleado si así podía perderlos de vista inmediatamente, no oír más sus esforzadas risas de escarnio ni la voz de aquel chulo asesino; y salir de allí, claro, sin contratiempos graves. Sólo habría faltado que me hubieran detenido aquel día, con mis antecedentes. No quedé lejos a espaldas de ellos, mientras aguardaba de pie en la barra a que me atendieran el barman o algún camarero, y oí al escritor decirle a Antigüedad: "¿Y a este qué le ha dado, si puede saberse? Deza has dicho, ¿no? De dónde sale. Y qué mosca le ha picado". Mala cosa, que te tomen el nombre, que se fijen en él y lo retengan, lo mismo las autoridades que los criminales, ya no te digo si las autoridades son criminales. Pensé que no iba a lograrlo, que el escritor no me dejaría marchar en paz, que querría aclarar qué me pasaba, y yo ya no me contendría entonces, era seguro. Si me pedía cuentas era capaz de tirármele al cuello sin mediar más palabra, en el instante. Mal habría él salido, pero yo mucho peor. No me habría librado de una buena paliza en un calabozo aquella noche, y a saber luego si no me habrían instruido otro proceso, por lo que se les hubiera antojado. Por suerte la respuesta de Antigüedad fue rápida, y esa es otra que le agradecí hasta su muerte: "Le habrá dado lo que me ha dado a mí, joder, me has puesto malo", le dijo. No era hombre de tacos, pero según con quién, conviene saber recurrir a ellos. Una cuestión de autoridad, a veces. Y con esa autoridad lo riñó, casi lo abroncó: "¿Tú te crees que esa barbaridad puede contarse así como así? ¿Tú te crees que tiene gracia? A ver si mides, hombre, a ver si mides. Ya va siendo hora de que todos dejemos de hacernos mala sangre con todo". Aunque el escritor estuviera mejor situado en el régimen, Antigüedad era de una familia pudiente y de derechas de toda la vida, había acabado la Guerra con el rango de capitán y estaba fuera de toda sospecha; y además sería dueño de una editorial un día y ya cortaba bastante el bacalao en ella, y eso un escritor que empieza lo tendrá siempre en cuenta, porque no sabe si podrá necesitarlo. Así que encajó la regañina, pese a su soberbia. "Bueno, no te pongas así, Pepito, no es para tanto. Todos tenemos historias un poco bestias. Pero a lo mejor es verdad que esta ya no es para tiempo de paz, te lo reconozco", le dijo. Y Antigüedad amainó en seguida. Le dio una palmada paternalista en el hombro y le contestó: "Nada, hombre. Hala, nos vemos otro día con calma. A más ver, señores". Se despidió de los otros así, en grupo, sin estrecharles la mano, y se vino a mi lado, justo cuando ya me llegaba el camarero que nos había servido. "Trae eso acá, Deza, la invitación era mía", y le arrebató la nota antes de que pudiera entregármela. Yo ya estaba contando el dinero en la mano con gran angustia, me temía que no iba a alcanzarme. Salimos juntos, él todavía se volvió desde la puerta y dijo adiós con el brazo a aquellos cuatro. Luego, ya en la calle, se disculpó conmigo, aunque él no hubiera tenido culpa alguna. "Vaya, no sabes cómo lo lamento, Deza, no tenía la menor idea", me dijo. "Tú tenías trato con Marés, ¿verdad? Yo lo conocía sólo de vista." Fue de los pocos que hizo por atemperar las cosas, entre los vencedores, de los pocos que no siguió a rajatabla las consignas de Franco, de vejación constante y tenaz castigo de los derrotados. Y no sabes lo que me ha alegrado haber podido corresponderle en vida con algún favor no desdeñable: en los años ochenta conseguí evitar que fuera a la cárcel, por un asunto de contabilidades y sociedades, un trasvase ilícito de fondos, bueno, no viene al caso. Y habría preferido que no se hubiera metido en apuros, desde luego, pero para mí fue una bendición estar en disposición de echarle un cable, y de tirar fuerte de él hasta sacarlo. Cuando en tiempos *muy* malos alguien te ayuda, y sin tener por qué, o apenas... (vosotros ni los habéis conocido, tiempos *muy* malos)..., eso nunca se olvida. Si uno es una persona decente, claro, y no se toma esa ayuda como una especie de rebajamiento propio, o como un agravio con testigo.'

Se me ocurrió que al decir esta última frase se estaba acordando de Del Real, el amigo traidor cuyo venidero rostro, el del 39, él no había sabido prever en todos los demás años treinta.

'¿Y alguna vez coincidiste con el escritor luego, en persona?' le pregunté.

'Muy tardíamente, treinta y tantos o cuarenta años después, en un par de actos públicos a los que ambos estábamos invitados. La primera vez iba con su mujer, así que le di la mano para que ella no padeciera ni se inquietara, y hablamos los tres, nada, cuatro frases sociales. La segunda vez estaba solo, o bueno, con uno de sus habituales séquitos, ese hombre no daba un paso desacompañado. Me vio, y me rehuyó, y rehuyó mi mirada. No que yo lo buscara, me librase el cielo. Pero por si acaso. Eso lo nota uno. Él siempre supo quién era yo. Quiero decir, no sólo a qué me dedicaba, o que mantenía con su mujer una educada relación de gran estima recíproca. Sino que se quedó con mi nombre ya aquella mañana, en el café, y desde entonces tenía presente que yo había oído su cuento. Tuvo que arrepentirse un montón de veces de haberse ido de la lengua durante aquel aperitivo, de su autocomplacencia. Por eso creo que quizá fue la última vez que lo reveló a nadie. Su repulsiva contribución a la lidia. La reacción de Antigüedad, sobre todo, debió de servirle de aviso. Y el silencio que se hizo. Así que no te extrañará que yo no se lo contase a vuestra madre, aunque ganas no me faltaron, más que nada por compartir el abatimiento con que regresé a casa aquel día, ya te digo, cuando de hecho había conseguido dos traducciones. Ella también había tratado a Marés en la Universidad y le tenía mucha simpatía, como casi todo el mundo, era uno de esos hombres que iluminan una reunión, y la hacen más optimista y valedera. Para qué traerle más desolación, para qué sobrecogerla con algo nuevo que no podía cambiarse y contra lo que no habría alivio ni desde luego resarcimiento. Y encima a ella le gustaban los toros, bastante más de lo que sabéis vosotros, había heredado la afición de su padre pero prefería no transmitírosla mucho. Más de una tarde os decíamos que íbamos al teatro o al cine y en realidad íbamos a la plaza.' Y a mi padre se le escapó una divertida y breve risa, al recordar y confesar aquel pequeño e inocuo engaño a los hijos. 'No era cuestión de arruinárselos, y eso es lo que habría pasado, probablemente. A mí mismo, que los disfrutaba menos, que me eran más indiferentes, me costó tiempo y esfuerzo que la muerte de Marés contada no me los viciase, de arriba abajo: al principio me acordaba de él en cada corrida y se me oscurecía todo, se me deslizaba su sombra en cada tercio. No sé. De la misma manera que en esa esquina de Alcalá con Velázquez siempre pienso en aquel niñito que la miliciana estrelló contra la pared de su cuarto, según ella dijo.' Mi padre se había fatigado, se lo noté al iniciar una nueva pausa; cerró los ojos como si le dolieran de haber mirado tan lejos, durante demasiado rato. Pero aún no era la hora del almuerzo, miré el reloj, faltaban unos veinte minutos para que entrase a avisarnos la mujer que le cocinaba o apareciese mi hermana, había anunciado que se pasaría para acompañarnos si acababa unas gestiones a tiempo. Y él no había vuelto aún al tejido, así que al poco decidió continuar hablando, aunque sin abrir los ojos inmediatamente. 'Vi muchas cosas, vimos cosas tal vez peores', dijo utilizando un plural ambiguo, o alternándolo con el singular inequívoco. 'Muchos muertos simultáneos, conocidos y desconocidos juntos, de golpe en los bombardeos, y entonces no le da tiempo a uno a concentrarse en ninguno de ellos ni siquiera un segundo, suele predominar una sensación de absoluto acabamiento, de rendición general, de exterminio que se cumple, es la que se tiene entonces, y se le mezclan los impulsos contrarios de sobrevivir a toda costa, saltar por encima de los cadáveres, buscar refugio, ponerse a salvo, y de quedarse con ellos, quiero decir unirse a ellos, acostarse a su lado, formar parte del montón inerte y terminar de una vez: hay casi envidia. Es extraño, pero aun en medio del estruendo y los derrumbes y el caos, en medio de las propias carreras para auxiliar a un herido o intentar uno cubrirse, se los distingue en el acto como ya inservibles. No dañinos para nadie, y también ya descansados y apaciguados, es visto y no visto. Bueno, lo más probable era que si uno seguía el segundo impulso obtuviera sin proponérselo el efecto del primero, porque la siguiente bomba no caía nunca donde las anteriores: los sitiadores no despilfarraban, puede que no hubiera lugar tan seguro como tumbado junto a los ya muertos. Pero fíjate, mira. Te he contado ahora dos cosas que yo no vi, que no vimos, sino que me fueron relatadas o más bien capté sin querer, en ninguno de los dos casos las palabras me iban dirigidas, no personalmente, o no a mí exclusivamente; y sin embargo se me han quedado en la memoria tanto como lo que vimos o quizá más, es más fácil que uno se prohíba la evocación de una imagen insoportable que la de la narración de unos hechos por aborrecibles que sean, justamente porque toda narración aparenta ser más tolerable. Y lo es, en un sentido: lo que uno ve está ocurriendo; lo que escucha ya ha ocurrido; sea lo que sea, sabe que ha terminado, o si no nadie podría contarlo. Yo creo que mi recuerdo tan afilado de esas dos historias, de esos crímenes, se debe a que se las oí contar a quienes los habían cometido. No a un testigo, ni tampoco a una víctima que hubiera sobrevivido, cuyo tono habría sido de reproche y queja justificados, pero por eso mismo de veracidad más dudosa, siempre cabe sospechar de exageración en la descripción de un sufrimiento, porque quien lo ha padecido tiende a presentarlo como una virtud o un mérito, un sacrificio noble, cuando a veces no hay nada de eso y es tan sólo mala suerte. En ambos relatores hubo ostentación y ninguna vacilación. No sé, sí, hubo alardeo. Pero para mí era como si se acusaran y además sin estar obligados, el escritor falangista y la mujer del tranvía. O así lo registraron mis oídos, que no se divirtieron, ni admiraron las crueldades narradas, sino que se horrorizaron y se asquearon; y las condenó mi juicio, pasivamente.' ('Con la lengua callando', pensé.) 'Eso te da una idea de cómo se vivió la violencia por parte de muchos; de cómo la gente más superficial y más simple —no necesariamente la más primitiva ni la más inculta— se habitúa a ella y entonces no le ve límite o no se lo pone; y te da una idea de cuánta había. Tanta, y tan descontada, como para que pudieran airearla con toda tranquilidad, con chulería, quienes la ejercían más brutal y gratuitamente, con más insensatez y más odio de balde. Ya me dirás qué necesidad había de desparramarle los sesos a un niño de pecho; qué necesidad había de banderillear y picar a un condenado, y después mutilarlo. Pero también los hubo que no nos acostumbramos nunca, uno no se acostumbra a eso si no le pierde la perspectiva, si no entra en la holgazanería del "Qué más da, ya puestos...", como le dijo aquel tipo al escritor cuando le preguntó por el rabo y la otra oreja. Si lo concreto no se le hace abstracto, que es lo que hoy les pasa a tantos, empezando por los terroristas y siguiendo por los gobernantes: ellos no se dan cuenta de la parte concreta de lo que ponen en marcha, ni por supuesto quieren dársela. No sé. La mayoría de la gente de estas sociedades nuestras ha visto demasiada violencia, ficticia o real, en las pantallas. Y se confunde, la toma por un mal menor, por no gran cosa. Pero es que ninguna es verdadera ahí, en la imagen plana, por terrible que sea lo que a uno lleguen a mostrarle. Ni siquiera la de las noticias. "Sí, qué horror, eso ha pasado en la realidad", se piensa; "pero no es aquí, no es en mi cuarto." Si fuera en nuestros salones, qué distinto sería: notarlo, respirarlo, olerlo, siempre hay olor, huele siempre. Qué estremecimiento y qué pánico. A la gente le sería insoportable, sentiría el miedo encima, el propio o el ajeno, el efecto y la conmoción son parecidos, y además nada se contagia tanto. La gente huiría, para ponerse a resguardo. Mira. Basta con que alguien le dé un empujón violento a otro en un bar, o en la calle, en el metro, con que dos automovilistas broncos se zarandeen o se enganchen, para que quienes se encuentren cerca tiemblen de la impresión y la incertidumbre, para que se tensen y se les dispare una alarma, a menudo incontrolable, tanto física como mental, a la mayoría le ocurre. No digamos si se produce un tumulto. Y si tú das un puñetazo con todas tus ganas, es probable que hagas bastante daño, pero también que se te quede la mano hecha cisco y se te inflame durante unos días. Con un solo puñetazo. No es broma.' ('Así es', pensé, pero no se lo dije para no preocuparlo; 'a mí me sucedió una vez, luego casi ni podía moverla.') 'Quien ha vivido la violencia a diario durante una época de su vida no jugará nunca con ella, ni se la tomará a la ligera. La administrará, no ya con cuidado, con cautela extrema, sino con tacañería, con enorme avaricia. No se la permitirá, siempre que pueda ahorrársela, y eso casi siempre es posible. Aunque también la aguantará mejor, si vuelve.' Volvió a abrir entonces los ojos claros, mi padre, y se los vi otra vez serenos, se le habían ido afligiendo con los recuerdos. 'Excepto en la ficción, eso es distinto, aunque debería saberse mejor de lo que se suele. La exageración es divertida, incluso, la de las películas es como contemplar acrobacias, o fuegos de artificio, a mí hasta me da hilaridad, esos cuerpos despedidos, esos salpicones de sangre, se nota tanto que llevan muelles, y unas bolsas con líquido que las pinchan y estallan. Los muertos de verdad por bala no saltan, sino que se desploman y se paran. Y esa violencia sí es inocua, o debería serlo si la perspicacia general de la gente no hubiera disminuido tanto. Para alguien tan antiguo como yo, es asombroso lo tonto que se ha vuelto el mundo. Inexplicable. Qué época de declive, no os podéis hacer idea. No ya intelectual, sino simplemente del discernimiento. En fin. Todo eso no es apenas distinto de las palizas del *Quijote*, o de las de aquellos Tom y Jerry que os gustaban de niños, uno sabe en el fondo que ahí nadie sale maltrecho de veras, que todos se levantan después ilesos y se van a cenar juntos, amigablemente. Bah. Tampoco hay que ponerse puritano con eso, ni melindroso, como hacen esos mismos que reducen a azucarillos los cuentos clásicos. Y en cambio con la violencia real, con esa en cambio... Ni un desliz debería tenerse. Pero mira si han variado las cosas, y las actitudes: cuando se le declaró la Guerra a Hitler, y quizá no ha habido ocasión en que se hiciera más necesaria y justificable una guerra, el propio Churchill escribió al respecto que el mero hecho de haberse llegado a aquel punto y a aquel fracaso convertía a los responsables, por honrosos que fueran sus motivos, en culpables ante la Historia. Se estaba refiriendo al Gobierno de su país y al de Francia, entiendes, y por extensión a sí mismo, aunque él bien habría querido que esa culpa y ese fracaso los hubieran alcanzado antes, cuando la situación no les era tan adversa ni habría sido tan cruento y grave librar esa posible guerra. "En esta amarga historia de juicios erróneos efectuados por personas capaces y bienintencionadas...", así dijo. Y ahora, ya ves, los mismos que se escandalizan por los batacazos de Tom y Jerry y de sus descendientes desatan guerras innecesarias, interesadas, sin ningún motivo honroso, evitando otros recursos si es que no torpedeándolos. Y a diferencia de Churchill, ni siquiera se avergüenzan de ellas. Ni siquiera las deploran. Ni por supuesto se disculpan, hoy no existe eso en el mundo... En nuestro país fueron ya los franquistas, los que crearon esa escuela. Jamás se ha disculpado ni uno, y también ellos desencadenaron una guerra innecesaria. La peor posible. Eso sí, con la colaboración inmediata de muchos de sus contrincantes... Qué exageración fue todo...' Ahora noté que mi padre pensaba en voz alta, más que hablarme, y seguramente eran pensamientos que venía teniendo desde 1936 y quién sabía si a diario, de la misma o parecida manera en que no hay día o noche en que no se le representen a uno en algún instante la idea o la imagen de los muertos más próximos, por mucho que pase el tiempo desde que se despidió uno de ellos, o ellos de uno: 'Adiós, gracias; adiós, donaires; adiós, regocijados amigos; que yo me voy muriendo, y deseando veros presto contentos en la otra vida'. Y en el pensamiento que a continuación le vino utilizó una palabra que más tarde le oí emplear también a Wheeler, al referirse a las guerras, aunque éste la había dicho en inglés, y era 'waste', si no me engaño. 'Y qué increíble desperdicio... No sé. Se recuerda y no se cree. A veces me parece mentira haber vivido todo eso. Uno no ve el porqué, sobre todo, al cabo de los años cuesta aún más verlo. Nada de lo grave parece nunca tan grave, al cabo del tiempo. No como para iniciar una guerra, desde luego, figúrate, resultan siempre desproporcionadas, cuando se las mira retrospectivamente... Ni para que nadie mate a nadie.' (Y entonces hasta nuestros juicios tan conmiserativos y agudos serán a su vez tildados de baldíos y de ingenuos, para qué hizo esto, dirán de ti, para qué tanta zozobra y la aceleración de su pulso, para qué aquel movimiento, y aquel vuelco; y de mí dirán: por qué habló o calló y guardó tantas ausencias, para qué aquel vértigo, tantas las dudas y tal tormento, para qué dio aquellos y tantos pasos. Y de los dos dirán: por qué se enfrentaron y para qué tanto esfuerzo, para qué guerrearon en lugar de mirar y de quedarse quietos, por qué no supieron verse o seguirse viendo, y a qué tanto sueño y aquel rasguño, mi dolor, mi palabra, tu fiebre, el baile, y tantas las dudas, y tal tormento.)

Aquella musiquilla rala me hizo apartarme instantáneamente de los versos apócrifos de 'The Streets of Laredo' que me rondaban, esa melodía no se me había ido del todo en ningún momento pese a mis sustos y alarmas, y ahora, al ver a De la Garza tragando agua azulada, se me había cruzado una tercera versión, yo creo: a las baladas se les ponen cuantas letras se quiera y yo había escuchado la de Laredo y Armagh convertida en 'Doc Holliday' por el capricho de algún cantante olvidado, el cual hacía contar su historia, con esa música, a quien acompañó a Wyatt Earp en el O K Corral, en el famoso duelo o más bien batalla campal entre bandas, el tahúr tuberculoso y alcohólico licenciado en Medicina (o era en Odontología, como Dick Dearlove) y buen conocedor de Shakespeare, o así al menos lo presentaron en la mejor película que sobre ellos yo he visto, sobre Earp y Holliday en la ciudad de Tombstone, que no en Laredo ni desde luego en esa desconocida Armagh de Irlanda: 'But here I am now alone and forsaken, with death in my lungs I am dying today', y eso mismo podía estarse diciendo Rafael de la Garza con sus propias palabras siempre más chuscas y zafias, aunque él no moría por la enfermedad de la tos y el pañuelo en la boca y los esputos sanguinolentos, sino por inundación o encharcamiento, 'Pero aquí estoy ahora solo y abandonado, con la muerte en mis pulmones me estoy hoy muriendo'.

El pasodoble ratonero molestó a Reresby o incluso lo irritó, y no me extrañó lo más mínimo porque también a mí me sacó de quicio.

—*What's this shit?* —dijo, a la vez que yo pensaba: '¿Otra vez esto?'.

El sonido insistente hizo que interrumpiera sus golpes y las inmersiones de De la Garza en la taza. Entonces lo cacheó rápidamente y con malos modos en busca del portátil impertinente, y cuando se lo encontró en un bolsillo de la chaqueta rapera lo cogió, lo miró con perplejidad e ira y lo estampó contra una pared con todas sus fuerzas, el aparato saltó hecho pedazos y la españolada cesó al instante. 'Al menos ya no va a ahogarlo', pensé, 'por ahora', y además me di cuenta de que cuanto no fuera la espada yo lo veía como menos peligroso, menos mortal, tal vez era sólo que para un estrangulamiento o un ahogamiento se necesita algo de tiempo, aunque sea poco, y ese tiempo da tiempo a intervenir a otro que tendría que ser yo, pero cómo, nadie más había en aquel lugar y tampoco intentaba entrar nadie, y se habrían encontrado todos con la puerta atrancada y habrían supuesto que no estaba en uso aquel lavabo; mientras que para la decapitación o el tajo no se requiere ningún lapso de tiempo, y si Tupra no hubiera frenado a la primera la hoja, la cabeza del agregado estaría ya cercenada y caída al suelo, y él sería dos partes, o no sería. Así que yo vigilaba con aprensión lo que hacía Reresby pero también echaba ojeadas a su abrigo colgado, sabía ahora que allí se guardaba el arma temible de los lansquenetes y que podía volver por ella en cualquier arrebato o enconamiento, desenvainarla de nuevo y blandirla.

A continuación Tupra agarró a Rafita por las solapas o más bien por la pechera e hizo con él casi lo mismo que con su telefonillo, quiero decir que lo lanzó contra una pared, y vi cómo una de las extrañas barras cilíndricas que sobresalían se le clavaba en la espalda. Por suerte eran romas, pero aun así hubo de dolerle sobremanera, en el impulso de Tupra no hubo reservas. Tras darse contra ella De la Garza se desplomó, con un aullido muy derrotado y sin aire. La camisa se le había salido de los pantalones y entonces descubrí con estupor —fue también con vergüenza, o era casi pena— que el diplomático llevaba en el ombligo incrustada una joya, como un pequeño brillante o acaso una perla, seguramente baratijas, imitaciones, falsos. 'Santo cielo', pensé, 'quiere sentirse modernísimo a toda costa y no le han bastado el pendiente de zíngara y la redecilla, ¿llevará puesto eso siempre, hasta en la Embajada, o sólo cuando se disfrace para salir de farra?' Tupra volvió a cogerlo y lo levantó, agarrado siempre de la pechera, lo arrastró hacia atrás y lo lanzó otra vez contra la barra metálica de los tullidos, era la fija, tuve la sensación de que se le hincaba ahora en los omóplatos. De la Garza era un títere, un saco, estaba todo mojado y manchado de azul, con brechas en la barbilla y la frente y un corte en un pómulo, *uno sfregio*, la ropa toda descompuesta y con varios rotos, y sus gritos eran muy débiles, apenas el incontenible gemido cada vez que su espalda chocaba contra aquella barra, porque Reresby siguió con lo mismo, muy sostenida y rápidamente: lo levantaba, lo alejaba un poco de la pared y lo arrojaba contra el ariete, debía de estarle rompiendo costillas si es que no le producía lesiones internas de mayor consecuencia, retumbaba entera la caja torácica del agregado y su interior crujía, y a cada impacto era como si el aliento se le secase. Reresby lo hizo en total cinco veces, como si las contara, con paciencia y disciplina, como quien se lo tiene trazado. De la Garza no se defendió en ningún momento (ni ya podía encogerse, ni taparse los oídos), no sé, supongo que uno nota cuándo no puede hacerlo, cuándo la fuerza y la determinación del otro —o el número, si son varios otros; o las armas, si está uno inerme— son tan superiores que sólo cabe esperar que se canse o que decida acabar del todo, también Rafita pensaría en la espada con temor y algo de esperanza durante las arremetidas, durante su paliza, como quizá Emilio Marés en los campos de Ronda una vez que vio venírsele encima primero las banderillas y la pica luego: 'Lo están haciendo. Lo están haciendo en serio estos hijos de puta, malas bestias', debió de pensar entonces. 'Me están toreando como si fuera un toro, lo mejor será que me entren a matar cuanto antes y que no fallen, que no tengan que darme puntilla con lo que se les ocurra, porque son capaces de utilizar un clavo.'

Cuando Tupra terminó se volvió hacia mí y me dijo:

—Jack, tradúcele esto, quiero que se entere bien y que le quede claro. —Y antes de empezar añadió—: ¿Tienes un peine?

De la Garza estaba por fin en el suelo, parecía inmovilizado y ya no lo levantaría a la fuerza *Sir Blow* o *Sir Punishment* o *Sir Thrashing*, al menos no era el Caballero Muerte, ante mis ojos. Reresby se miró en el espejo mientras hablaba, se remetió un poco la camisa, se ahuecó la chaqueta, se estiró el chaleco, por lo demás su aspecto era el habitual, ni siquiera estaba muy despeinado. Se enderezó la corbata, se ajustó el nudo, todo ya sin sus empapados guantes, que dejó con asco junto al lavabo. Con ellos puestos, no le había dado ni una vez con el puño ni con la mano abierta —con el pie tampoco—, todos los golpes habían sido en realidad por objeto interpuesto, la taza del retrete, la barra cilíndrica y hasta la redecilla y las descargas de agua, él debía de estar al cabo de la calle respecto a lo que mi padre me había dicho a mí tiempo antes, que en el golpe directo también puede hacerse cisco el que lo propina. En España se ha sabido siempre de estas comodidades para la violencia: en 1808 (es un ejemplo), durante la Guerra Peninsular o de la Independencia, las tropas de Filanghieri, Gobernador de La Coruña e italiano de nacimiento para mayor sospecha (no era un 'español rayo y fuego'), consideraron a éste traidor a la causa por demorarse un poco en proclamar la de la Independencia (*he lingered*, tan sólo por prudencia estratégica, adujo, pero ya era tarde); así que hincaron sus bayonetas en el suelo, con la punta hacia arriba (ocurrió al parecer en Villafranca del Bierzo, donde no sé por qué estaban), y arrojaron a su Capitán General sobre ellas unas cuantas veces, hasta que algún órgano vital fue por fin atravesado y careció de sentido la insistencia, ahorrándose así los amotinados el esfuerzo de clavárselas con su propio ímpetu y dejando que fuera el premuerto Filanghieri el que se ensartara en ellas. Por lo visto no fue la primera ocasión en que se recurrió a este método de gandulería, quizá inaugurado por los cartagineses, con lanzas, contra el general romano Atilio Régulo en el siglo III antes de Cristo; y un viajero inglés por España señaló que asesinar a los abusivos, despóticos, incompetentes y pésimos generales y jefes que por lo regular han asumido el mando en nuestra Península a lo largo de la Historia (buenos vasallos, malos señores siempre) era 'una inveterada treta ibérica'. Asimismo observó que 'Socorros de España tarde o nunca' (en auxilio de Filanghieri acudió quien habría de sucederlo, pero ya mucho después de que aquél hubiera sido probado como fakir hasta la saciedad, sin éxito), de lo cual me acordé cuando me incliné sobre De la Garza para interesarme inoperante y vagamente por su maltrecho estado, no había mucho que hacer entonces, machacado ya el fatuo, y semiinconsciente y tirado, quién sabía si no tullido para una larga temporada, esperaba que no para siempre o tendría que acostumbrarse a frecuentar lavabos de aquellos. De modo que me pregunté si en los orígenes del apellido Tupra no estarían, remotamente, antiguos y holgazanes compatriotas míos.

—¿Un peine? —le contesté, algo mosqueado. Recordaba el comentario de Wheeler respecto a los latinos, en su jardín, junto al río, tras las gracias del helicóptero. Fama de presumidos—. ¿Qué te hace pensar que yo pueda llevar un peine?

—Los latinos soléis llevarlo, ¿no? Mira a ver si él tiene uno. —E hizo un gesto con la cabeza hacia el caído.

Me dio no sé qué, me pareció abusivo que Reresby se aprovechara encima del peine que De la Garza llevaría sin duda, si no lo había perdido en la descompensada refriega o en el sulfurado baile de antes. Me dio vergüenza ponerme a registrar al apaleado, al tan fácilmente derrotado. Así que saqué el mío, pese a darle la razón con ello.

—Muy listo —le dije a Tupra, y se lo alcancé. Por lo visto era una idea extendida, la de nuestros peines, en la isla grande.

Pero no me importaba mucho corroborársela: de pronto me sentía extraordinariamente aliviado, porque aquello había terminado y De la Garza seguía vivo y yo lo había visto muerto. Muertísimo, separado, convertido en cabeza y tronco, en dos partes. El peligro mayor ya era pasado, eso parecía, aunque fuera muy reciente era pasado, es fantástico y también irritante cómo la cesación trae una especie de falsa anulación momentánea de lo ocurrido. 'Puesto que *ya* no la está zurrando, es *casi* como si no la hubiera zurrado', pensamos en nuestra desmesurada adoración del presente, que va en loco y permanente aumento. 'Puesto que *ya* no arde, es *casi* como si no hubiera ardido. Puesto que *ya* no bombardean, es *casi* como si no hubieran bombardeado. Sí, ahí están los muertos y los mutilados, y las casas quemadas y destruidas, pero eso ya está, ya ha sucedido, ya es *antes* y no hay quien lo cambie ni lo deshaga, y ahora *al menos* no están matando ni mutilando ni destruyendo, no mientras yo estoy aquí con mi quehacer, y respiro.' Esos pensamientos pasan por nuestras cabezas cada vez que hay una de estas guerras actuales más o menos televisadas, y por las que siente tanto desprecio la gente antigua que estuvo en otras no frívolas, como mi padre o Wheeler: la del Golfo, la de Kosovo, la de Afganistán, la de Irak de los deshonrosos motivos y los intereses espúreos y la falta de necesidad absoluta salvo un engreimiento sin límites de sus impulsores. Mientras hay combates y las bombas vuelan sobre militares y civiles, se apodera de nosotros una angustia enorme, vemos las noticias a diario con el corazón encogido; esa fase suele ser breve hoy en día, a veces sólo unas semanas o pocos meses en todo caso, y no nos da tiempo a acostumbrarnos ni por lo tanto a insensibilizarnos suficientemente, a aceptar que así es cualquier guerra alevosa o recta y que también se puede vivir con eso cotidianamente, sin darle tanta importancia ni desesperarse por los demás a cada instante, sobre todo por los desconocidos lejanos; ni siquiera por uno mismo y por sus conocidos cercanos, si a uno le llega su turno le ha llegado, eso es todo, una vez suelta la matanza. Si una bala lleva tu nombre, como dijo Diderot antes que nadie, si no me equivoco. Hoy no nos da tiempo a instalarnos en el estado de guerra, que hace inconcebible el de paz y a la inversa, según había observado Wheeler ('La gente no es consciente de hasta qué punto lo uno niega lo otro', había dicho, 'lo suprime, lo repele, lo excluye de nuestra memoria y lo ahuyenta de nuestra imaginación y nuestro pensamiento'), y así el grado de excepcionalidad se mantiene muy alto por la propia y corta duración del horror visto en pantalla, de modo que cuando termina esa fase nos viene un extraño convencimiento de que todo ha concluido y hasta cierto punto se ha borrado. 'Al menos ya no está pasando', pensamos, y aun lo suspiramos; y ese 'al menos' implica una injusticia notable: lo ocurrido pierde gravedad y fuerza tan sólo porque *ya* no está ocurriendo, y entonces *casi* nos desentendemos de los heridos y los muertos, que nos oprimían y afectaban tanto *mientras* se producían. Ahora ya son pasado, luego que alguien se ocupe, reconstruya, cure, entierre, adopte, preferiblemente los mismos que los han causado, que así aparecen también como reparadores, en el colmo del absurdo y la patraña. Es un síntoma más de la infantilización del mundo, lo que las madres decían a los niños para calmarlos era eso: 'Ya pasó, ya está, ya pasó', después de una pesadilla o un susto o algún mal trago, de pillarse los dedos o de cualquier daño, casi como si declararan: 'Lo que ya no es, no ha sido', aunque persistiera el dolor y luego se formara una costra picante o los dedos se amorataran e hincharan y a veces quedara una cicatriz para que el adulto la acariciara y se siguiera acordando de aquel daño y aquel día.

Sentir alivio por haber asistido a una paliza a alguien acobardado y desprevenido, medio ebrio, y no haber osado o sabido impedirla; por haber creído que mi compañero iba a cortar de un tajo un cuello, que iba a estrangular con una red y a ahogar con agua de cisterna, no resultaba sensato ni desde luego noble. Y sin embargo así era, Tupra había parado y yo estaba contento, era mucho más decisivo el peso que me había quitado que el que me había puesto, y éste no era escaso, en modo alguno. De la Garza ya no se encontraba en peligro, ese era mi principal pensamiento grotesco, porque el peligro lo había alcanzado ya brutalmente. No hasta la muerte, cierto, pero parecía ridículo conformarse con eso, con verlo aún vivo, y aun alegrarse, cuando lo último que habría previsto al conducirlo a aquel lavabo era que saliera de él tan malherido, con varios huesos quebrados a buen seguro, como mínimo. Si es que salía, porque mientras Reresby se recolocaba y creía domar su pelo oscuro, voluminoso y rizado como no suelen hallarse en su reino (excepto en Gales), con las sienes como caracolillos y probablemente tintadas (cuatro pasadas o retoques del peine, no le quedó muy distinto tras utilizarlo), de nuevo me ordenó traducir y me soltó lo siguiente:

—Jack, tradúcele —volvió a decirme—, no quiero que sufra malentendidos, porque los sufriría él y no nosotros, déjaselo bien claro, díselo, dile ya esto que he dicho. —Y así lo hice, se lo comuniqué a De la Garza en mi lengua, lo de los malentendidos; tenía los ojos entrecerrados y la mirada abultada, pero sin duda era capaz de oírme—. Dile que tú y yo vamos a salir ahora de aquí tranquilamente y que él se quedará ahí tirado media hora más, donde está, sin moverse, cuarenta minutos para mayor margen, tengo todavía asuntos que despachar ahí fuera. Que no se le ocurra salir, ni tan siquiera levantarse. Que no grite ni pida auxilio. Que permanezca ahí durante ese tiempo, le irá bien el frío del suelo y no le irá mal estarse un rato tumbado e inmóvil, hasta que le vuelva el aire. Díselo. —Y así lo hice, incluido lo del frescor del suelo—. Ahí tiene su abrigo —prosiguió Reresby, y señaló el segundo que había traído, el oscuro, el que había dejado colgado sobre una barra baja, y entonces comprendí hasta qué punto lo había previsto todo mi transitorio jefe: no era el mío sino el de Rafita el que se había molestado en retirar del guardarropa antes de venir al lavabo, tendría mano en aquel local chic idiótico o capacidad de engaño, se lo habrían buscado y entregado sin hacerle preguntas y aun con una reverencia—. Con él puesto, nadie se percatará de su estado, del de sus ropas, no llamará la atención. Si le cuesta andar, lo tomarán por mamado. Que se lo finja, si es que no lo está ya a medias. Cuando salga, que salga directo a la calle sin detenerse en la sala por ningún motivo, que se vaya a casa. Que no vuelva por aquí nunca. Anda, tradúcele. —Y volví a hacerlo, fui yo quien dijo 'mamado' en español, Tupra había dicho 'sloshed'—. Que no se le ocurra acudir a la policía, ni organizar un escándalo en su Embajada, ni elevar una queja a través de ella, del tipo que sea: ya sabe lo que puede pasarle. Que no te llame a ti a pedirte cuentas, que te deje en paz, que te olvide. Que se haga a la idea de que no hay de qué pedirlas, no existen razones para denuncias ni para protestas. Que no lo cuente, que se calle. Ni como aventura. Y que lo recuerde. —'Calla, calla y no digas nada, ni siquiera para salvarte. Calla, y entonces sálvate', pensé una vez más, y le di las instrucciones a De la Garza. Pero Tupra todavía añadió unas cuantas, iban rápidas, como si recitara una lista o fueran las consecuencias sabidas de un plan cumplido, las secuelas de un tratamiento—: Dile que tendrá dos costillas rotas, tres, a lo sumo cuatro. Aunque le duelan mucho, se le curarán, se le acabarán soldando. Y si se descubre algo más grave, que dé siempre gracias a su buena suerte. Podía haberse quedado sin cabeza, ha estado a punto. Y como no la ha perdido, dile que está aún a tiempo, otro día, cualquiera de estos, sabemos dónde encontrarlo. Que no olvide eso, dile que la espada estará ahí siempre. Si ha de ir a un hospital, que cuente lo que tantos borrachos y tantos deudores, que la puerta del garaje se le abatió encima de golpe. Que se moje el pelo antes de salir, que se lo aclare, aunque ese tono azulado tampoco iba a extrañarle aquí a nadie. Vaya, de hecho se le ve menos excéntrico y menos ridículo que con la malla que llevaba puesta. Dile esto, díselo y vámonos ya. Asegúrate de que lo ha cogido todo. Y toma tu peine, gracias.

Me lo devolvió. Él, a diferencia de Wheeler, no había tenido la precaución de mirarlo al trasluz para comprobar si estaba limpio, cuando se lo había alcanzado. Yo sí lo hice, en cambio, cuando regresó a mi mano, no había pelos. Le traduje la última retahíla al agregado, pero omití lo de la espada; quiero decir que mencioné la cabeza y su siempre posible pérdida, tal vez sólo aplazada; pero no la espada. No se le puede pedir a alguien que lo traduzca todo sin ponerlo en cuestión ni juzgarlo ni repudiarlo, cualquier locura, cualquier imprecación o calumnia, cualquier obscenidad o salvajada. Aunque no sea uno mismo quien hable o diga, aunque sea un mero transmisor o reproductor de palabras y frases ajenas, lo cierto es que uno las hace bastante suyas al convertirlas en comprensibles y repetirlas, en mucha mayor medida de la imaginable en principio. Las oye, las entiende, a veces tiene opinión sobre ellas; les encuentra un equivalente inmediato, les da nueva forma y las suelta. Es como si las suscribiera. Nada de lo sucedido en aquel cuarto de baño me había gustado. Nada de lo que había hecho Tupra. Mi pasividad tampoco, o mi desconcierto, o era cobardía, o había sido prudencia, quizá había evitado calamidades mayores. Aún menos gracia me había hecho aquel improcedente plural de Reresby, 'sabemos dónde encontrarlo', me inquietó y molestó que me incluyera en eso, conociéndome poco y sin mi consentimiento. Lo que no se me podía pedir era que además fuese activo y amenazara con el arma que da más miedo, un miedo atávico, la que más ha matado a lo largo de casi todos los siglos, de cerca y viéndosele la cara al muerto. Y a la que yo había temido tanto mientras estuvo desenvainada y en alto.

Terminé, y añadí por mi cuenta en mi lengua:

—De la Garza, será mejor que hagas todo lo que él dice, ¿te ha quedado claro? De verdad. He creído que no salías vivo. Yo tampoco lo conozco a él tanto. Espero que puedas recuperarte. Suerte.

De la Garza asintió, apenas un movimiento de la barbilla, los ojos desviados y turbios, no quería ni mirarnos. Además de dolorido, seguía muerto de miedo, yo creo, no se le iría hasta que desapareciéramos de su vista, y aun así le quedaría para siempre un resto. Obedecería seguro, no se atrevería ni a indagar, a buscarme, a llamarme. Tal vez ni siquiera a telefonear a Wheeler para lamentarse, su mentor teórico en Inglaterra. Ni a su padre en España, el viejo amigo de Peter. Se llamaba Don Pablo y era mucho mejor que el hijo, me acordaba.

Tupra descolgó su abrigo claro tan respetable y tan rígido y se lo echó sobre los hombros, ya no había diferencia entre el que salía y el que había entrado. Cogió los guantes mojados y se los metió en un bolsillo de aquella prenda, después de escurrirlos y envolverlos en sendas tiras de papel toalla. Desatrancó la puerta y me la sostuvo abierta.

—Vamos, Jack —dijo.

No le dedicó una mirada al caído. Era eso, un caído, ya no era asunto suyo, él había hecho su trabajo. Esa impresión me dio, de que así lo veía, probablemente sin animadversión ni lástima. Así

debía de ver él todas las cosas: se hacían cuando tocaba, uno se ocupaba, les ponía remedio, las desac-
tivaba, les prendía fuego o las equilibraba (*'Don't
linger or delay'*); después se olvidaban, eran pasado
y siempre había algo más esperando, ya lo había dicho, todavía tenía asuntos que despachar allí fuera
y necesitaba treinta o cuarenta minutos, con tanta
interrupción no habría cerrado los tratos o los so-
bornos, los chantajes o los pactos con el señor Manoia. O no lo habría convencido ni persuadido, o
no le habría dado ocasión suficiente para que fuera Manoia quien lo persuadiese o convenciese a él, de
lo que fuese. Tampoco le dio un puntapié de despedida o rúbrica, al pasar junto a su bulto, a De la Garza. Tupra era *Sir Punishment* sin lugar a dudas, pero
quizá no *Sir Cruelty*. O acaso era que nunca, nunca,
golpeaba directamente, con ninguna parte de su
cuerpo. Sólo el faldón del abrigo, en su vuelo como
de capote torero, rozó la cara al salir del caído.

Antes de franquear la segunda puerta, la que
ya daba acceso a la discoteca, todavía me vino a la
memoria un verso de *'The Streets of Laredo'*, con
su melodía insistente que no abandonaba. Ese verso me resultó inoportuno, porque no podía asegurar que no lo suscribiese un poco en aquel instante,
como lo que uno traduce o repite en un juramen-
to, o que no fuese Tupra quien lo pudiera hacer
suyo aquella noche, tras mi insatisfactorio comportamiento a sus ojos, de principio a fin: *'We all
loved our comrade although he'd done wrong'*, decía,
o lo que es lo mismo: 'Todos queríamos a nuestro
camarada aunque hubiera hecho mal'. Claro que
también podía traducirse: '... aunque hubiera hecho daño', y quizá esa era la versión más justa.

Reresby conocía sus tiempos, fueron treinta y cinco minutos los que hubimos de pasar en la
mesa antes de marcharnos de la discoteca los cuatro, el señor y la señora Manoia, él y yo. Al matrimonio lo habíamos dejado solo mucho menos rato,
toda la operación del lavabo no habría durado ni
diez, quiero decir la violenta intervención de Tupra,
y hasta entonces él había estado solícito acompañando a Flavia, al cuarto de baño de las mujeres primero
y de regreso a la mesa luego: no se había desentendi-
do de ella ni por lo tanto de él, no podían tener mucha queja por nuestra ausencia. Manoia, así, no me
pareció especialmente impacientado ni malhumorado, o bien lo habría enfurecido tanto *lo sfregio* en el
rostro de su mujer que después de eso no le había cabido sino un descenso en la fiebre, aplacarse por comparación, mientras nosotros le aplicábamos el castigo al capullo (ahora me incluí yo en el plural), quizá
en su nombre y quizá por su orden.

Tupra, en todo caso, ya no devolvió al guardarropa su abrigo, tomó asiento con él echado como una capa, dejándolo caer recto a su espalda, obligado por la rigidez del arma, parecía acostumbrado
(debió de ensuciársele el borde, que tocaba el suelo). Me pregunté si Manoia tendría idea de lo que
mi jefe llevaba oculto, quizá no le habría hecho gracia. Tampoco era descartable que la espada no la

hubiera traído desde el principio consigo, que no lo acompañara siempre, que se la hubieran proporcionado en el guardarropa junto con la prenda, al pedirla; que a una señal suya se la hubieran metido en el largo bolsillo-funda, que la tuviera en depósito en aquel local, por así decir, y se la pasaran cuando le hiciera falta. Seguramente era un cliente asiduo, privilegiado, y debía de serlo de todos los sitios a los que íbamos, así se lo trataba al menos, como a alguien muy conocido, adulado, respetado y hasta un poco temido, se llamara Reresby en unos, Ure en otros o Dundas en los restantes. Pero no en todos ellos le guardarían o entregarían armas. Armas largas blancas.

Durante aquellos treinta y cinco minutos se enfrascó en la conversación con Manoia, después de hacerle, al llegar, un gesto que me atreví a entender como 'Ya está listo' o 'Puede darse por resarcido' o 'Se acabó ya el incordio, siento que lo haya habido'. Les oí repetir algunos nombres de antes, sueltos: Pollari, Letta, Saltamerenda, Valls, *'the Sismi'*, ignoraba qué era esto. A mí no me miró siquiera Manoia, se habría formado una opinión pésima y preferiría evitar todo contacto, hasta el visual, conmigo. Me tocó volver a distraer a Flavia, como si nada hubiera ocurrido; pero ella estaba mohína, con pocas ganas de hablar, casi deprimida, echaba vistazos imprecisos a su alrededor, con tedio, sólo para pasar el rato, seguía el ritmo de la música con un pie, perezosa y discretamente, se había maquillado bien la mejilla pero aun así se la veía arrasada y se le notaba la marca, se había despeinado en el baile y en su caso no sería bastante un peine propio o ajeno para recomponer como era debido los muy probables postizos dispuestos complejamente. Le habían caído unos años encima, incluso podía haber soltado algunas lágrimas artificiales, pueriles, eso acentúa al instante la edad de quienes la tergiversan o esconden (las lágrimas que son fingidas, no en cambio las verdaderas). Sólo al cabo de un rato, cuando su marido le cuchicheaba a Tupra largamente al oído, me preguntó en italiano:

—¿Su amigo? —De repente había vuelto al usted, un indicio más de su desánimo.

Le miré de reojo los pezones pungentes o *brutali capezzoli*, a quién se le ocurría armarse de *piolets* semejantes. Habían tenido la culpa indirecta de casi todo, por supuesto de mi negligencia.

—Se ha marchado —le contesté—. Se aburría. Y se le hacía tarde, él madruga siempre. —Me temo que lo segundo lo dije a mala idea, en aquellos momentos estaba muy descontento y no aguantaba a la señora.

Busqué entonces con la vista al grupo de españoles alborotadores con el que De la Garza había venido; no los oía, luego fue lógico que tampoco los viera, su mesa estaba vacía. Ellos sí que se habrían marchado o desperdigado, sin esperarlo a él ni ir en su busca, lo habrían dado por ya copulante o casi, no había que preocuparse de ellos, de que fueran a rescatar a su amigo y le impidieran cumplir las órdenes terminantes de Reresby y sus plazos.

Fueron los suficientes minutos de tiempo contemplativo o muerto para que yo acabara de encabronarme, retrospectivamente. ¿Cómo había sido posible?, me preguntaba, y a cada segundo me parecía más un sueño estúpido y desazonante, de los que no se marchan y sí se entretienen y esperan.

¿Por qué Tupra no se había contentado con darle esquinazo a De la Garza, con habernos largado sin más los cuatro, cuidando de que él no se nos pegara? ¿Qué importancia tenía continuar allí la charla, en el lugar pijo ruidoso, en vez de en cualquier otro sitio, sin tropiezos ni intromisiones? La ciudad estaba llena de ellos, a aquella misma zona de Knightsbridge no le faltaban, y en todos Tupra estaría en casa; no veía la necesidad de la tunda, y aún menos de la espada. ¿Y por qué no le había sujetado yo el brazo? (Cuando creí que iba a abatirla sobre la palpitante carne.) La respuesta a esto último me acudió en seguida, y además era muy sencilla: porque me podía haber cortado a mí el cuello, o haberme rajado en vertical un hombro hasta alcanzarme un pulmón. De un solo mandoble. (*'And in short, I was afraid.'* 'Y en resumen, tuve miedo.') Y a tenor de esta respuesta y de lo que había visto, me interrogué sobre Tupra como si fuera Tupra quien me interrogara en una de nuestras sesiones de interpretación de vidas en el edificio sin nombre, y él bien podía haberme hecho preguntas como estas —casi imposibles de contestar en principio, hasta que se lanzaba uno—, al día siguiente de cualquier reunión o salida, de cualquier encuentro o vigilancia, sobre cualquier persona con la que hubiéramos hablado, o aun tan sólo estado, o a la que sólo hubiéramos observado y oído:

'¿Tú crees que ese hombre puede matar, o que es un fanfarrón nada más, de los que amaga y no se atreve a dar? ¿Por qué crees que detuvo la espada?'

Y yo podía haber contestado:

'Quizá hay que preguntarse por qué la sacó, antes que nada. Era aparatosa e innecesaria, y al final no la utilizó siquiera, sólo para cortarle la redecilla y darle un susto de muerte a la víctima, y al testigo también, desde luego. Cabría dudar de si la esgrimió sobre todo para que yo la viera y me alarmara y me impresionara, como así ocurrió. No lo sé. Para que yo creyera que él era capaz de matar efectivamente, sin pensárselo dos veces, de la manera más bestia y por casi nada. Pero quizá también la detuvo luego para que yo creyera lo contrario, que no era capaz pese a tenerlo todo a favor para hacerlo, cómo decir, pese a estar ya en marcha. O tal vez quiso probarme, ver mi reacción ante algo así, comprobar si lo secundaría, o si me lavaría las manos, o si me enfrentaría a él ante la salvajada. Bueno, esto último ya lo sabe. Sabe que no, si no llevo arma. Lo cual no es demasiado saber: más útil le habría sido enterarse, teniendo yo una entre las manos'.

'Y entonces, ¿qué es lo que crees, definitivamente? No me has contestado, Jack, y si te pregunto es porque me interesa que me contestes; que te equivoques o aciertes da lo mismo, porque las más de las veces nunca vamos a averiguarlo. ¿Crees que puede matar, ese Reresby, o que jamás iría de veras? No pienses sólo en esta oportunidad, piensa en el hombre en conjunto.'

'Sí, ya lo creo que puede', habría dicho. 'Todo el mundo puede, pero unos más y la mayoría menos, y en esta cuestión eso es menos infinitamente: infinitamente menos.' Y habría añadido, para mis adentros: 'Puede Comendador, lo sé desde siempre, puede Wheeler y puedo yo, lo sé desde mucho más tarde; no puede Luisa, y Pérez Nuix lo ignoro, se me escapa, y sí pueden Manoia y Rendel, no Mul-

ryan ni De la Garza ni Flavia, o quizá sí el segundo, sin querer, por pánico y por la espalda; tampoco podrían Beryl ni Lord Rymer la Frasca —a éste
no lo altera embriagarse, si acaso lo alteraría estar
sobrio y eso no se recuerda—, y en cambio sí la señora Berry, al igual que Dick Dearlove pero por horrores distintos de los de éste, no sé cuáles, no por
el horror narrativo ni por el biográfico, que se cier-
nen sobre los divos. No pueden mi padre ni mi hermana ni mis hermanos, ni habría podido mi madre, tampoco Cromer-Blake ni Toby Rylands, o
Toby sólo en la batalla y ahí lo hizo, seguramente.
No Alan Marriott con su perro trípode y sí Clare
Bayes, mi antigua y pegajosa amante de Oxford.
No podrá mi hijo y tal vez sí la niña, dentro de lo
que cabe prever, que aún es muy poco. Sin duda
puede Incompara, aunque yo haya venido a soste-
ner lo contrario'. Y todavía habría pensado: 'Si bien
lo miro, lo sé de casi todas las personas que he conocido, o me acerco a ello, y también creo saber
quiénes vendrían a matarme a mí, a darme el paseo, como fueron por Emilio Marés y por tantos
otros: si pudieran, si estallara otra Guerra Civil en
España, si encontraran la confusión y el pretexto, y
el disfraz para su crimen. Mejor estar en Inglaterra'.
Y luego habría seguido interpretando a Reresby: 'Él
lo habrá hecho, probablemente. Alguna vez con sus
manos y muchas más con sus intrigas, con subrep-
ción, con difamaciones, veneno, con sobreentendidos y lacónicas órdenes o condenatorios silencios.
Seguro que ha esparcido brotes de cólera, y de malaria, y peste, y luego se ha hecho el sorprendido o
el resabido, según los casos y su conveniencia, según haya querido dejarse o quitarse la máscara. Qui-

társela para infundir miedo, dejársela para infundir confianza. Ambas cosas traen beneficios grandes, no fallan'.

'Con él hay que llevar mucho cuidado, entonces', habría dicho Tupra de Reresby. 'Él sí encierra peligro, y por supuesto hay que temerlo.'

Esa era casi la conclusión del vago informe que sobre mí había leído en el viejo fichero del edificio sin nombre, quién sabía por quién redactado, por alguien que había aludido a personas concretas, sin que yo supiera cuáles (o bien era a arquetipos), y con un destinatario: 'Puede que no le importe gran cosa lo que le suceda a nadie...', rezaba aquel texto en inglés que se me había dedicado. 'Las cosas ocurren y él toma nota, sin sentirse atañido las más de las veces, menos aún involucrado. Quizá por eso percibe tantas. Tantas no se le escapan, que casi da miedo imaginar lo que sabe, cuánto ve y cuánto sabe. De mí, de ti, de ella. Sabe más de nosotros que nosotros mismos...' Y más adelante añadía: 'No hace uso de su saber, es muy raro. Pero lo tiene, y si un día sí hiciera uso, habría que temerlo entonces. Yo creo que no perdona'. Y terminaba, insistiendo un poco en este punto: 'Sabe que no se comprende y que no va a hacerlo. Y así, no se dedica a intentarlo. Creo que no encierra peligro. Pero sí que hay que temerlo'.

Podía ser verdad lo primero, que rara vez me desviviera por lo que pasaba a mi alrededor (acaso por eso no le había sujetado el brazo a Reresby, con la lansquenete en alto). Lo segundo era exagerado desde mi punto de vista: por mucho que yo creyera saber no sabía tanto, la diferencia es siempre enorme entre esas dos cosas que se confunden continuamente, creer saber y saber de cierto. Y quién era 'yo', quién era 'tú', quién era 'ella' en aquel informe. ¿'Yo' era Tupra? ¿'Tú' era Pérez Nuix, o ella era 'ella'? De pronto se me ocurrió que 'yo', el que allí escribía, el que cavilaba, el que me había observado, tenía que conocerme de más tiempo y con profundidad mayor que mis compañeros (aunque esa ocurrencia supuso un momentáneo olvido de a qué se dedicaban ellos, o nos dedicábamos, con gran arbitrariedad y audacia). ¿Era Wheeler, era la señora Berry, era el propio Toby Rylands, que lo había redactado o dictado y dejado listo hacía años, solamente por si acaso, cuando yo vivía aún en Oxford y ni siquiera estaba casado y no era previsible que regresara a Inglaterra una vez cumplido mi contrato universitario? ¿Tanto inútil acumulaban? ¿Podía haberse adelantado tanto? Y entonces, ¿'tú' era su hermano, era Wheeler, al que apenas había tratado durante mi estancia? ¿Y quién podía ser 'ella' sino Clare Bayes, que fue mi única 'ella' de aquellos tiempos? 'Sabe más de nosotros que nosotros mismos.' Quizá esa era una manera de referirse a la Congregación, así se llama a sí mismo el conjunto de los *dons* o profesores de la Universidad, siguiendo la fuerte tradición clerical del lugar, y los dos hermanos eran miembros. Peter me había dicho que era Toby quien primero le había hablado de mí y de mi don supuesto: 'De hecho, tú y yo llegamos a conocernos por eso, él despertó mi curiosidad. Que tú podías ser como nosotros acaso...'. Ahí también había otro 'nosotros', y este no era oxoniense, sino que aludía a lo que ambos eran o habían sido, intérpretes de personas o traductores de vidas. 'Eso me lo había adelantado, y me lo confirmó después en alguna ocasión en que surgió hablar del viejo grupo.' Esas habían sido sus palabras mientras yo desayunaba, y luego había sido aún más explícito: 'Toby me dijo que siempre admiraba el don especial que tenías para captar los rasgos característicos y aun esenciales de tus amigos y conocidos, a menudo inadvertidos, ignorados por ellos mismos...'.

Luego todo podía ser, todo podía, hasta que aquella fuera la voz de Rylands desde la ultratumba, informando sobre mí a Wheeler o al mismísimo Tupra, antiguo discípulo suyo de lo que fuera, al fin y al cabo, eso no debía olvidarlo. (Uno nunca sabe hasta qué punto y de qué modo es observado por quienes lo rodean, por los más próximos y los más leales, que aparentaron renunciar a la objetividad hace mucho y darlo a uno por descontado, o por consabido, o por inviolable, o por innegociable, o concedernos toda la gracia; no sabemos los juicios que en silencio se siguen haciendo y que por fuerza serán cambiantes, nuestras mujeres y nuestros maridos, nuestros padres y nuestros hijos, nuestros mejores amigos: a ellos los consideramos seguros y a salvo durante tiempo indefinido, como si fueran a permanecer así siempre, cuando no cabe duda de que sus rostros varían y para ellos los nuestros, de que podemos quererlos y acabar odiándolos, de que pueden estar incondicionalmente de nuestra parte hasta que un día nos ponen la proa y empiezan a buscar sólo arruinarnos, perdernos, hundirnos y que suframos. Y aun expulsarnos de la tierra y del tiempo, es decir, aniquilarnos.)

En cuanto a lo tercero, que yo no encerrara peligro pero sí debiera ser temido, y que además no perdonara (aunque eso se expresaba sólo como creencia), me parecía aún más exagerado. Claro que no estoy seguro de que nadie sepa si ha de ser o no temido, a menos que lo procure a conciencia, que se lo trabaje, para dominar voluntades y marcar pautas o llevar voces cantantes, como parte de un plan o una estrategia, o como una forma bastante extendida de andar por el mundo, si bien lo pienso. De no ser así, cómo explicarlo, uno no se percibe como temible porque nunca se teme a sí mismo. Y entre los que se afanan por ello, por ser temibles y temidos, lo consiguen de verdad sólo unos cuantos. Tupra y Wheeler, cada uno a su modo, eran dos buenos ejemplos del logro; y si entre ambos había nexos, y si los había a su vez entre cada uno y el maestro o amigo o el hermano muerto; si entre los tres había semejanzas y vínculos de carácter, o no eran de eso, sino de capacidad, la de aquel don compartido del que yo participaba asimismo según su sagaz criterio, entonces no era imposible que también yo, sólo que sin proponérmelo, debiera ser en efecto temido, y aquel escrito estuviera en lo cierto. Con Tupra no había sido sincero ya en una oportunidad, en la interpretación de Incompara: había accedido a la petición de Pérez Nuix, y así había callado u omitido o mentido. Y tal vez sólo eso me convertía ya en temible, o lo que es lo mismo, en no fiable, o lo que se le asemeja mucho, en traicionero. (Pedir, pedir, es la maldición más frecuente después de contar; ojalá no nos pidieran nunca, y sólo se nos dieran órdenes.)

'Ya lo creo', habría vuelto a contestarle a Tupra, acerca de Reresby. 'Aunque no intimide al principio ni inste a ponerse en guardia, sino que más bien invite a apartar el escudo y quitarse el yelmo para mejor dejarse captar por él, por su cálida y envolvente atención, por ese ojo suyo que sondea el pasado y acaba por enaltecer al mirado; aunque de entrada resulte cordial, risueño, abiertamente simpático para ser insular, con una vanidad blanda e ingenua que no sólo no molesta, sino que hace que se lo mire con ligera ironía y con instintivo y también leve afecto, aun así encierra un infinito peligro y hay que temerlo infinitamente, ya lo creo. Seguramente es hombre que tolera muy mal que no se haga lo que él juzga justo, preciso, conveniente o bueno. Sobre todo, pudiéndose hacer.'

Y Tupra me habría hecho entonces la pregunta más difícil de responder:

'¿Crees que habría podido matarte a ti, Jack, ahí en el cuarto de baño de los lisiados, si le hubieras sujetado el brazo, si hubieras intentado impedirle que decapitara al fantoche? Tú creíste que lo iba a matar y te parecía mal, muy mal. Aunque detestaras al individuo te causaba espanto. ¿Por qué no lo frenaste? ¿Fue porque pensaste que en vez de a uno era capaz de matar a dos y que saldríais todos perdiendo aún más? ¿Dos muertos en lugar de uno, y uno de ellos tú? Quiero decir, ¿lo crees capaz de matarte a ti, no un amigo pero sí alguien a su cargo, un empleado, un contratado, un compañero, un colega, un asociado de su mismo bando? Dime qué piensas, dímelo ya, di lo que sea. Ten el valor para ver. Ten la irresponsabilidad de ver. Sobre algo así uno cree saber'.

Y yo habría vuelto a la tentación habitual del principio, de las primeras sesiones en que me interrogaban acerca de gentes famosas o desconocidas escrutadas en vídeo o en carne y hueso desde el falso vagón de tren o frente a frente, y a menudo me preguntaban cosas demasiado específicas sobre aspectos de las personas que suelen ser impenetrables a primera vista e incluso también a la última, aun de las más allegadas, uno puede pasarse la vida al lado de alguien y verlo morir en sus brazos, y a la hora de su muerte ignorar todavía de qué es capaz y de qué no, y no estar seguro siquiera de sus verdaderos anhelos, ni enterado de si los cumplió con razonable contento o bien rabió durante la existencia entera, y esto último es lo más frecuente a no ser que carezca uno de ellos, lo cual rara vez se da, siempre se cuela uno modesto. (Sí, uno puede estar convencido, pero no saber de cierto.)

Así que habría querido contestar 'No lo sé', las tres palabras que nunca interesaban ni casi eran aceptables en el edificio sin nombre, en el nuevo grupo heredero y degradado del viejo, eso lo fui comprobando cada vez más, que no caían en gracia sino en el desdén y el vacío. No sólo para Tupra no eran aceptables: tampoco lo resultaban para Pérez Nuix, Mulryan y Rendel, ni probablemente para Branshaw y Jane Treves, que aunque fueran colaboradores tan sólo esporádicos no debían de admitírselas ni a sus soplones y confidentes de más bajo rango. El 'Quizá' estaba consentido —qué remedio—, pero causaba mala impresión, era escasamente apreciado y a la postre se pasaba por encima de él como si uno no hubiera aportado ni avanzado nada, producía el mismo efecto de un voto en blanco o una abstención, cómo decir: la actitud con que se recibía no tenía casi nunca un correlato verbal, pero equivalía a mascullar: 'Vaya, hombre, qué útil. Pasemos, pues, a otra cosa'; y a veces se fruncía el ceño o se torcía con fastidio el gesto. A aquellas alturas de mi atrevimiento inducido y de mi trabajada o desarrollada penetración, habría sido inverosímil que hubiera respondido así a la pregunta final sobre Reresby en su inacabable noche: 'Quizá. Es improbable. No es descartable. Quién sabe. No lo sé'. Así que me habría tocado arriesgar y, tras meditarlo un instante, por fin habría emitido mi dictamen o apuesta más sinceros, es decir, más creídos por mí de verdad o, como le gusta repetir a la gente, de corazón:

'Creo que no le habría sido fácil, que le habría costado hacerlo, que habría procurado ahorrárnoslo, esto es, que me habría dado una oportunidad o dos antes de descargar el golpe, la oportunidad de desistir. Tal vez una herida, un corte, un aviso o dos. Pero sí, también creo que habría podido matarme si hubiera visto que yo me empeñaba y que iba en serio, o que cabía que consiguiera frustrarle la ejecución ya decidida. Por pesado, por insistente, habría podido matarme a mí también. Lo único es que, por lo que se ha visto, no tenía aún decidida esa ejecución'.

'¿Quieres decir que lo habrías descompuesto, que le habrías hecho perder el control, que se le habría ido la mano tan gravemente en un arrebato de impaciencia, soberbia, ira?', acaso habría querido Tupra averiguar, ofendido acaso por tal posibilidad.

'No, no es eso', habría reconocido yo. 'Habría sido por lo que he dicho antes, porque tolera muy mal que no se haga lo que según él es debido, pudiéndose hacer. Lo que él ya ha resuelto con causa, con sus propias o asumidas causas, que a veces le surgen tras larga reflexión o maquinación y otras veces muy rápidamente, un fulgor, como si sus ojos abarcadores en seguida miraran a la altura adecuada, y supieran de un solo vistazo lo que ha de venir. De uno solo, enfocando con nitidez, sin vuelta atrás. No sé cómo explicarlo: podría haberme matado por disciplina, eso de lo que ha prescindido el mundo; por determinación, por afán práctico, por un plan; por la costumbre de salvar obstáculos y haberme convertido yo en uno imprevisto, gratuito, super-fluo, no trazado: desde su punto de vista sin razón de ser.' Pero luego habría sido incapaz de no expresar una duda postrera, porque era una duda real, y habría añadido: 'O quizá no, quizá no habría podido, pese a todo eso, por una sola razón: quizá yo le caiga demasiado bien, y todavía no se ha cansado de que sea así'.

Cuando nos levantamos y fuimos por los abrigos, los del matrimonio y el mío, Tupra quiso pasar de nuevo un momento por el lavabo de los inválidos. No me lo dijo, pero lo vi. Me hizo una indicación de que siguiera yo con Flavia hasta el guardarropa, me entregaron las fichas para que los fuera pidiendo, y vi cómo él y Manoia se desviaban hacia allí, atravesaban la primera puerta, supuse que la segunda también, pero de cierto ya no supe más. No tenía espíritu para alarmarme otra vez, sólo para irme enconando: lo que había sucedido ya era bastante, y que De la Garza no hubiera muerto —me di cuenta— apenas lo hacía mejor. Yo lo había visto así, con expresión de muerto, de quien se da por muerto y se sabe muerto. Tres o cuatro, cinco veces, podía haberle estallado el corazón. 'Lo mismo va Reresby y lo mata ahora', pensé sin creerlo, 'aún lleva la espada a la espalda. O acaso va a cerciorarse sólo de su obediencia. O tal vez quiera mostrarle su obra a Manoia, darse o darle la satisfacción. O puede que sea este último el que haya exigido contemplar la labor y darle o no la aprobación, el *"Basta così"* o el *"Non mi basta"*. O a lo mejor ese siciliano, napolitano o calabrés no va a comprobar, sino a rematar él en persona, él mismo'. Tardaron muy poco, casi fue entrar y salir, aún teníamos los abrigos cruzados sobre el mostrador, la señora y yo, cuando ellos nos alcanzaron. Debía de haberse tratado de la cuarta o la tercera posibilidad, de rendir cuentas o de presumir; de la segunda no creía, Tupra sabría tan bien como yo que De la Garza no se habría movido una pulgada, de su sitio en el suelo. Nadie pagó nada en aquel local idiótico, o al menos yo no lo hice ni tampoco lo vi hacer. Reresby tendría crédito, o lo invitarían siempre, o sería socio con participación. O quién sabía si no se habría encargado De la Garza a nuestras espaldas, antes de su último e interrumpido baile, para conquistar a la señora también con un gesto. Pero eso no le pegaba, ni lo habría valido ella para aquel capullo.

Montamos los cuatro en el Aston Martin de las noches de coba o jactancia, esta era de las primeras; un poquito estrechos, pero no íbamos a despedir a la pareja en un taxi, nosotros éramos los anfitriones, y además era un trayecto muy corto. Los acercamos hasta su hotel, el opulento Ritz nada menos, cerca de la librería Hatchard's de Piccadilly, que yo visitaba tanto siguiendo los pasos de los insignes pretéritos, Byron y Wellington, Wilde y Thackeray, y Shaw y Chesterton; y no lejos de Heywood Hill, a la que iba más cuando vivía en Oxford, ni de las tiendas de Davidovich y Fox en St James's

Street, donde Tupra compraría probablemente sus Rameses II y yo me hacía a veces con mis no tan preciosos cigarrillos Karelias, del Peloponeso.

Al decirle adiós a Flavia tuve el presentimiento —o fue presciencia— de que, si aún estaba decepcionada o desconcertada por el incidente y la sustracción del galán, al cabo de un rato, ya a oscuras, callados el marido y ella en sus respectivas camas o en su cama doble, se acordaría sobre todo de lo que la había halagado durante la velada y se dormiría más tranquila y satisfecha de lo que se habría despertado aquella mañana; y de que por tanto aún podría amanecer a la siguiente pensando: 'Anoche todavía sí, pero, ¿y hoy?'. Así que al menos en aquel solo aspecto yo había cumplido con mi encomienda y le había brindado, indirecta y aparatosamente —la mejor manera: cuánto le habría gustado saberse causa de una violencia—, una prórroga más. Una más antes del día en que el primer pensamiento fuese: 'Anoche ya no, ¿y entonces hoy...?'. Le dio un beso a Tupra y otro a mí y se fue para dentro, sin reparar en el uniformado que le abrió y sostuvo la puerta y sin esperar a que su marido acabara de despedirse a su vez. Él no la regañaría por eso, y ella debía de estar deseando mirarse su *sfregio* en un espejo de aumento y con mejor luz, y empezar a convocar pronto en silencio los instantes más gratos de la noche larga, cuando todavía estaba de tan buen humor como para solicitarme con fingido reproche: *'Su, va, signor Deza, non sia così antipatico. Mi dica qualcosa di carino, qualcosa di tenero. Una parolina e sarò contenta. Anzi, mi farà felice'.*

En cuanto a Manoia, le estrechó la mano a Reresby con lo que en hombre tan anodino, vaticano y manso sería efusividad —pero falso manso—, y supuse que al final habrían acordado lo que quisiera que fuese a su conveniencia mutua, o se habrían arrancado el uno al otro lo que el otro al uno se pidieran o se propusieran o se impusieran bajo inexpresa extorsión.

—Ha sido un gran gran gran placer, Mr Reresby —le dijo en su pastoso inglés: no encontraría otra forma de traducir 'grandissimo'—. Una noche algo accidentada, pero no por eso menos placer. Sea bueno y téngame al tanto. —Y a continuación estuvo frío conmigo: de hecho me dejó colgando la mano que le había tendido y se limitó a inclinar la cabeza con sequedad, como un diplomático a la antigua usanza (e inclinarla ya sería mucho decir). Ni siquiera me miró, o bien yo no logré ver sus ojos mates y zigzagueantes bajo sus extensas gafas que lo reflejaban todo. Se las subió una última vez sin que se le hubieran bajado, con el pulgar, y me dijo—: Buona notte.

Luego se echó una carrerita ridícula para alcanzar a su mujer, sin duda le costaba separarse de ella. Ahí me pareció más un funcionario aplicado que un violador, menos de la Mafia o la Camorra o la 'ndrangheta y más del Opus o los Legionarios, o quizá del Sismi, fuera lo que fuese aquello. Pero a Flavia ya no se la veía por el vestíbulo, desde la calle, desde Piccadilly. Estaría ya en el ascensor, camino de su habitación, para encerrarse un rato a solas en el cuarto de baño y aplazar así los reproches sin testigos de su marido. A él le tendría advertido que no le hablase a través de esa puerta, y en ese tipo de cosas seguro que la obedecía él.

Ni siquiera había añadido: 'E grazie'. Tampoco debía de tener por qué, él no estaba al corriente de mi creciente cólera ni de mi conturbación. Incluso podía ser que creyera que yo me había encargado de propinar la paliza cuyo resultado debió de satisfacerlo, cuando se asomó al lavabo para supervisar. Puede que me tomara solamente por un secuaz, un esbirro, un mamporrero, un matón. Y la verdad es que en aquellos momentos sí me sentía un secuaz y un esbirro, y hasta un mamporrero también: le había puesto su víctima a Tupra donde él la quería. Pero no un *thug* ni un *hitman* ni un *goon*, no un matón, porque yo aún no le había tocado un pelo a nadie, ni se lo pensaba tocar. Así como esperaba que nadie me lo tocara a mí, con espada o sin ella, ni con peine o sin él.

Cuánto adivinaba o sabía yo de él y cuánto él de mí, suponía, uno no puede descifrar a voluntad, impunemente, agazapado o invisible como el espectador en casa o el fantasma ya logrado, a quien a su vez lo estudia y descifra a uno, observar a quien lo observa con idénticas facultades y con las mismas o parecidas armas que acaso serán mejores, o tal vez se produzca entonces una estéril neutralización recíproca, una impenetrabilidad, un bloqueo, una anulación y una ceguera —quietud y disuasión de guerra fría—, la mutua desactivación de las maldiciones o dones, ambas paralizadas e inútiles cuando enfrente hay otra mente que las padece también o goza de ellas, si es que Wheeler y él acertaban y no mentían y yo estaba efectivamente a la altura de sus predicciones. Aún lo dudaba tanto que en realidad no lo creía, pese a haberme persuadido el primero, invocando la autoridad de Rylands que ya nada iba a desmentirle, de que alguna sí poseía, y pese a haberme envalentonado en el edificio sin nombre un poco más cada día de nuestra tuerta tarea, azuzado por la fe de los otros o por sus exigencias: 'Dime qué más, no te detengas, qué más ves, lo que sea, dilo ya sin demora, *don't delay or linger*, lo penúltimo que nos interesa es que te reserves, que dudes, que te guardes las espaldas, no pagamos por tu prudencia ni para eso te contratamos, y lo último que ya queremos es que no sepas ni nos digas nada. Todo tiene su tiempo para ser creído, recuérdalo, luego no calles nunca, ni siquiera para salvarte, aquí no hay lugar para eso ni hay aquí gato alguno para comernos la lengua a nadie, a ninguno de los cinco, y tampoco cabe tragársela. Ni aunque quisieras ahogarte...'. O bien: 'No has hecho más que empezar, sigue. Vamos, corre, date prisa, sigue pensando. Lo interesante y difícil es seguir: seguir pensando y seguir mirando cuando uno tiene la sensación de que ya no hay nada más que pensar ni nada más que mirar, que continuar es perder el tiempo. Lo importante está siempre ahí, en el tiempo perdido, allí donde uno diría que ya no puede haber nada. Así que dime qué más, qué más se te ocurre y qué más ofreces y qué más tienes, sigue pensando, corre, no te pares, vamos, sigue...'. Era lo que nos decía mi padre desde muy jóvenes, cuando discutíamos.

Y esa posible situación de empate o de tablas y de renuncia, de ausencia de duelo, de abstenerse entre pares, podía darse no sólo con Tupra y por supuesto con Wheeler, sino con los otros tres, con la joven Pérez Nuix y Mulryan y Rendel, y quién sabía si hasta con Branshaw y Jane Treves, llegado el caso. Y quién si con la señora Berry.

Cuando hubo desaparecido Manoia (qué trote), Tupra me miró muy serio, casi ominoso en la acera, ante las luces del Ritz Hotel, Ritz Restaurant, Ritz Club. Luego me sonrió abiertamente y me dijo:

—¿Quieres que te acerque? Es Dorset Square o una plaza cercana, ¿no? Por esa zona.

Sabía eso, por ejemplo, que él se sabía mis señas con exactitud y que disimulaba con lo aproxima-

tivo, se conocería de memoria hasta el piso y el número y letra de mi apartamento, como de todos sus
colaboradores. También supe que *quería* llevarme,
por algún motivo más allá de la deferencia. Querría
hablar, comentar un poco las vicisitudes. O querría hacerme advertencias. O darme consejos y acaso instrucciones para otras veces, tras mi bautismo
de fuego, como testigo y con arma blanca. No creía
que su propósito fuera darme explicaciones ni disculparse, limar asperezas a lo sumo. Pero algo quería. Supuse, por tanto, que acabaría acercándome
en su Aston Martin, *velis nolis*. Y que si yo declina-
ba el ofrecimiento, me insistiría. Y que si yo rehu-
saba, se empeñaría.

—No hace falta, cogeré un taxi —respondí, y debió notar que la indignación me seguía.

Estábamos los dos ante el Ritz, de pie en la
acera, bajo el soportal o arcada; la puerta delante-
ra del coche la había él dejado abierta mientras nos
despedíamos rápidamente del matrimonio católico, la izquierda, la del copiloto, es decir, por la que
yo me había bajado. El uniformado se apoyaba sobre un pie y otro, como si los tuviera fríos. Nos vigilaba apremiante, allí no se podía estacionar, desde luego, ni pararse apenas.

—Vamos, vamos, no me cuesta nada, con
todo esto me he desvelado. Serán diez minutos, qué
menos, te lo has ganado. Vamos, sube, aquí estamos molestando.

Habría pillado un taxi y no habría habido
vuelta de hoja, pero no pasaba ninguno en aquel
instante, y la parada del hotel debía de estar situa-
da en una bocacalle, no quedaba a la vista, o bien
era allí mismo y se encontraba desierta. Pero ade-

más sabía aún mejor, ahora, que él tenía interés,
o es más, intención de acercarme.

No me gustaba la perspectiva. Prefería dejarlo de ver ya aquella noche y no correr el riesgo
de encararme con él y reprocharle y pedirle cuentas, y veía imposible no hacerlo si disponíamos de
un trayecto a solas. A la mañana siguiente —entra-
ríamos tarde, esa era la norma cuando trasnochá-
bamos por trabajo, y los horarios en general eran
flexibles— me sentiría más calmado y más conforme, creía. Y aunque él supiera perfectamente dónde vivía, no me hacía del todo gracia que se apro-
ximara a mi territorio, no yo sabiéndolo y en mi
compañía. Cuando alguien lo deposita a uno o lo
sigue o lo ronda o lo espía, y lo ve entrar en su portal al caer la noche o al caer la tarde, ha visto ya mucho más de lo que parece y de lo que debería: lo ha
visto —cómo decir— de retirada, probablemente
cansado y aun a punto de abandonarse tras la larga jornada de fingimiento y esfuerzo, y de falsa alerta; y además ha asistido a algo que repetimos todos
los días, tal vez a lo más cotidiano externo. La gente
se deja acompañar o llevar sin problemas, o lo agra-
dece y lo espera, como las mujeres con gran frecuencia; pero es como si a partir de entonces ese
alguien supiera dónde hallarnos —lo supiera con
sus propios ojos y guardara imagen, es distinto de
saberlo a secas—, y a qué hora aproximada. (De hecho es lo primero que averiguan y observan los ladrones y los secuestradores, los violadores y los asesinos, los espías y los policías, cuándo vuelve uno,
cuándo está en casa o en ella no hay nadie, según
sus fines y les convenga que esté uno allí o no haya
rastro.) Sí, importa mucho ser visto en los propios

dominios o en sus alrededores, no digamos ascendiendo los cuatro o cinco escalones que separan la calle de nuestra puerta en Londres, abriendo ésta con nuestra llave, entrando, cerrándola con la lentitud involuntaria del fatigado gesto. Al cabo de un par de minutos se identificarán nuestras luces y nuestros balcones, desde la acera, o desde los árboles y la estatua —o era allí ventana—; y entonces ya puede imaginársenos mejor en nuestros interiores, o adivinársenos, conocer el tipo de iluminación que nos gusta, y hasta se nos puede divisar la figura si nos acercamos a los cristales, o contemplarla en nuestro marco íntimo si nos asomamos a fumar un cigarrillo o a admirar el crepúsculo, a recoger la brisa o a regar las plantas, o a mirar quién llama al timbre una noche de lluvia tras habernos seguido durante mucho rato, ella y yo con paraguas y ella con un perro blanco, tis tis tis, hacía el perro, al caminar casi volando. Y alguien desde la plaza, a distancia, o sobre todo desde las casas de enfrente, la del bailarín ufano, podía habernos visto a los dos mientras hablábamos, mientras la joven Pérez Nuix me pedía un favor molesto, nada fácil, y me explicaba por qué ahora no siempre nuestros clientes eran del Estado, no siempre el Ejército, la Armada, un Ministerio o una Embajada, New Scotland Yard o la judicatura, el Parlamento, el Banco de Inglaterra, los Servicios Secretos, el MI6, el MI5 o incluso Buckingham, la Corona; y también mientras contestaba a mis numerosas preguntas, a veces sin que tuviera que hacérselas y a veces tras escuchármelas, 'Qué sabes tú de los criminales', y 'Quiénes son los *wet gamblers*', y 'Sobre quién he de mentir o callar, para complacerte', y 'Aún no me has pedido el favor, todavía ignoro en qué consiste, exactamente', y 'Cuántos años llevas aquí, a qué edad empezaste, quién fuiste o cómo eras, antes de esto', y 'Qué particulares particulares son esos, y cómo es que esta vez sabes tanto sobre este encargo, su origen, su procedencia'. Ya no podía ser y no fue 'un momentito', el que ella había anunciado tras decir 'Soy yo', desde la calle. (En seguida todo se alarga o se enreda o todo tiende a adherirse, es como si cada acción llevara su prolongación consigo y cada frase dejara en el aire un hilo de pegamento colgando, que nunca puede cortarse sin que se pringue algo más al hacerlo. Todo insiste y continúa solo, aunque opte uno por retirarse.)

Y cada vez que he traído a una mujer a mi casa, cuando era soltero o en aquel tiempo de Londres (quiero decir traído para pasar la noche o no tanto, para pasar por mi cama), he temido que reapareciera por el lugar ya visitado por ella, sin ser invitada ni solicitada: por eso, por el mero hecho de haberlo pisado y haberme visto allí dentro, cómo vivo, y guardar la imagen. Y a menudo lo he temido con causa. Y si alguna ha vuelto a ese territorio por mi voluntad y con permiso mío, o incluso por mi llamamiento y anhelo, entonces hay una habitación a la que no debe pasar, ni siquiera para acompañarnos mientras vamos por un refresco o preparamos un piscolabis, si no deseamos que se nos instale, si a tanto no estamos dispuestos; y esa habitación no es la alcoba, que es indiferente hasta para pernoctar en ella, ni tampoco el cuarto de baño, los de los hombres solos apenas son imaginativos; sino la cocina, porque si una mujer entra en ella a seguir conversando durante nuestro trajín o a ayudarnos sin que se lo pidamos ni sugiramos; si nos sigue hasta allí por su iniciativa, o casi instintivamente como los patos, lo más probable es que se quiera quedar *sine die* a nuestro lado —allí prueba o huele un instante de convivencia—, aunque ella aún no lo sepa, y sea la primera vez que viene, y aun lo negara sinceramente si alguien se lo pronosticase. Tal vez esa era una de las enseñanzas triviales de mi don o de mi maldición, si los tenía.

Tupra no era mujer ni iba a quedarse, ni siquiera iba a subir a mi casa, sólo a llegar a la plaza y dejarme ante mi portal, en su veloz Aston Martin. Y aun así no me agradaba la idea, porque podía figurármelo bien luego, u otra noche, otro atardecer, otro día o al amanecer, espiando desde los árboles o desde la estatua, vigilando mi ventana, o acechando desde el hotel de enfrente, atento a mis luces y a mi guillotina y a la posible mujer que hubiera venido a verme, no necesariamente a pasar por mi cama. Esperando a su salida. No en balde me había parecido desde el principio un tipo que transitaba más por las calles que sobre moquetas, menos bregado en las oficinas que fuera de ellas.

Abrí la portezuela entornada del coche y me subí, sin contestarle nada. Él lo rodeó y entró por su lado. Le dije mis señas exactas, con retintín, supongo, como si él fuera un taxista, eso fue todo. Yo sabía que no iba a contenerme durante aquellos minutos a solas que nos aguardaban, pero no estaba seguro de cómo empezar, quizá no me convenía precipitarme en exceso, pese a mi cabreo, soltando la primera recriminación que me viniera a la lengua, y que acaso fuese secundaria, un detalle en comparación con lo grave. Aún no había decidido abandonar el trabajo, eso debía pensármelo con mayor distancia, y encajar la idea de volver a verme en la BBC Radio, con sus aburrimientos mal pagados. Esperé unos segundos largos, el automóvil ya en marcha y acelerando, a ver si él decía algo y así me daba una entrada. 'No lo hará', pensé, 'sabe aguantar los silencios, los que él establece.' El interés era suyo, en acercarme, pero quizá no era para aleccionarme, ni para reñirme (por mí se nos había pegado De la Garza), ni para puntualizarme nada, sino para oír mi desahogo todavía en caliente, 'en mojado' como Don Quijote decía, y así medir mi capacidad de enfado. Al poco el silencio se hizo ya propio de dos personas que no quieren hablarse.

—Esa zona en la que vives no es nada barata —murmuró él entonces; de modo que el silencio, inferí, era ajeno a su decisión y a su voluntad, y esos los soportaba menos: su vehemencia o su tensión permanentes le exigían llenar todo el tiempo de contenidos palpables, audibles, reconocibles o computables. Todo el coche, ahora sin las interferencias o rivalidad fragante de Flavia, olía a su bálsamo *after-shave*, era como si éste se le quedara impregnado o él renovara continuamente su aplicación a escondidas. No le había visto hacerlo ante el espejo de los tullidos. Bajé un poco mi ventanilla.

—No, no es barata, más bien cara —respondí casi sin querer—. Pero prefiero gastar en eso, huyo de la sordidez como de la peste. —De pronto caí en que desde hacía un rato Tupra no llevaba su abrigo, puesto ni echado ni tampoco al brazo, no me había dado cuenta de cuándo se lo había quitado ni de dónde lo había metido, habría sido al salir de la discoteca, o habría efectuado un cambiazo rápido en el guardarropa, del que no me había percatado. Volví la cabeza para ver si estaba extendido sobre la repisa de atrás, más allá de los asientos traseros. Pero no lo vi, luego dónde estaba, la maldita espada—. Y esa espada —le dije.

Tupra —ya no sería Reresby, aunque la noche no hubiera acabado— sacó un cigarrillo, lo alumbró con el encendedor del coche, se le iluminaron un momento las mejillas lisas y acervezadas, era como si estuviera recién afeitado. Esta vez no me ofreció uno de sus preciosos egipcios. Yo saqué uno de mis peloponesios para subrayarlo, no lo encendí al instante.

—Qué. Está en el maletero.

—Quiero decir a qué venía esa espada. Cómo es que la llevas. Ha sido una brutalidad, es una salvajada, he creído que le ibas a cortar de verdad la cabeza, casi me muero yo, estás loco, qué es esto, dónde estamos, eres un animal, y qué falta hacía...

Por fin me había salido en borbotón, me había lanzado, a pesar de que su respuesta ('Qué. Está en el maletero') había sido dicha en el mismo tono concluyente o conclusivo en que una vez me había contestado en su despacho ('Sí, lo he visto') al preguntarle yo si se había enterado del golpe de Estado contra Chávez en Venezuela (y había añadido: '¿Algo más, Jack?'). El mío no era aún de furia, pero si hubiera seguido con la retahíla inconexa ese tono habría ido en aumento, uno se calienta o se moja a sí mismo, las más de las veces lo hace uno con la mente solo, sobre todo si se produce una pausa, una condensación, una espera obligada entre los hechos y el estallido. Tupra no pareció sentirse afectado, no todavía —ni siquiera incomodado o levemente alterado—, por el arranque de mis exabruptos, y me cortó el torrente, iniciado apenas, con una frase serena y lateral de la que entendí sólo parte. No entender es lo que más frena, y querer entender urge más, y puede más que cualquier cosa.

—Eso lo aprendí de los Kray. —'*The Krays*', dijo en inglés, con ese plural innecesario en español para los apellidos o las familias cuando se los nombra colectivamente (el plural ya lo indica el artículo, 'los Manoia'), y que cada vez más idiotas nacionales nuestros trasladan a nuestra lengua con mimético desconocimiento: acabarán diciendo 'los Lópeces' o 'los Santistébanes' o 'los Mercaderes'. Pero yo no comprendí la palabra entonces, ni me la representé con mayúscula ni sabía que era un apellido, y menos aún cómo se escribía (¿*crase, craze, kreys, crays, crease, creys,* o hasta *krais*? A la mayoría de los españoles nos cuesta distinguir los diferentes tipos de *s*). Por eso paré la cascada en seco, a la vez que él paró ante un semáforo.

—¿De los qué?

—Será de los quiénes —me contestó—. Los hermanos Kray, *k, r, a, y.* —Y lo deletreó en el acto, según la costumbre en su idioma—. No tienes por qué haber oído hablar de ellos, eran dos gemelos, Ronnie y Reggie, dos *gangsters* pioneros de los años cincuenta y sesenta, empezaron en el East End, gente salida de Bethnal Green o por ahí; les comieron el terreno a los italianos y a los malteses, prosperaron, se expandieron, hasta que acabaron en prisión a finales de los sesenta, uno murió ya entre rejas y el otro creo que aún cumple condena, debe de ser ya bastante viejo y seguramente no salga nunca. Fueron de los más violentos y temidos, coléricos, con escaso control de su crueldad, algo sádicos, y al principio de su carrera utilizaron espadas. Claro que ellos lo hicieron por necesidad, no tenían dinero para armas más caras, en sus primeros escarmientos e intimidaciones. Causaban terror, con sus sables, a sus víctimas las dejaban marcadas de oreja a oreja de un solo tajo, o a lo largo de la espalda entera y aun más abajo. Les hacían una segunda raja, vaya, y a una mujer se cuenta que le dejaron cuatro. Hay un libro o dos sobre ellos, y hubo una película, creía que tú ibas al cine. A lo mejor no se exhibió en España, demasiado local para otros países, pequeña historia de Londres. Pero esa sí la vi yo, y en una escena o dos se los veía con sus espadas, provocando el pánico. Recuerdo una, en unos billares. No estaba mal, bastante documentada, y los actores también eran gemelos. Cine biográfico, lo llaman. —Jamás había oído yo ese término. *'Biopic'* sí, pero *'biographical cinema'* nunca, y fue eso lo que él dijo.

Ya me había desactivado, momentáneamente al menos. Así solía proceder cuando hablaba, iba de una frase a otra y con cada una se iba más desviando de lo que había dado pie a la primera, del origen de la charla o de su disquisición, si era esto. El origen en esta ocasión era mi enfado, mi resentimiento porque me hubiera involucrado en sus bestialidades o me hubiera hecho contemplarlas, en las películas y en las novelas se mata a cualquiera por nada y allí nadie pestañea, ni el autor ni los personajes ni los espectadores ni los lectores, siempre parece tan fácil, y tan común, tan frecuente. Pero no lo es en la vida real, no es fácil ni común ni frecuente, no en la que llevamos la mayoría inmensa de las personas —pero inmensa—, y en ella causa un malestar y una turbación y un pesar descomunales, inimaginables para quien no se ha visto antes en una. (Sí, se queda uno temblando, como ya creo haber dicho, y se queda mucho rato. Y luego se queda abatido, y eso le dura aún más tiempo.) Por fortuna nosotros no habíamos matado a nadie en contra de lo previsible tras la aparición de aquella arma, eso creía (sería yo quien llamase un día a De la Garza, a espaldas de Tupra —más valía—, para cerciorarme de que seguía con vida el capullo, de que no la había palmado luego por alguna lesión interna). A la postre habían sido tan sólo unos golpes y unas sacudidas y una ahogadilla, esto es, algo menor, baladí en una película o en una de esas novelas miméticas de las americanas más lerdas, sobre psicópatas revientacuerpos o asesinos en serie analíticos, casi aritméticos, hay montones de ellas, también en la imitativa España. Y sin embargo esa nimiedad de las ficciones a mí me había dejado con sensación de fiebre y con náuseas y con pasajeros sudores, duraban poco pero no se iban del todo, y cada vez que se detenía el coche ante un semáforo en rojo y no entraba aire por la ventanilla, me volvían, y me empapaban entero en cuestión de segundos. Eso durante el trayecto. En efecto era breve, y más de noche, nos acercábamos ya a mi plaza.

Me había quedado callado tras sus explicaciones sobre los gemelos Kray, entre desconcertado, aún más malhumorado y curioso, y hube de retroceder mentalmente para recuperar si no el origen de aquello, sí al menos sus aledaños: la espada.

—¿Qué quieres decir con que lo aprendiste de ellos? ¿Te refieres a lo de la espada? ¿Y lo aprendiste de qué, de los libros, de la película, o es que los conociste?

Tupra habría nacido hacia 1950, un poco después o un poco antes. Podía haberlos tratado como aprendiz, como alevín, como acólito, con anterioridad a su encarcelamiento, hay ámbitos en los que se empieza muy joven, casi niño. En alguna otra ocasión había mencionado Bethnal Green, el barrio más tirado de Londres en la época victoriana, y su miseria había sido mucho más larga que el larguísimo reinado. Allí hubo durante décadas un manicomio, el Bethnal House Lunatic Asylum, y el distrito nombrado 'Jago' —como me llamaba a mí Tupra a veces, irónicamente—, en torno a Old Nichol Street, era notorio por su extremada pobreza y sus continuos crímenes. Si procedía de un sitio así —pero también había estudiado en Oxford, quizá gracias a sus dotes—, eso podía explicar que se desenvolviera tan bien en los bajos fondos como en las superficies más altas: lo segundo se aprende, y está al alcance de cualquier vivo; en cambio no hay enseñanza que valga para lo primero, más que sumergirse. Por edad era posible. Pero Tupra no me contestó directamente, la verdad es que no acostumbraba.

—La película debe de haberla en DVD o en vídeo. Pero era bastante sombría, y algo sórdida. Así que si huyes de eso como de la peste, será mejor que no la veas —dijo como si no hubiera oído mis preguntas o las encontrara superfluas; y además le noté un poco de burla, al tomarme al pie de la letra mi aversión por las sordideces—. En ella hacía un pequeño papel un actor que conozco bien, un viejo amigo, y una noche, cuando la rodaban, lo ayudé a ensayar su escena. Yo creo que luego fui a verla por eso, cogió mucho de mi estilo. Compartía calabozo con los gemelos, durante su servicio militar, aún muy jóvenes; los observaba, y les daba la lección resumida de lo que tendrían que hacer cuando salieran y se reincorporaran a la vida civil. Es la lección más condensada para conseguir algo. En realidad siempre, lo que sea. 'Sé cómo os llamáis, Kray', les decía. —Y esta vez Tupra pronunció el nombre a lo *cockney* o a lo poco instruido, esto es, como si fuera la palabra *'Cry'*, 'Grito' o 'Llanto' según los casos. Como si representara él el papel, momentánea, vicariamente: le había asomado su vanidad ingenua de nuevo, blanda. Acabábamos de desembocar en mi recoleta Square, en mi plaza silenciosa y tranquila desde que la noche caía; había aparcado frente a los árboles y había apagado el motor al instante, pero no iba a dejarme bajar inmediatamente, todavía me estaba hablando. Y aún no se había manifestado la causa de su empeño en llevarme—. 'Y me digo a mí mismo, George, me digo' —prosiguió el monólogo, era como si lo tuviera memorizado desde aquella noche de ensayo con su amigo actor, haría años—, 'estos chicos son especiales, estos chicos son algo nuevo. Lo tenéis. Habéis dado con ello. Y yo puedo verlo.' —Esa u otras parecidas frases eran la divisa de nuestro trabajo, 'Yo puedo verlo, puedo ver tu rostro mañana'—. 'Y tenéis que aprender a usarlo. Mirad, hay gente ahí fuera, muchísima gente, a la que no le gusta que le hagan daño. Ni a ella, ni a sus propiedades. Y mirad, esa gente, a la que no le gusta ser dañada, pagan a personas, para que éstas no le hagan daño. Sabéis de lo que estoy hablando, ¿verdad? Claro que sí. Bien, cuando salgáis de aquí, muchachos, mantened los ojos bien abiertos, acechad a la gente a la que no le gusta que le hagan daño. Porque hasta a mí me hacéis cagarme de miedo, muchachos. Maravilloso.' —*'Cos you scare the shit out me, boys. Wonderful'*, así lo dijo en inglés Tupra, esto último, con su falsa dicción que acaso era la verdadera suya, allí dentro de su coche quieto tan raudo, a la luz lunar de las farolas, sentado a mi derecha, con las manos todavía sobre el volante inmóvil, apretándolo o estrangulándolo, ya no llevaba los guantes, los tenía en el abrigo junto con la espada, sucios y mojados y envueltos en papel toalla—. Esa es la cosa, Jack. El miedo —añadió, y esas siete palabras (o en su lengua fueron menos) aún sonaron como si pertenecieran al papel que imitaba, o que había usurpado, o que tal vez le habían robado, o que creía haber interpretado él de todas formas, por amigo interpuesto. Pero no sonaba como *su* estilo precisamente, no el habitual del Bertram Tupra que yo conocía, sino como la recreación de un actor shakespeariano, en todo caso sí sombrío, no sé si sórdido, más bien siniestro, agorero, no fue extraño que con mi sudor de ida y vuelta y mi sensación de fiebre me viniera un escalofrío.

El malestar se me iba pasando, con todo, desde que él había detenido el automóvil. Veía mis luces del apartamento encendidas, a menudo dejaba así algunas si es que no todas, parecería que estuviera en casa siempre, excepto cuando dormía o las apagaba a propósito a veces —al oír música—, para alguien que me espiase desde enfrente o desde la calle.

—Esas luces de ahí, ¿son las tuyas? —me preguntó Tupra al mirar hacia donde yo miraba, hubo de invadir mi espacio un momento y acercar su rostro a mi ventanilla abierta, le gustaba controlarlo todo, o lo que veía lo curioseaba con sus ojos siempre insaciables, azules o grises según qué los iluminara.

—Sí, no me agrada encontrarme la casa a oscuras, cuando regreso tarde.

—No será que te espera alguien arriba, ¿verdad? Y yo aquí entreteniéndote más rato.

—No, no me espera nadie, Bertram. Sabes que vivo solo.

—Podía ser una visita, alguien habitual, que tuviera llave. ¿Quizá una novia inglesa? ¿O sería siempre española?

—Nadie tiene mis llaves, Bertram, y esta noche era muy mala para citas tardías. Cuando salimos contigo, nunca sabemos a qué hora volvemos.

Hoy no es demasiado tarde, pero sólo con que De la Garza hubiera luchado, o hubiera echado a correr, o hubiéramos tenido que pasar por comisaría por armar bronca en sitio público o por tu original posesión de armas, ya nos habríamos ido a las tantas, o a mañana por la mañana.

Tal vez mi leve pero recobrado tono de reproche lo llevó a acordarse, y entonces él me hizo el suyo, su reproche, para machacar y anular el mío o porque me lo tenía guardado, y para eso, para soltármelo, había querido acercarme a casa. Seguramente era esto último, él no solía pasar por alto los fallos, ni sus descontentos.

—No habría podido echar a correr. Tampoco habría luchado nunca, tú lo sabes —me puntualizó—. Pero ah, mira, ahora que me llamas Bertram, esto quería decirte. —Y se le endureció la cara, debía de haberlo fastidiado de veras—. Tres veces, tres veces si no han sido cuatro, me has llamado Tupra esta noche, delante de ese imbécil tuyo. ¿Cómo se te ha ocurrido, Jack? ¿No tienes cabeza? —Y hasta se atrevió a darme un golpecito en la frente con la parte más mullida, inferior, de su palma, como si fuera un profesor de gimnasia—. Si soy Reresby esta noche, Jack, esta noche no tengo otro nombre, eso estaba claro, a ningún efecto. Lo sabéis todos de sobra, que eso es inamovible en cualquier circunstancia, a menos que yo os avise de un cambio. ¿Cómo has podido tener ese descuido? Ese cretino ha oído mi nombre. Podían haberlo oído otros. Con él no pasará nada, no será grave, le dará lo mismo un nombre que otro, y lo último que deseará será acordarse de mí, de mi cara o de cómo me llamo. Querrá olvidar la pesadilla entera, ese no va a ser vengativo. Pero imagínate que se te hubiera escapado delante de Manoia, para quien soy siempre Reresby, desde que me conoce. Son años, Jack, ¿no lo entiendes? No puedes tirármelos a la basura en un instante, por perder los papeles y ponerte histérico y anticipar lo que voy o no a hacer, hasta que me veas hacerlo tú no puedes saberlo, y a veces tampoco aunque me veas, ¿entiendes? No lo habré hecho, de todas formas. Aparte de que no sea asunto tuyo, lo que yo haga. Pronto vas a viajar conmigo, Jack, me vas a acompañar fuera, y habrá más desplazamientos seguramente, si continúas con nosotros y seguimos colaborando. Me veas en lo que me veas, no vuelvas a meterte nunca. No quiero ni pensarlo: con Manoia habrían sido años de confianza muy lenta, jamás segura, siempre a prueba, tirados por la borda así, en un instante. ¿O cómo crees que reacciona alguien cuando oye llamar a un negociador o a un socio por otro nombre del que él conoce?

Tenía razón en parte, incluso en buena medida: había sido un fallo. Pero había sido cuando había sido, cada vez que había creído que iba a matar al cretino, no era una circunstancia cualquiera. Pero en vez de defenderme inmediatamente, aproveché para intentar una averiguación (tres eran muchas veces):

—Así que os conocéis de antiguo y aun así te cree Reresby —dije—. No sabía, tampoco me lo dejaste tan claro. ¿Qué es el Sismi, si puedo preguntarlo?

Tupra se rió, esta vez él solo, seco, casi me sonó sarcástico; o peor, condescendiente.

—No sólo puedes —me contestó—, sino que ni siquiera te haría falta. Probablemente venga hasta en los diccionarios, de italiano-inglés, de italiano-español en tu caso. El Servicio de Inteligencia de allí. Servicio para la Seguridad y la Información Militares o algo así, son siglas, en italiano dan SISMI, *s, i, s, m, i,* no tiene ningún misterio. Estabas más atento de lo que me ha parecido.

—Ah. ¿Debo deducir que Manoia pertenece a ellos? Un siervo de Berlusconi, entonces. Qué desgracia la de los funcionarios y militares de ese país, vasallos todos de un mamarracho. Se le adivinan las lentejuelas y la chaqueta de raso rojo, aunque no las lleve puestas. No, no estaba atento, pero esa palabra no la conocía, en ninguna lengua.

No me siguió la broma, pero no sería por respeto a ese Primer Ministro, yo sabía que también opinaba que era un mamarracho con chaqueta de raso y lentejuelas implícitas.

—Eso sería demasiado deducir, Jack. Así que no lo preguntes tampoco. Hablar de la CIA o del MI6 o el MI5 no supone pertenecer a ellos, ¿verdad? Es más, rara vez los nombran quienes están en ellos, como tienen prohibida la palabra 'Mafia' muchos mafiosos, no toleran ni oírsela a otros, a civiles. Tampoco se te ha contratado para que deduzcas ni para que preguntes, así que puedes ahorrarte esas tareas, las haces gratis. O guardártelas para ti, si es que te tientan. Pero a mí no me fastidies, no me marees.

Esta vez se me hizo antipático, impertinente. *'But don't piss me off, don't pester me',* algo por el estilo dijo, y le salió con gran desprecio. A mí no me costaba nada recuperar el cabreo, de hecho el de fondo no se me iba a pasar en mucho tiempo y nunca se me iba a olvidar el mal trago, el sentimiento

TESCO
Clubcard
BONUS

****

★SAVE £15★

When you spend
£60 or more
on your first shop at
tesco.com/groceries
Valid on a single order delivered
or collected by 09/02/2014
eCoupon Code: XXNNR7

Enter the eCoupon code at the
tesco.com/groceries checkout to receive
the offer. Delivery or collection charges
apply. eCoupon code valid for new
customers only on your first single
grocery order delivered or collected on
or before the date above. Minimum spend
excludes Delivery Saver subscriptions,
tobacco products, infant milk formulae,
stamps, Paypoint, National Lottery
Scratchcards and delivery or collection
charges. Valid on purchases from the
tesco.com/groceries site only.
Cannot be used in conjunction
with any other eCoupon code
beginning with 'XX'. Offer only applies to
recipients of this eCoupon and may be
redeemed only once per household.
This eCoupon code is and shall remain
the property of Tesco Stores Limited
and is not for resale or publication.
See Tesco.com for full eCoupon terms &
conditions.

****
13/01/14   11:33   2463   015   1009   7919

TESCO

Every little helps

If you change your mind about
your purchase, please retain
your receipt and return it to the
store with the product as sold
within 28 days.
Conditions apply to some products,
please see instore for details.
Your statutory rights are not
affected.

Tesco Stores Ltd
Registered Office
Tesco House, Delamare Road
Cheshunt, Herts. EN8 9SL
www.tesco.com

VAT NO: 220430231

THANK YOU FOR SHOPPING
WITH US

TESCO

Every little helps

If you change your mind about
your purchase, please retain
your receipt and return it to the
store with the product as sold
within 28 days.
Conditions apply to some products,
please see instore for details.
Your statutory rights are not
affected.

Tesco Stores Ltd
Registered Office
Tesco House, Delamare Road
Cheshunt, Herts. EN8 9SL
www.tesco.com

VAT NO: 220430231

de miserabilidad y abuso que me había infundido, de impotencia y de chulería y aun de fascismo analógico. Si es que era analógico: me había hecho acordarme de la cuadrilla de requetés o de falangistas que había toreado a un hombre en un campo de Ronda, en el remoto octubre o septiembre del 36. Me tocó las narices y le devolví la moneda.

—Me ibas a dar una explicación —le dije—. De lo de la maldita espada. Los Kray y todo eso. ¿Qué es lo que aprendiste tan importante, a ser como El Zorro? ¿D'Artagnan, Gladiator, Conan el Bárbaro, Espartaco? ¿El Príncipe Valiente, los Siete Samuráis, Aragorn, Scaramouche? ¿O Darth Vader? ¿Cuál es el modelo?

Volvió a apoyar las manos sobre el volante trabado. Ladeó la cabeza hacia mí, hacia su izquierda, con la poca luz —y era toda lunar— los ojos se le veían negros y opacos, como nunca se le apreciaban; o era efecto de la dominancia de sus pestañas, largas y demasiado tupidas para no ser envidiadas por casi cualquier mujer y receladas por casi cualquier varón. Yo soy varón, pero tampoco las tengo cortas ni ralas. Se rió un poco, con más ganas ahora, mi salida le había hecho gracia. Una vez más yo le hacía gracia, es el mejor salvoconducto para librarse de casi cualquier cosa (no de las inquinas ni de las venganzas, pero sí de las represalias y las amenazas coléricas, y eso es mucho).

—Sí, ríete ahora, Iago —me dijo, me llamaba así cuando quería picarme, en tono de zumba. Y a continuación se puso más serio—. Ríete, pero hace una hora, cuando tenía la espada en la mano, estabas tan aterrorizado como ese Garza —lo pronunció a la inglesa, le salió 'Gaatsa'—. Y si yo me bajara ahora del coche, fuera al maletero y la cogiera de nuevo, te volverías a morir de miedo aquí mismo; y si te la levantara saldrías corriendo hasta tu puerta y maldiciendo la existencia de las llaves, que hay que sacar de un bolsillo e introducir en una ranura, no es fácil acertar cuando la vida depende de eso y está uno desesperado y sin aire. Uno nunca llega a tiempo. Yo te habría alcanzado, antes de lograr abrirla. O de poder cerrarla dejándome fuera a mí con mi espada, la hoja habría cabido por la rendija y te habría impedido el portazo. Hasta los sueños saben eso, que a uno suele alcanzársele, y lo saben desde la *Ilíada*. —Se detuvo un momento y miró hacia mi portal, lo señaló con el dedo como si ambos pudiéramos ver, desdoblados, la escena hipotética que describía, un hombre corriendo hasta allí como loco, salvando los escalones de un salto e intentando introducir una llave, completamente desencajado; y tras él otro con una 'destripagatos' de doble filo en la mano, con una lansquenete empuñada y en alto. Sí sentí un estremecimiento, procuré disimularlo. Me desconcertó su mención de la *Ilíada*—. Es el miedo, Jack. El miedo. Una vez te dije que es la mayor fuerza que existe si uno logra acomodarse a él, instalarse, convivir con él con buen temple. Entonces puede sacarle uno provecho y utilizarlo en su beneficio, y llevar a cabo proezas que ni en el sueño más fatuo, combatir con gran coraje, o resistirse, y hasta vencer a uno más fuerte. Las madres en primera línea con sus niños bien cerca, serían los mejores guerreros en las batallas, os lo tengo dicho. Por eso hay que ser cuidadoso con el miedo que uno mete, porque se le puede volver en contra. El que uno mete ha de ser tan terrible que no haya lugar a asentarlo, a incorporarlo, a adaptarse ni a consentirlo, que no pueda haber una estabilización ni una pausa para convivir con él, ni un segundo, para encajarlo y hacerle sitio, y así cejar un instante en el agotador esfuerzo por ahuyentarlo. Eso es lo que paraliza y desgasta, y consume toda energía, la incomprensión, la incredulidad, la negación, la lucha. Y si la lucha ya no es esa (que es baldía), entonces las fuerzas vuelven aumentadas. Nadie piensa que va a morir, ni en la situación más adversa, ni en la más negra de las circunstancias, ni ante la irrefutable inminencia. Así, el miedo que uno mete o infunde no debe ser conocido, ni casi ser imaginable. Si es un miedo convencional, previsible, o cómo decirlo, trillado, el que lo padece será capaz de entenderlo, de ganar tiempo y con él costumbre, y quizá después de acometerlo. No se le pasará, no va a perderlo, no es eso: ese miedo seguirá activo, acuciándolo y atormentándolo, pero podrá asumirlo parcialmente, podrá resituarse y discurrir algo; y se discurre a toda velocidad bajo su dominio, la imaginación se agudiza y aparecen soluciones, irrealizables o no, abocadas o no al fracaso, pero en todo caso se vislumbran, la mente se pone alerta y con ella todo el resto. Uno salta una tapia que parecía infranqueable en cualquier otro momento, o huye durante horas corriendo cuando antes habría dicho que no contaba con fuelle ni para cazar a la carrera el autobús que se marcha. O empieza a hablar, a interesar, a contar y a argumentar, a entretener al que lo amenaza y ver si así lo disuade, cuando toda la vida uno ha sido negado para la elocuencia y no es capaz de lograr ni que el camarero de un bar lo atienda. La gente con miedo se transforma, si se le da tiempo a que prevalezca en ella no ya el mero instinto, sino el ingenio raudo de la supervivencia.

Y Tupra se calló, ya no era Reresby indudablemente, paró su disertación, debía de tener bien estudiado el miedo, y bien probado, y bien vivido, y eso sería por el mucho uso de él que habría hecho en su vida, aquí y allá, quién sabía, en sus misiones y correrías de campo o sobre el terreno, en todas partes hay insurrectos y más si se está al servicio de un viejo Imperio ya en ruinas y además en retirada, que ya deja sólo destacamentos muy recios para hacer acopio y traspasar poderes y organizar salidas no del todo deshonrosas, los venideros negocios y las salidas tardías. Se me cruzó el pensamiento siniestro de que pudiera haber torturado y visto ahí tanto pánico, como Orlov y Bielov y Contreras a Andreu Nin en su día (el primero en realidad Nikolski y el tercero en realidad Vidali, y luego Sormenti en América: también Tupra tenía sus alias), en un sótano o cuartel o casa o prisión u hotel de Alcalá de Henares, allí en la colonia rusa donde había nacido Cervantes; un informante sombrío y no especificado sugería que lo habían desollado vivo, aquellos tres camaradas; pero me daba tanto miedo esa versión o idea que la rechazaba de plano sin más motivo que ese, mi incredulidad o lucha contra ese miedo, lo mismo que rechacé en seguida el pensamiento siniestro sobre Tupra mi camarada, al fin y al cabo era alguien a quien veía casi todos los días, los laborables al menos, durante aquel tiempo mío de Londres.

Se quedó en silencio de golpe, como sin resuello verbal más que respiratorio, las manos sobre el volante siempre, como si fuera un niño que jue-

ga con un coche de mentira o con el de su padre inmovilizado, apagado. La mirada se le había perdido, los ojos sin dirección precisa, seguramente sin
ver lo que vieran, mi portal, mi plaza, los árboles, las
oficinas, el hotel, las farolas, la estatua, o la escena
que acababa de fabular, en la que me alcanzaba dispuesto a matarme —era extraño ver divagar aquellos ojos, normalmente tan aprehensores y tan poco
ociosos—, o las luces también encendidas de mi
bailarín vecino, no sabía Tupra de su existencia, ni
que era mi entretenimiento cuando estaba solo en
casa, cansado o abatido o nostálgico, y a veces mi
apaciguamiento, el bailarín desenfadado y contento con sus dos mujeres, y alguna extra de tarde en
tarde. La Square estaba vacía casi todo el rato, tan
sólo pasaban algún automóvil o algún transeúnte
sueltos, separados por minutos; y al ser un lugar algo
recoleto, un semioasis, los pasos de éstos resonaban
sobre la acera excesivamente. Alguno se daba cuenta y entonces los reprimía, trataba de amortiguarlos,
como si de pronto añorara una alfombra bajo sus
pies indiscretos. Los coches no, en todas partes son
desconsiderados. Ni aminoraban la marcha. Tampoco lo habíamos hecho nosotros con el Aston Martin, al entrar en la plaza.

—¿Y entonces? —dije yo, que no soltaba las
presas si me atraía lo que contaban, al igual que
Wheeler y que el propio Tupra—. El aprendizaje,
la espada. —Dejé de lado el tono zahiriente, o era
de burla amigable.

Él salió de su vagaroso estado al instante, encendió otro Rameses II y ahora sí me tendió el fa-
raónico paquete abierto de color rojo predominante,
lo hizo maquinalmente, yo creo que sin darse cuenta

de que no había sido así poco antes. Habíamos apagado los anteriores con cuidado en el cenicero, no se arrojan por la ventanilla en Londres los fósforos ni las colillas. Volvió a hablar con el mismo vigor y convencimiento. Sin duda había estudiado y calibrado sus métodos, había pensado en ellos o los habían pensado por él unos expertos y él los había adoptado tras escuchar las explicaciones y con conocimiento de causa, casi nada era casual ni un capricho o una extravagancia, por lo que dijo entonces (y por una vez resultó que no se había desviado tanto, de frase en frase):

—Justamente. Si yo le saco a un individuo una pistola o una navaja, es seguro que se asustará, pero será un susto convencional, o trillado, como te he dicho, quizá esa es la palabra. Porque eso es lo habitual hoy en día y desde hace ya un par de siglos, de hecho va para antiguo. Si nos atracan o nos secuestran, si nos amenazan para que cantemos o quieren obligarnos a algo o se disponen a escarmentarnos, en casi todos los casos será a punta de pistola o cuchillo: eso es lo que la gente se agencia y además es lo cómodo y práctico, lo que cabe en un bolsillo y podemos sacar rápidamente con tan sólo una mano, y lo que suponemos que el otro lleva cuando presentimos un mal encuentro. Es lo probable si nos cruzamos con una panda de gamberros del fútbol o de cabezas rapadas y nos da tiempo a barajar la posibilidad de cambiarnos de acera, casi siempre es demasiado tarde, si nos han echado el ojo no suele valer la pena o hasta empeora las perspectivas. También si alguien nos sigue con intención sospechosa: la mujer que se huele que van por ella a violarla teme y se hace a la idea de una punta de navaja sobre su pecho o garganta; el hombre en cuya casa entran ladrones espera ver contra su sien o su nuca el cañón de una pistola, es lo normal y lo previsible y, por así decir, se hace a esa idea. Hacerse a la idea no es mucho, pero es algo, porque sin querer uno ya está pensando en las maneras de escapar a eso o de limitar su daño, aunque resulten fantasiosas dadas las circunstancias; pero lleva adelantado terreno y sobre todo no se aterroriza ni se sorprende tanto, o sólo en la medida de ser uno el que se ve en tal aprieto, cuando siempre ha creído que a él no iba a tocarle, o que ni siquiera entraba en el sorteo, el optimismo de la gente es infinito mientras ante cualquier desgracia ajena, aun cercana, le quepa añadir para sí, tras todos los pésames y lamentaciones: 'Ah, pero no soy yo, no ha sido a mí'. Ahora hay unas bandas, lo habrás leído en la prensa, la mayoría son de individuos del Este, albaneses, rusos, ucranios, kosovares, polacos, que irrumpen en las casas con metralletas y por las bravas, revientan la puerta y tiran al suelo a sus habitantes y para empezar les dan culatazos, todo mucho más a lo bestia; y a veces se pasan de la raya y matan. Son procedimientos de la antigua KGB, o de la aún más antigua NKVD, que a su vez no eran distintos de los de la Gestapo, ambos. —'Por ignorar los manejos de Orlov y sus muchachos de la NKVD', me pasó por la memoria esa cita, leída en casa de Wheeler, durante mi larga noche de estudio sobre la misteriosa desaparición de Nin—. Eso ya da más miedo, quiero decir que da uno más inesperado, y que esa violencia se percibe en seguida como desproporcionada para reducir y robar a una familia corriente, pacífica, que no va a oponer resistencia; y entonces pasa a temerse cualquier otra desproporción posible. Creo que en España hacen lo mismo, además de esos eslavos ingratos, los colombianos y los peruanos, aquí no hay aún demasiados de esos, vuestra lengua hace mucho por ellos, los tienta, en tu país tienen eso resuelto y para qué van a moverse. Eso nos salva a nosotros de ellos por ahora, bastante. Nos llegan árabes y chinos, rastas y pakis, son otra historia. Pero el miedo que provoca una metralleta, con todo, no acaba de ser terrible, o lo que yo llamo terrible, es decir, miedo que anula y que lo abarca todo, sin dejar espacio para ocuparse de nada más que de eso, del miedo propio que lo invade a uno entero. Porque es difícil que se utilice, esa arma. No lo harán si pueden ahorrárselo. Es ruidosa y aparatosa, vibra y su retroceso sacude y cansa, de tan fuerte, y tampoco se oculta con facilidad si se ha de salir huyendo. Su función es, al final, más de intimidación que de verdadero uso, y eso la víctima lo sabe o lo intuye desde el primer instante, y se reconforta, se recompone pensando que sólo si las cosas se ponen fatal para los asaltantes, dispararán éstos con ella. —Tupra volvió a hacer un alto, muy breve esta vez, como si quisiera poner punto y aparte nada más, ni siquiera cambiar de capítulo—. En cambio, una espada —añadió muy pronto—. Ríete ahora, búrlate por su extravagancia, por su anacronismo, hasta por su herrumbre. Tú no viste tu cara cuando la descubriste en mis manos. Viste la del macaco, con eso debería bastarte. —Bueno, la verdad es que dijo 'monkey', 'mono' a secas, sería imposible oír 'macaque' como insulto, en boca inglesa—. Seguramente es el arma que más miedo da, justamente por su incongruencia en estos tiempos en que casi nadie lucha acercándose, o sólo como deporte curioso. Se tiran bombas y proyectiles desde distancias inimaginables, es como si cayeran solas del cielo, te lo aseguro, ni siquiera se ven aviones muchas veces, ni se los oye, o van sin piloto o eso es lo que les parece a las poblaciones que están abajo. Se sufre el espantoso estrago, pero rara vez se ve ya a quien lo causa, esa es la tendencia desde que se inventó la ballesta, que Ricardo Corazón de León y otros consideraron deshonrosa, por ventajosa en exceso y con riesgo escaso para el ballestero, mucho más que el arco, porque al menos éste requería un mayor grado de destreza y esfuerzo y no se valía de un mecanismo, y alcanzaba, por así decir, lo que alcanzaba el brazo de un hombre, nunca más lejos ni más veloz ni preciso. Todo va hacia la ocultación del que mata, hacia su anonimato desde hace siglos, y todo hacia la deshonra; y eso hace que una espada parezca ir más en serio que cualquier otra arma. —'In earnest', fue lo que dijo—. Parece imposible empuñarla en vano, no sé yo si te das cuenta: parece imposible hacer algo distinto de usarla, y de usarla inmediatamente.

Y era cierto que yo me había preguntado por ella al vérsela ya en la mano —o quizá fue más tarde, cuando por fin volví a casa del todo (no entonces, no en aquel viaje o parada) y me costó tanto dormirme (luego pudo formularlo él por mí, habérmelo expresado en el coche y ser mi pensamiento sólo un eco de sus palabras)—, y lo había hecho en estos términos: 'De dónde ha salido, un filo primitivo, un mango medieval, un puño homérico, una punta arcaica, el arma blanca más innecesaria y más reñida con estos tiempos, más aún que una flecha y más que una lanza, un anacronismo, una gratuidad, una extravagancia, una incongruencia tan extrema que provoca pánico sólo verla, no ya miedo cerval sino atávico, como si uno recuperara al instante la noción de que es la espada lo que más ha matado a lo largo de casi todos los siglos, lo que ha matado de cerca y viéndosele la cara al muerto'.

Tupra había aludido a Homero y ahora hablaba del segundo rey Plantagenet y el primero de los Ricardos, nacido en la mismísima Oxford pero de quien mucho se duda que conociera el inglés o ni siquiera lo chapurreara, y que a lo largo de su decenio reinante no permaneció más que unos meses en el país de esa lengua —todo sumado—, inmerso el resto del tiempo en la Tercera Cruzada o en sus guerras familiares en Francia, donde fue muerto cuando sitiaba Châlus, el año 1199, por una saeta de ballesta precisamente —a modo de inri—, según refresqué en un par de libros más adelante: un británico forastero más, todavía otro inglés postizo y también otro con sus alias: no sólo 'Coeur de Lion' tan conocido, sino asimismo 'Yea and Nay', antiguas formas de 'Sí y No' y comprensiblemente más postergado; pues Ricardo Sí y No suena algo chusco aunque así fuera él llamado, por sus bruscos y continuos cambios de parecer y de planes, hasta en medio de las batallas (debió de ser exasperante, aquel monarca sañudo). Fue inevitable que estas referencias cultas de Tupra me sorprendieran un poco, en su conversación habitual no solía haberlas, no históricas ni literarias, si bien tal vez se debía a que normalmente no nos hacían falta: hablábamos de otras personas, casi todas eran presentes y ninguna era ficticia, aunque sí desconocidas para mí en su mayoría. Quizá era que conocía bien la historia entera de las armas, por motivos profesionales. O que había sido estudiante de Oxford, al fin y al cabo, y discípulo de Toby Rylands, profesor egregio y emérito de Lengua y Literatura Inglesas, con más formación de la que aparentaba. Pero siempre me cabía la duda de si la tutoría de Rylands se había dado más en el grupo sin nombre, que adiestraba con la práctica, que en la Universidad de renombre a la que habíamos pertenecido todos. Hasta yo mismo durante dos ya lejanos años de los que apenas quedaba rastro, tal como había previsto con seguridad entonces, cuando aún vivía allí, consciente de estar de paso y de que no iba a perdurar huella mía. Ahora, en aquel otro tiempo de Londres, pensaba lo mismo a veces, y aumentado, pese a no tener nunca muy claro si iba a regresar o adónde iría, si me marchaba: 'Cuando salga de aquí, cuando vuelva a España, mi vida de estos días reales —y algunos transcurren lentos— pasará a ser un 'Sí y No' o como un sueño sin importancia, y nada de esto tendrá ninguna, ni los sucesos más graves, ni esa tentación o ese pánico, ni esa asquerosidad o esa violencia que yo mismo causo, ni el plomo sobre mi alma. Y habrá llegado antes un día en que les habré dicho a estos días un adiós quizá parecido a la despedida escrita de Cervantes que quise recordarle a Wheeler, sin atreverme del todo a ello, en su jardín junto al río. Algo menos alegre sin duda, pero sí más aliviado. Por ejemplo: "Adiós risas y adiós agravios. No os veré más, ni me veréis vosotros. Y adiós ardor, adiós recuerdos"'.

—¿Qué estudios hiciste en Oxford, Bertram?
—le pregunté de pronto, aunque lo más seguro es
que no fuera el momento, sobre todo cuando había
habido tantos otros (y habría) en nuestras sesiones
y diálogos y pausas de vacilación o matiz y tiempos
muertos, para interesarme por eso. La verdad es que
lo ignoraba porque nunca lo había hecho antes, interesarme hasta preguntarle, y eso que es uno de los
primeros temas a que se recurre en Inglaterra con
vistas a romper el hielo entre desconocidos y aun
entre colegas. Así era cuando coincidía con algún
don oxoniense fuera de las actividades docentes o
administrativas, tomando un café en la Senior Com-
mon Room de la Tayloriana, entre clase y clase, o
entre conferencia y seminario; así como en las in-
fernales *high tables* o alzadas mesas de los treinta y
nueve *colleges* (elevadas cenas, y además eternas), en
las que uno podía verse sentado, inmóvil durante
varias horas, al lado de un economista joven que sólo fuera capaz de hablarle sobre un raro impuesto
inglés a la sidra, vigente entre 1760 y 1767, y del
que había versado su tesis (es un ejemplo real, de mi
antigua experiencia, Halliwell se llamaba aquel fes-
tival de hombre), y eso gracias a haber yo avanzado
con cortesía la frase inaugural y condenatoria a un
tiempo: '*What is your field?*', literalmente '¿Cuál es
su campo?' y en realidad '¿Cuál es su especialidad?'

o '¿A qué se dedica?', o allí podía también ser '¿Qué es lo que enseña?'. Cualquier variante era inoportuna para interrumpir a Tupra en medio de un discurso sobre la espada.

Si aún recuerdo hasta a aquel Halliwell, obeso y bermejo y con un bigotito militar pero ralo, cómo no voy a recordar a todos los otros de aquel periodo, al viejo portero Will de ojos limpios y claros que deambulaba a través del tiempo, y a Alec Dewar el Matarife, el Destripador, el Inquisidor o el Martillo —*the Butcher, the Ripper, the Inquisitor* o *the Hammer*—, abnegado profesor dickensiano bajo su aspecto fiero y sus apodos injustos; al beodo Lord Rymer reaparecido ahora y con su sobrenombre justo —*the Flask*, la Frasca—, y al chismoso eslavista Rook, hombre de cabeza gruesa y cuerpo tenue —un cabezón, en suma— que presumía de una amistad con Nabokov y llevaba mil años traduciendo *Anna Karenina* como se debía, sin resultados visibles; al matrimonio Alabaster, que solía espiarme en vilo por el circuito televisivo de su librería anticuaria cuando yo bajaba a su sótano a husmear entre el polvo, y al jefe de mi departamento Aidan Kavanagh, al que alguna vez vi con chaleco, como a mi jefe Tupra siempre, sólo que sin camisa debajo o con una extraña sin mangas; a la chica gorda llamada Muriel —pero al final no era gorda— con la que pasé una noche y basta, y que me dijo vivir entre el río Evenlode y el río Windrush, en la vecindad de lo que fue una vez bosque, Wychwood Forest; a la florista gitana Jane con sus botas altas, y a Alan Marriott con su perro dócil de tres patas, que me había visitado con su dueño una mañana, como muchos años más tarde el pointer blanco de

Pérez Nuix con la suya, una noche entrada; a mi mejor amigo Cromer-Blake, mi guía en la ciudad y quien allí me había hecho las veces de figura paterna y materna, alternativamente sano y enfermo durante mi estancia y muerto cuatro meses después de mi marcha (todavía yo guardo sus diarios), y a la autoridad Toby Rylands tan parecido a Wheeler pero aún sin el parentesco, y que quizá me había metido ya en esto mediante un informe escrito entonces, y archivado por si acaso; a la joven de pies rítmicos y bien calzados, y de tobillos perfeccionados, a la que no osé hablar con la conmoción suficiente, la que sentí en su presencia, en un trayecto tardío desde la estación de Didcot, y a Clare Bayes, mi amante. Toda esa gente estuvo en mis días antes que la propia Luisa, a la que tan sólo conocí a mi vuelta. Si yo no había dejado allí huella, en Oxford, sí había quedado en mí la de aquel tiempo. Como quedaría probablemente la de este otro periodo de mi soledad londinense, por mucho que pasara un día a parecerme una ensoñación no vivida, rebajada de sus consecuencias, y yo pudiera decir de todo ello los versos de Milton modificados, cada mañana: 'Desperté, se deshizo ese tiempo, y el día devolvió mi día'.

No, no era del todo cierto que no contara lo de ahora, cuando trabajaba en un país extranjero y un edificio sin nombre para no sabía quién, o sólo a veces, según me había explicado la joven Pérez Nuix en mi casa. Y a la vez que le pregunté eso a Tupra en el coche, qué estudios había hecho en Oxford, eché un vistazo hacia arriba, hacia mi ventana encendida tras de la cual ya iba ansiando encontrarme: habría ofrecido el mismo aspecto mientras ella dudaba en la calle si llamar o no a mi timbre, y también luego, mientras estuvo allí dentro en la noche de lluvia sostenida y fuerte, aposentada, hablando y aun disertando, y pidiéndome el mal favor que al final le concedí, a los pocos días, y que ahora me hacía sentirme en callada deuda con Tupra —o era deuda secreta y atormentada— y me frenaba en mi enfado o casi ira, no podía asumir lo que Reresby había hecho y no hecho —lo que yo había creído que haría— en aquel reluciente lavabo para los tullidos, era su término, en el que quizá había dejado uno más, quién sabía, y había estado a punto de dejar un cadáver ante mi vista, un decapitado en mi presencia.

—Opté por historia medieval, dentro de Historia Moderna —me contestó con la expresión conocida, 'I read medieval history'—. Pero nunca me he dedicado a ello, esto es, profesionalmente. ¿Por qué lo preguntas?

Me dio tiempo a pensar, sin tanta formulación como la que sigue ahora: 'Qué lástima no haberlo sabido. En vez de vapulearlo, podía haber hecho buenas migas y hasta pareja con De la Garza, como gran conocedor que es éste de la literatura medieval chic fantástica. Al menos algo más de merced le habría tenido'.

—Ah, entonces es una añoranza, lo de la espada. Una fantasía de juventud, puede ser eso —dije en cambio.

No le sentó bien mi ironía en principio, torció el gesto y oí un chasquido de impaciencia, la lengua contra los dientes: después de mi triple fallo con su apellido no debía de considerarme en situación de hacerle reproches ni chanzas.

—Puede ser, esa Historia me gustó siempre, tanto como la Historia Militar que estudié más
tarde —me contestó con calma, al fin y al cabo era
hombre capaz de verle la gracia a lo que podía tenerla—. Pero no desdeñes nunca las ideas imagina-
tivas, Jack, a ellas se llega sólo después de mucho
pensamiento, de mucha reflexión y mucho estudio,
y de notable atrevimiento. No están al alcance de
cualquiera. Sólo de los que vemos y aun así seguimos mirando. —'Ese es un don hoy rarísimo, cada
vez más infrecuente', me había explicado Wheeler a
la mesa del desayuno, 'el de ver a la gente a través de
ella misma y directamente, sin mediaciones ni es-
crúpulos, sin buena voluntad ni tampoco mala, sin
esforzarse.'—. Como tú y yo, como Patricia y Peter. —Y éste había añadido: 'Es en eso en lo que tú
podías ser como nosotros, Jacobo, según Toby, y
yo estoy ahora de acuerdo. Los dos veíamos así, nosotros. Veíamos. Con ello prestamos servicio. Y yo
sigo todavía viendo'. Así se refirió Tupra a la joven
Pérez Nuix, por su nombre de pila, la verdad es que
así solía él llamarla, o bien Pat, por el diminutivo,
lo mismo que a Wheeler se le escapaba decir Val a
veces, cuando rememoraba a su esposa Valerie, de
cuya muerte temprana había preferido aún no contarme ('Si te parece, si no tienes inconveniente',
había casi susurrado, como si me pidiera un favor,
el de permitir que callara). Esos casos no tenían el
mismo valor que cuando Tupra o la señora Berry me
llamaban a mí Jack, eso era por comodidad y aproximación fonética a mi verdadero nombre Jacques,
más que Jacobo y que Jaime, aunque ya nadie lo
usara. Y a continuación prosiguió o concluyó lo que
había venido ilustrando—: Ese miedo atávico es tan

tremendo, Jack, que si alguien contemporáneo ve hoy cernirse sobre su cabeza una espada, o que una espada apunta a su pecho, en el momento en que desaparezca ésta de escena y vuelva de nuevo a su funda, dará tales gracias al cielo que cuanto le caiga a partir de entonces lo dará por bueno y lo encajará sin resistencia; no sólo sin defenderse, sino con inmenso alivio. Casi con agradecimiento, porque ya se habrá rendido antes del primer golpe, al haberse dado por muerto. Y hará cualquier cosa que uno quiera: traicionará, delatará, confesará la verdad o inventará una mentira, deshará lo hecho y se retractará de lo dicho, renegará de sus hijos, pedirá perdón, pagará lo que sea, se dejará maltratar o aceptará sin rechistar el castigo. Sin oposición y sin regateo. Porque ya te digo que esa arma sólo es hoy concebible para ser utilizada, no para amenazar sin más, ni para mantener quieto a alguien, ni para amagar con ella. Para eso valen una pistola y hasta una navaja, nadie se molestaría en cargar con algo tan incómodo, con semejante engorro, si no fuera a hacer uso de ello, o eso es lo que va a creer siempre el que se la ve ya encima. Por eso los Kray daban tanto miedo, desde sus inicios, cuando sin embargo carecían de auténtico poder y fuerza para darlo tanto y no eran más que unos principiantes, unos advenedizos: porque aparecían con sus sables en cualquier sitio, y los empleaban. Daban tajos, daban sablazos, ya lo creo que los daban, en pleno Londres. Y ese pánico se siguió sucediendo y se quedó ya para siempre, una leyenda, el que ellos causaban con su violencia arcaica de tiempos más bárbaros. Reconócelo, Jack, hasta tú mismo recuperaste el aire cuando quité de en medio la espada. Y todo lo que vino después te pareció bienvenido, ¿fue así o no fue así, Jack? Reconócelo.

Tenía que reconocerlo, pero no lo hice para sus oídos. Que además se jactara me resultó insufrible.

—¿Y de qué se trataba esta vez, Bertram? —le pregunté en cambio—. Tú al final no la has utilizado, maldita sea, sólo has amagado por suerte, y no sé de qué te ha servido, ni desenvainarla y aterrorizarnos con ella ni lo que ha venido luego, el resto. No he visto que a De la Garza aprovecharas para interrogarlo, ni que quisieras sacarle nada, ni que le exigieras disculpas, ni que lo obligaras a deshacer nada hecho ni a soltar dinero. ¿Qué buscabas, si puede saberse? ¿Asustarme a mí? Ha sido gratuito e innecesario. Ha sido un descomunal abuso. No hacía falta una lansquenete de doble filo. Ni medio ahogarlo en un retrete. Ni machacarlo contra esa barra. A menos que se tratara de algo sin más finalidad que el castigo, por haberte entorpecido. Ese hombre es un gran capullo, de acuerdo —me vino a la lengua ahora 'asshole', como equivalente—, pero es inofensivo. No se puede ir por ahí pegando a la gente, no se puede ir matándola. Y menos si me involucras a mí en ello.

Tupra volvió a invadir con sus rizos mi lado del coche, un momento, para mirar de nuevo por la ventanilla hacia donde yo había mirado de nuevo, quizá quiso comprobar que no se había dibujado de pronto ninguna figura en mi ventana encendida.

—Yo no hago eso —me dijo—. Y veo que entiendes de espadas. Sí, es una lansquenete o *Katzbalger*, auténtica —añadió con pedantería y un punto de orgullo—. Pero dime según tú: ¿por qué no se puede?

Me desconcertó aquella salida, hasta el extremo de no saber en el instante a qué se estaba refiriendo, pese a acabar yo de decir qué era lo que no se podía.

—¿Por qué no se puede qué?

—Por qué no se puede ir por ahí pegando, matando. Es lo que has dicho.

—¿Cómo que por qué? ¿Qué quieres decir, por qué?

Mi desconcierto iba en aumento, y para las cosas más obvias no se tiene contestación, a veces. Las damos por descontadas de tan obvias, supongo, y uno deja de pensar en ellas, más aún de cuestionárselas, y así pasan décadas literalmente sin que les dediquemos un pensamiento, ni el más mísero y distraído. Por qué no se puede ir por ahí matando, era esa tontería lo que me preguntaba Tupra. Según yo. Y yo ahora no tenía respuesta para la tontería, o sólo tontas y pueriles, heredadas y nunca alcanzadas: porque no está bien, porque la moral lo condena, porque la ley lo prohíbe, porque se puede ir a la cárcel, o al patíbulo en otros sitios, porque no se debe hacer a nadie lo que no quiero que a mí me haga nadie, porque es un crimen, porque es pecado, porque es malo. Era seguro que él me estaba preguntando más allá de todo eso. No me contestó en seguida. Vio que no sabía responderle, o no con prontitud al menos. Sacó otro Rameses II, ahora volvió a no ofrecerme, lo consideraría un despilfarro, dos tan cercanos; se lo llevó a los labios, no lo encendió aún, y en cambio hizo girar la llave y puso el motor en marcha. No creí ni durante un segundo que fuera para invitarme a bajar, para despedirme por fin y ya marcharse. Él tampoco soltaba las presas, ni dialécticas ni de ninguna clase.

—Espero que efectivamente nadie te aguarde arriba, lo espero por ella —dijo entonces, y levantó el índice hacia el techo y luego miró el reloj; yo miré el mío en ademán casi reflejo, mimético: no, no era muy tarde a pesar de todo, ni siquiera para Londres, y en Madrid cualquier noche habría estado tan sólo mediada, las fiestas en su apogeo—; porque todavía no va a ser hora de subir a verla. No es demasiado tarde, pese a todo, y mañana puedes no ir a trabajar, si quieres. Pero conviene que hablemos un poco más de todo esto, veo que te lo has tomado muy mal, demasiado, te explicaré por qué sí hacía falta. Vamos a ir a mi casa un rato, no nos llevará más de una hora, hora y media. Quiero enseñarte allí unos vídeos, los tengo allí, no en el despacho, no son para que los vea cualquiera. También te contaré un par de episodios, alguno de historia medieval, precisamente. Te contaré de Constantinopla, por ejemplo. Quizá también algo de Tánger, no tan antiguo, aunque ya de hace unos siglos. Y mientras llegamos, vete pensando algo más lo que has dicho. Para explicarme por qué no se puede.

Me había quedado callado, tras no encontrar respuesta a su pregunta tonta. O a lo mejor no era tan tonta y ninguna respuesta era fácil. No me pareció que pudiera negarme. Y además no tenía sentido, después de cuanto ya llevábamos recorrido, aquella noche.

—Sé lo que ocurrió en Constantinopla, en 1453 —dije a falta de palabras. Hacía muchísimos años, antes de vivir en Oxford, había leído un maravilloso libro de Sir Steven Runciman, que no era de Oxford sino de Cambridge: *The Fall of Constantinople 1453*, sobre esa caída de Constantinopla. Tampoco era verdad que supiera aún lo ocurrido, no lo recordaba, uno lee y aprende y se olvida luego, si no sigue leyendo, si no sigue pensando.

—Ya —contestó Tupra, o *'I see'*, fue lo que dijo—. Pero te contaré también de un poco antes.

Arrancó, dio la vuelta a la plaza para salir de ella en dirección al norte. No sabía dónde vivía, pensé: 'Quizá en Hampstead'. Volví a mirar hacia mis luces con la cabeza vuelta, también hacia las del bailarín confiado. Tupra miró de reojo mis dos miradas. Seguía todo encendido, los ventanales danzantes, mi silenciosa ventana. La mía tenía que seguirlo por fuerza, y así seguiría hasta que yo volviera, con Tupra nunca se sabía a qué hora se regresaba. Y por mucho que él se empeñara, por suerte, no había nadie en la casa, esperándome, que pudiera apagar nada en mi ausencia, mientras yo no estaba. Nadie tenía mis llaves, y allí nunca me esperaba nadie.

Julio de 2004

(Fin del Segundo Volumen de *Tu rostro mañana*)

Tu rostro mañana
1 Fiebre y lanza

JAVIER MARÍAS

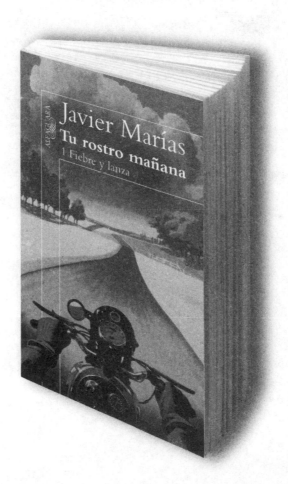